책 한권으로 보는 이승만의 공과 과

책 한권으로 보는 이승만의 공과 과

발 행 | 2024년 3월 14일
저 자 | 이용관
펴낸이 | 한건희
펴낸곳 | 주식회사 부크크
출판사등록 | 2014.07.15.(제2014-16호)
주 소 | 서울특별시 금천구 가산디지털1로 119 SK트윈타워 A동 305호
전 화 | 1670-8316
이메일 | info@bookk.co.kr

ISBN | 979-11-410-7649-8

www.bookk.co.kr

책 한권으로 보는 이승만의 공과 과

이용관 지음

목 차

존경하는 사람 1호는 늘 김구였다. 백범일지에서 김구의 삶은 오롯이 대한독립 그 자체였다. 늘 독립 애국 애민이 바탕이 된 그의 삶에서 누가 감히 그를 능가할 수 있을까, 그래서 김구였다.

왜 이승만인가?
이 전 대통령에 대한 얘기가 요즘 한창 화두의 중심으로 떠오르면서 우리는 이승만에 대해 얼마나 알고 있는가? 라는 의문에서 나는 자유롭지 못했다. 공과를 떠나 학창시절 이승만이 삶과 업적들을 정확하게 배우지 못하고 공부하지 못했기에 이 대통령에 관한 얘기가 나올 때마다 꿀 먹은 벙어리가 되었다.

그리고 김구라는 인물이 가슴 한 켠에 깊이 자리하고 있어서 별 관심이 없이 그렇게 한세월을 살았다. 어느 날부터 이승만이란 인물에 민물이 파도처럼 내 안으로 들어오기 시작했다. 그래서 이승만에 관한 연구가 시작되었다. 마치 거대한 수렁으로 빨려 들어가는 내 모습을 발견하고 헤어나지 못할 것 같은 대단한 웅벽 속에 갇힌 느낌이었다. 그래서 김구를 1순위에서 접었다. 대신 그 자리에 이승만이 올라왔다.

초대 대통령으로 대한민국을 건국한 건국 대통령으로 역사 속에 길이 살아 숨 쉬고 있어야 함에도 지난 세월 이 대통령에 대한 언급은 마치 '금기어'처럼 자리매김하고 있어서 공론화되지 못하고 술안주로 영웅론과 독부로서 회자되고 있었다.

그래서 정확하게 알아보기로 했다. 어떤 삶을 살았는지, 대통령으로 어떤 업적이 있는지, 그리고 얼마나 자 잘못이 있었는지에 대한 이해가 필요했다. 그리고 책으로 엮어서 후세들에게 알려주는 것이 나름 이 시대를 살아가는 사람으로 역할이라는 생각에 필이 꽂혔다.

여기서 한가지 소개하고 싶은 내용이 있다. 칭기즈칸의 예이다. 칭기즈칸의 마상 동상은 몽골 수도 울란바토르에서 한 시간 거리의 초원 위에 있다. 약 40m 높이의 청동상은 세계에서 가장 큰 동상이다. 동상이 세워진 것이 불과 십여 년 전(2010년)의 일이다. 칭기즈칸도 이 동상이 세워지기까지 많은 세월이 필요했다. 공산국가 소련의 위성국으로 지냈던 몽골은 소련연방이 무너지기 전까지는 '칭기즈칸'을 입에 올리지 못했다. 칭기즈칸을 철저히 부정하면서 일체의 연구와 발표, 토론 등을 원천적으로 배제했다.

중국도 마찬가지다. 중국은 원나라를 건국한 쿠빌라이 이후만을 중국 사회에 편입시켰다. 지금은 점령지인 내몽골의 위구르 티베트의 서남 지역을 중국의 땅으로 간주하여 중국 정부의 역사로 편입시켜 '역사공정'을 진행하고 있다. 한 시대가 더 지난다면 칭기즈칸이 중국 역사의 큰 인물로 등재될 날도 멀지 않은 듯하다.

워싱턴 포스트는 지난 1000년 인류의 최고 인물은 칭기즈칸이라고 했다. 칭기즈칸은 몽골의 위대한 영웅이자 심벌이다. 이런 인물도 최고의 '살육자'로 낙인 직혀 역사에서 이름마저 지워질 뻔했다. 하지만 1992년 몽골 민주화되면서 가장 먼저 살아났고 즉시 몽골인들은 스스로 힘을 모아서 세계에서 가장 크고 웅장한 동상을 만들어 민족의 자긍심을 고취 시켰다.

이승만도 대한민국 건국의 아이콘으로 국민 모두의 가슴에 살아 나기를 빈다. 반드시 그런 날이 올 것으로 믿는다. 이승만의 소 개하는 각종 서적과 논문 그리고 방송자료를 보고 연구하는 과 정에서 양극단으로 갈리는 평가를 놓고 사실을 객관화해서 전할 필요가 느껴졌다. 나름대로 객관화라고 생각해서 공과 과부분 각 각 5개 장으로 분류해 놓았다. 공부분도 과부분도 한 권의 책에 다 담기는 너무나 부족하다. 그래서 줄이고 줄여서 한눈에 그의 대표적인 공과를 비교하면서 판단하기를 바라는 마음에서 접근 했다.

파면 팔수록 위대한 인물에 새삼 놀라고 경외감을 가질 수밖에 없는 인물이라는 사실에 등골이 서늘할 정도의 엄숙함을 느낀다. 반면 독부로서 첫 단추를 잘못 끼운 책임은 간과할 수 없는 부 분도 분명히 있다. 특히 3선 개헌을 하면서 이 대통령에 한해서 대통령 선거에 무제한 출마가 가능해졌고 이는 독재 정치의 길로 나아갈 수밖에 없었다. 그 이후 한국 대통령의 장기집권의 폐해를 제공한 부분은 아무리 비판해도 부족함이 없다.

이 책에서 거론하는 부분은 이승만의 삶 전체를 관통하지 않고 대통령으로서 업적과 과부분만 집중해서 표현했다. 물론 책 한 권으로 그의 삶 전체를 다 조명할 수 없었기에 대표적인 공과를 들어서 설명을 했다.

몰락한 양반 가문에 자제로 태어나 너무나 어려운 가정형편을 개척하면서 살았던 젊은 날과 '사형수 이승만'이라는 기약 없는 시절을 보내고 천신만고 끝에 도미하여 최고학부에 박사학위까지 그리고 젊은 날 독립운동에 투신하며 보낸 청춘의 시절 그 삶이 오롯이 투영되어 대한민국을 건국했다.

차제에 대한민국 국민으로서는 당연히 관심과 애정을 갖고 이 대통령에 대한 공과를 정확하게 알고 자세를 분명히 할 필요가 있다는 생각을 하게 됐다. 독자 여러분들의 현명한 판단을 기대한다.

제1부 공(功)부분

1. 대한민국 정부 수립

유엔총회는 1947년 11월 14일 한반도에서 유엔 감시하에 남북한 총선거를 통해 정부를 수립하도록 결의했다. 유엔총회는 총선거 결의를 실행하기 위해 8개국 유엔 임시 한국위원단이 '48년 1월에 서울에 파견되었다. 이를 환영하기 위해 서울운동장에는 20만의 군중에 모임으로써 정부 수립에 대한 국민의 열기를 보여주었다.

그러나 북한 김일성은 "유엔 임시 한국위원단이 북한에 한 발자국도 들어오지 못할 것"이라고 선언했다. 소련도 반대의 뜻을 유엔 사무총장에게 밝혔다.
결국, 유엔총회는 남한만의 단독선거를 확정했다. 1948년 5월 10일 남한지역은 역사상 처음으로 자유선 거를 치렀다. 21세 이상 모든 남녀에게 투표권이 주어졌고 친일 일부 부역자에 해당하는 사람들에게 참정권은 주어지지 않았다. 유엔 임시 한국위원단이 지켜보는 가운데 선거는 순조롭게 이루어졌고 외국 기자들도 현장에서 지켜보고 취재를 했다.

좌익계열 및 공산주의자들은 투표를 방해하며 거부했다. 또 김구와 김규식 등 남북통일 정부 수립 추진위도 투표에 참여하지 않았다. 이 과정에서 100명 이상이 사망했고, 남로당의 방해로 투표가 제대로 진행되지 못한 제주도 2개 선거구를 제외하고 전국 198개 선거구에서 선거를 무사히 치러졌다. 유엔감시단은 선거가 자유로운 분위기 속에 정당하게 치러졌다고 보고서를 냈다. 이승만은 동대문 갑구에서 당선되었다.

건국 헌법은 대통령과 부통령은 국회에서 선출하게 되어 있어서 이승만은 198명의 제적된 인원 중에서 180석을 획득하여 초대 대통령에 당선되었다. 부통령에는 이시영이 당선되었다. 이승만은 정부 수립을 서둘렀다. 9월 파리에서 열리는 유엔총회 승인을 받아야 하기 때문이다.

국회는 30명을 의원으로 헌법 및 정부조직법 기초위원회를 구성해 초안을 만들기 시작했다. 국호는 대한민국으로 정했다. 헌법에 대한민국은 정치적으로는 개인의 자유를 최고의 가치로 여기고 선거를 통해 집권자를 선출하는 자유민주주의의 체제임을 분명히 했다. 그리고 경제적으로는 사유재산제도와 자유경쟁의 원리를 토대로 자유기업인 체제임을 밝혔다. 그러면서도 당시의 사회적인 분위기를 반영하여 국가가 공익을 위해 사유재산권을 어느 정도 제한할 수 있게 했다.

1948년 7월 24일 중앙청 광장에서 73세의 이승만은 대통령에 취임했다. 취임사에서 "새 나라 건설에는 새 백성이 있어야 하므로 우리 민족은 예전의 부패한 습관을 버리고 새로운 정신으로 새길 찾아야만 잃어버린 40년의 세월을 회복해서 세계 문명국가들과 경쟁할 수 있게 될 것"이라고 강조했다.

남북의 협상파인 김구와 김규식은 통일 독립촉성 회를 결성해서 남북통일 정부 수립 운동을 계속하고 있었다.

1948년 8월 15일 신생 대한민국은 중앙청 광장에서 정부 수립 선포식, 즉 대한민국 정부 수립 국민 축하 대회를 열었다.

나라는 세웠지만, 유엔총회에서 승인을 받는 큰 문제가 기다리고 있었다. 승인은 불투명했다. 소련의 공산권은 물론 영국의 영연방 권도 반대를 분명히 했기 때문이다. 그래서 각국 대표들을 설득하기 위해 이승만은 서둘러 특사를 파견했다. 조병옥을 미국에 장면 단장을 유엔대표단에 파견했다.

파리 유엔총회에서 소련 등 공산 진영은 한국승인 문제를 회의에 상정하지 못하게 방해 했다. 그러나 한국 대표들이 각국 대표단을 찾아다니며 노력한 결과 마지막 날 마지막 시간인 48년 12월 12일 일요일 오후 3시에 총회에 대한민국이 한반도의 유일한 합법 정부임을 승인했다.

● 대한민국 초대 내각

대통령 이승만(李承晩) - 상해임시정부 초대 대통령, 독립운동가
부통령 이시영(李始榮) - 상해임시정부 재무총장
국회의장 신익희(申翼熙) - 임시정부의 내무총장
대법원장 김병로(金炳魯) - 항일변호사
국무총리 이범석(李範奭) - 광복군 참모장
외무장관 장택상(張澤相) - 일본강점기 청구구락부 사건으로 투옥
내무장관 윤치영(尹致暎) - 일제시대 흥업구락부 사건으로 투옥
재무장관 김도연(金度演) - 3.1운동에 앞선 2·8 독립선언을 주도하여 투옥
법부장관 이인(李仁) - 항일변호사, 한글학회 사건 관련자
국방부 장관 이범석(李範奭) 씨가 겸임
문교장관 안호상(安浩相) - 항일 교육자
농림장관 조봉암(曺奉岩) - 공산주의 독립운동가

상공장관 임영신(任永信) - 독립운동가, 교육가
사회장관 전진한(錢鎭漢) - 국내 항일 운동가, 노동운동가
교통장관 민희식(閔熙植) - 재미 항일 운동가, 교통전문가
체신장관 윤석구(尹錫龜) - 국내 항일 운동가, 교육 사회운동가
무임소장관 이청천(李靑天) - 광복군 총사령관
무임소장관 이윤영(李允榮) - 북한에서 항일 기독교 목사로 일했
고 조만식 선생의 제자
국회부의장 김동원(金東元) - 수양동우회 사건으로 투옥되었던
독립운동가
국회부의장 김약수(金若水) - 사회주의 독립운동가

● 북한 김일성의 친일 내각

김영주 - 북한 부주석, 북한 내 당시 서열 2위, 김일성 동생 (일
제 헌병 보조원)
장헌근 - 북한 임시인민위원회 사법부장, 당시 서열 10위 (일제
중추원 참의)
강양욱 - 북한 인민위원회 상임위원장, 당시 서열 11위 (일제시
대 도의원)
이승엽 - 남조선로동당 서열 2위 (친일단체 "대화숙" 가입, 일제
식량 수탈기관인 "식량영단" 이사)
정국은 - 북한 문화 선전성 부부상 (아사히 서울지국 기자, 친일
밀정, 즉 일본 간첩 출신)
감정제 - 북한 보위성 부상 (일제시대 양주군수)
조일명 - 북한 문화 선전성 부상 (친일단체 "대화숙" 출신, 학도
병 지원 유세 주도)
홍명희 - 북한 부수상 (일제 임전대책협의회 가입 활동)

이 활 - 북한 인민군 초대공군 사령관 (일제 일본군 나고야 항공학교 정예 출신)

허 민국 - 북한 인민군 9사단장 (일제 일본군 나고야 항공학교 정예 출신)

강 치우 - 북한 인민군 기술 부사단장 (일제 일본군 나고야 항공학교 정예 출신)

최승희 - (일제시대 친일단체 예술인 총연맹 회원)

김달삼 - 조선로동당 4.3사건 주동자 (일제시대 소위)

박팔양 - 북한 노동신문 창간발기인, 노동신문 편집부장 (친일기관지 만선일보 편집부장, 문화부장)

한낭규 - 북한 김일성대 교수 (일제시대 검찰총장)

정준택 - 북한 행정10국 산업국장 (일제시대 광산지배인 출신, 일본군 복무)

한희진 - 북한 임시인민위원회 교통국장 (일제시대 함흥철도 국장)

이렇게 친일파를 껴안은 김일성은 친일을 청산한 정부라고 부각하고 이승만 정부는 친일 정부라고 말하는 것은 완전히 거짓된 선전 선동인데 이러한 사실에 대하여 바르게 교육하지 못하는 것도 문제다. 김일성의 북한 내각에는 입도 뻥 것 하지 않고 이승만의 친일세력 등용해서 민족정기를 말살을 운운하면서 비판에 비판을 거듭하고 있다.

해방 직후 북한과 연계된 좌익의 폭동과 남로당의 폭력 투쟁으로 남한 사회는 극심한 혼란에 빠져든다.

주요 공안 사건은

1946년 9월 조선공산당 조선노동조합전국평의회(전평) 총파업
1946년 10월 대구 폭동 사건
1947년 인민해방군사건 남한 내 1563명 조직 공작대원 활동
1948년 4월 제주 선거 방해 폭동 사건
1948년 10월 여순 군부대 반란 사건
1949년 남로당 공작원 국회 침투 사건
1949년 좌익 국회의원 40여 명 주한미군 철수 요구안 국회 제출

남로당(남조선로동당) 가입 인원 총 377,000명이었으며 1947년
미 군정 설문 조사 '당신이 가장 선호하는 신생 국가의 국호는?
1위 조선인민공화국(70%)
2위 대한민국(24%)이었습니다

1949년 6월에 이승만은 미군 철수를 저지하려고 모든 방법을 동
원해서 노력했는데 미국 대통령에게 직접 탄원서를 보내 미국의
철군 결정을 비난하기도 하고 한국 국회에서 결의문을 통과시켜
서 미국에 철군에 관한 생각을 바꿔 줄 것을 촉구했다. 유엔에
요청해서 영향력을 행사해 줄 것을 탄원하기도 했으나
그러나 1949년 6월 미군은 철수하고 말았다.

이때 누군가 미군 철수를 빗대어 '남침의 초대장'이라고 했다.
아무도 곧 닥쳐올 비극을 예상하는 사람은 없었다.

당시 미국의 국무장관 '애치슨은 태평양 방어선'을 발표했는데
한반도와 대만을 태평양 방어선에서 제외하는 중대한 오판을 했

던 것이고 이 선언으로 인해 김일성은 남침하더라도 미국의 개입은 없을 것으로 예상하고 6.25 전쟁을 일으켰다.

예상과 달리 미국은 막상 한반도가 공산화되면 일본과 태평양 방어선 전체가 위험해질 수 있다고 생각하여 신속하게 유엔 안전보장 이사회를 열었던 것이고 여기서 다행히 소련 대표가 참석하지 않아 안보리를 통과하여 UN은 16개국의 전투병력 참전국과 의료 및 보급 지원 국가 24개국이 참전을 하게 됩니다. 그러나 많은 병력이 주말이라 휴가를 갔고 벼 내기 철이라 대민지원을 나갔던 일요일 새벽 4시에 기습 남침하므로 속수무책으로 밀릴 수밖에 없었다.
그리고 서울이 3일 만에 점령되었고 한강대교가 폭파되었다.

-미국 필라델피아 미주 독립운동 거점으로
- 3.1운동을 계기로 국내외에서 독립을 위한 국민적 기대감이 폭팔했다. 비록 지금은 식민지 국가이지만 언젠가는 반드시 독립될 것이라는 기대와 희망으로 필라델피아에서 해방된 나라에서의 헌번초안을 만들면서 이승만은 건국헌법을 구상했다.

헌법을 만들고 정부조직법의 근간을 세우는 과정에서 필라델피아 구상이 많이 반영되어서 신생 대한민국이 탄생하게 된 것이다.

이날 참석자들의 면면을 보면 미국에서 독립운동을 하던 이승만을 비롯하여 서재필, 정한경, 임병직, 조병옥, 장택상, 유일한, 김노듸 등 해방 후 남한에서 중요한 역할을 맡게 되는 인사들이 다수 참여 참여했다.

민주주의 원칙에 입각한 국가 건설
미국식 공화제 정부 수립
중앙정부는 입법부(국회)와 행정부로 구성
국회는 국민을 대표해 헌법과 국법을 제정
국회의원은 도의회에서 선출

대통령은 국회에서 선출
대통령, 부통령, 내각 각료로 구성되는 행정부는 국회에서 제정한 법률에 따라 행정.
인민의 교육 수준이 저급하고 자치 경험이 부족한 점을 고려 정부 수립 후 10년 간 중앙집권적 통치 시행
정부 수립 후 10년 간 정부는 국민교육에 주력하여 인민이 미국식 공화제 정부를 운영할 수 있도록
인민의 교육 수준이 향상되고 민주주의적 자치 경험이 축적되면 이에 맞춰 참정권 확대
인민이 자치 경험을 쌓을 수 있도록 군과 도 등 지방평의회 의원 선거권 부여 등을 기초로 하는 국가운영의 기본적인 틀을 만들었다.

1942.6.7부터 1주일간 중부 태평양 날짜변경선 부근에 위치한 미드웨이 섬 인근에서 벌어진 미국과 일본의 주력 항공모함간 사상 최대 해전이 미국의 대승으로 막을 내린 6.13 미국의 요청으로 이승만은 VOA 한국어 단파방송을 통해 국내외 동포들에게 육성방송을 개시. "나는 이승만입니다...왜적이 ...왼 세상이 다 저의 것으로 알지만 얼마 아니해서 벼락불이 쏟아질 것이니, 일황 히로히토의 멸망이 멀지 아니한 것은 세상이 다 아는 것입니다..

왜적의 군기창은 낱낱이 타파하시오! 적병의 지날 길은 처처에 끊어 버리시오. 언제든지 어디서든지 할 수 있는 경우에는 왜적을 없이 해야만 될 것입니다...

우리 독립의 서광이 비치나니, 일심합력으로 왜적을 파하고 우리 자유를 우리 손으로 회복합시다. 나의 사랑하는 동포여, ...일후에 또다시 말할 기회가 있으려니와, 우리의 자유를 회복하는 것이 이때 우리 손에 달렸으니, 분투하라! 싸워라! 우리가 피를 흘려야 자손만대의 자유기초를 회복할 것이다. 싸워라, 나의 사랑하는 2300만 동포여.

-카이로 선언의 함정(1943. 12. 1) 대한독립의 근거
'in due course' '적절한 절차를 밟아' '적당한 시기에' 연합국 수뇌들, 특히 루스벨트와 스탈린은 비공식 대화를 통해 장차 한반도를 일본으로부터 해방 시킨 후 약 40년간 신탁 통치하기로 양해각서를 교환했다. 처음으로 '한반도를 해방한다' 라 안을 처음으로 연합국 수뇌들이 결정이 내린다. 우리에게는 참으로 감격스러운 날이다.

신탁통치안은 미국의 한반도에 대한 전략적 평가를 나타내는 것. 즉 미국은 한국을 소련에 넘겨줄 수는 없었지만, 미국의 세계 전략상 한반도는 중요한 지역이 아니었기 때문에 재정적 군사적 투자를 할 의사는 없었다. 미국은 그런 투자없이 외교적인 방법으로 소련의 한반도 독점을 막아보려고 했는데, 그 방법이 신탁통치라고 판단했다.

루스벨트가 보기에 한국은 민주주의 정치 경험이 없기 때문에 주권국가가 되기 전에 일종의 '연습과정'을 거쳐야 한다는 실용

주의적 발상에서 신탁통치 구상했다.

카이로 선언이 발표되지 이승만은 '적절한 절차를 밟아서' 한국을 독립시킨다는 연합국 수뇌들의 저의를 꿰뚫어 보고 "이것은 한국민에 대한 모독'이라며 미 국무성에 거세게 항의했으나 그의 항의는 찻잔 속의 태풍에 불과했다.

1944.6.6 미군과 영국군을 포함 8개국 연합군 15만 6000명 노르망디 상륙하여 베를린을 향해 진격. 소련군은 스탈린그라드와 쿠르스크에서 나치 독일에 결정적인 승리를 거둔 후 동유럽에서 독일 압박

얄타회담(1945. 2. 4)
소련 크리미아 반도의 흑해 연안도시 얄타에서 연합국 수뇌 모임. 회담전 미 합참은 독일의 패전을 전제로 태평양전쟁에서 일본을 항복시키려면 18개월 이상 더 싸워야 하는 것으로 전망한다. 일본의 숨통을 끊으려면 미군이 일본 본토에 상륙해야 하는데, 여기에 미군 100여 만 명의 희생 전망이 나오자 소련을 대일전에 끌어들이는 것이 절실한 과제로 대두됐다.

당시 소련과 일본은 불가침조약 중. 미국은 자신들의 희생을 줄이기 위해서는 비싼 대가를 치르더라도 소련을 일본과의 전쟁에 끌어들여야 한다고 결론을 내리고 소련에게 많은 양보를 한 뒤에 참전 약속을 받아냈다.

▶이승만의 명저. 일본내막기(Japan Inside Out) 국제정세를 꿰뚫다.
이승만이 미국에서 독립운동을 전개하던 시절인 1941년, 미국에

서 출간한 국제정치 분석서. 총 203페이지로 구성되어 있으며, 원문은 영어로 저술되어 있다. 이 책에서 이승만이 직접한 소개에 의하면 1939년 겨울부터 집필이 시작되었다. 시기상으로 보면 중일전쟁 개전 2년 뒤이며, 제 2차 세계대전의 발발 직후에 집필이 시작됐고 진주만 공습 직전에 출판된 것이다. Japan Inside Out

이 책에서 이승만은 일본 제국의 군사적 야망은 한국을 포함한 그 이웃나라들에게 피해를 입히고 있으며, 일본 제국과 미국의 충돌은 피할 수 없을 것 같다고 마지막에 결론을 냈다. 하지만 동시에 책 전반부에서는 일본이 미국을 상대로 전쟁을 벌이는 것은 전략적으로 너무 어리석은 짓이라면서 충돌을 회피할 수도 있을 것이라는 분석을 내놓기도 한다.

서문에서는 이런 이야기가 나온다. 이승만의 몇몇 친구들이 자신에게 "너는 일본하고 미국이 싸우길 원하지?"라고 묻더라는데 이승만 왈, "나는 평화주의자이기에 미국이 일본과의 전쟁을 피하기를 바라지만 미국이 계속 극동의 일에 무관심 하다보니까 저 멀리서 발화한 산불이 계속 번져와서 이젠 미국의 이익까지 침해하고 있다. 그런데 왜 미국은 아직도 남일보듯이 무관심하냐"고 대답한다.

또, 이 책의 2015년 출간된 번역본인 일본의 가면을 벗긴다를 통해서 책에서 주요하게 다뤄지는 전략적 요충지로 상하이, 인도차이나, 홍콩, 버마, 네덜란드령 동인도제도, 필리핀, 괌, 하와이, 알래스카, 호주, 멕시코, 아르헨티나, 우루과이 등을 다루고 있음을 알 수 있다.

정복 행진을 두개 방향 중 어느 쪽으로든 개시할 것이다. 시베리아 국경에서 군대를 철수하여 병력을 통합한 후 남태평양 지역으로 진격하거나, 아니면 시베리아로 쳐들어가서 우랄산맥 이동의 광대한 영토를 점령할 수도 있을 것이다. 이 두 가지 전략을 비교해보면, 남방 진격이 훨씬 더 구미가 당길 것인데, 그 이유는 영.불.화란의 식민지들은 일본이 절실히 필요로 하고 있는 전략적 물자들을 더 많이 생산하고 있기 때문이다. 그러나 이 방향은 미국과 전쟁을 치러야 할 위험부담이 있다. 북방 정벌은 비교적 쉬울 것이고, (중략) 일인들은 미국과 전쟁을 하게 될 경우 알래스카로부터의 미군의 공습을 방어하기 위한 대규모 공군기지를 그곳에 건설하려고 하고 있다.

결과적으로, 이승만은 일본이 남태평양 지역으로 진출해서 전선을 형성한 뒤, 기존 서양 열강의 식민지를 후방에서 통치하거나, 시베리아와 알래스카로 진출하여 미미한 저항을 꺾고 방어선을 형성한다는 두 전략을 구상할 것이라 예상했다. 그러므로 하와이와 알래스카에 일본이 진출할 것이라 한 것인데, 문맥을 살펴보면 미국과의 전쟁 없이 진출하는 방향을 노릴 것이라고 하였다.

책의 초반부는 일본의 국가 신토와 팽창주의 간의 연관에 대해서 설명하고 중일전쟁도 다룬다. 국가 신토를 설명하기 위해 일본 역사를 짧게 짚고 넘어가는 부분이 있는데 여기에 이자나기나 이자나미 등의 단어가 나와서 묘하게도 일본에 익숙한 사람이 보기에 왠지 친근하다. 그리고 일제의 팽창이 서구의 이익과 충돌하는 예시들을 거론한다. 이승만은 일제가 미국에 도전하는 것은 매우 어처구니 없는 일이며, 미국에 가하는 군사/외교적 위협은 블러핑에 불과하다고 평가한다.

책의 중반부는 미국 내의 자칭 "평화주의자"에 대한 설득과 강력한 비판이 공존한다. 고국이 침공받으면 나라를 위해 직접 싸우러가겠냐는 질문에 이승만이 그렇다고 하자 그럼 당신은 군국주의자라고 어떤 평화주의자가 말하더라는 개인적 일화를 포함한 여러 사례를 제시하며, 평화주의자들은 미국의 손발을 묶어놓으면서 미국에 해를 끼치는 이들이라고 공격한다. 하지만 의도 자체는 선하니까 나치 등의 군국주의세력과는 비교대상이 아니라고 선을 긋는다.

책의 후반부에 오면 이승만은 미국이 필리핀을 먹기 위해 야합하면서 한국에 대한 수호의무를 다하지 못했다면서 이것이 위대한 미국 역사의 오점이라고 비판하고 시어도어 루즈벨트의 친일 성향도 거론한다. 하지만 그런 시어도어 루즈벨트 마저도 일본을 키워준 결과 군국주의 야욕만 강화시키고 있다는걸 뒤늦게 알아차리고 일본 연안에 군함을 보내 무력시위를 했다는 일화도 소개한다. 미국이 필리핀을 포함한 스페인의 구식민지들을 차지한 것은 민주주의를 퍼뜨리기 위해서라는 시각도 나타낸다. 그리고 말미에는 전체주의 진영을 주의를 위협하는 세력으로 규정하고 미국의 행동을 요구한다.

소설 《대지》로 1938년 노벨문학상을 수상한 펄 벅(Pearl Buck) 여사가 이 책에 대해 쓴 서평이 월간지 《아시아(Asia)》 1941년 9월호에 실렸다.

아래는 번역된 펄 벅 여사의 서평 전문
한국의 우국지사인 이승만 박사가 대담하게 한국인의 관점에서 일본에 관한 책을 썼는데 'JAPAN INSIDE OUT'이 바로 그것이다.

이것은 무서운 책이다. 나는 이 책에서 이야기하고 있는 것들이 진실이 아니라고 말할 수 있기를 바라지만 너무나 진실한 것임을 밝히지 않을 수 없는 것이 두렵다.

사실 일본에 정복당한 국가의 한 국민으로서의 이 박사는 전체적으로 보면 놀라울 정도로 온건하다. 그는 그곳의 참상(慘狀)을 그리고 있는 것이 아니라 다만 그곳에서 일어났던 현상(現狀)들을 말하고 또 그것들을 상세히 기록하고 있을 뿐이다.

만약 극동에서 일본이 계획하고 있는 "새로운 질서"에 관하여 권위 있게 이야기할 수 있는 사람들이 있다면 그것은 곧 한국 사람일 것이다. 평화를 사랑하는 국민으로서 국제정치에 대해서는 천진난만하고 무지했던 한국인들이 요구했던 것은 단지 자신들을 내버려둬 달라는 것이었다.

그러나 16세기 이래 그들은 아시아를 지배하려는 일본의 야망을 겁내 왔는데 거기에는 그럴만한 이유가 있었다. 그들은 자기 나라가 일본이 중국으로 쳐들어가려고 할 때 발판이 되고 있음을 잘 알고 있었기 때문이다.

동양의 나라들과 서양 사이에 관계가 성립되자마자 한국은 서양의 강대국들과 평화조약을 체결하고 적의 침략을 받게 되었을 때 서로 도와주겠다는 약속을 받았다. 그러한 조약이 미국과는 1882년에 체결되어 조인되었다.

나는 이 박사가 미국 사람들이 거의 알지 못하고 있는 사실, 즉 미국이 1905년에 이 조약(조미수호조약)을 수치스럽게도 파기했고 그로 인하여 일본이 한국을 집어삼키도록 허용했다고 말해준 것을 기쁘게 생각한다.

이 박사는 "이것이 큰 재앙을 가져오게 한 불씨가 되었다"고 말하는데 나는 두렵지만 그 말은 근거가 있다고 생각한다.

만주사변 이전에도 그것은 무자비한 영토 쟁탈전을 시작하도록 했는데 그것은 역사상 우리 세대를 인류에 대해 불명예를 저지른 세대로 낙인찍게 만들 것이다. 미국 사람들은 마땅히 이 사실을 알고 있어야 한다. 왜냐하면 만약 이것을 알고 있었다면 이러한 사태가 일어나기를 바랄 사람은 거의 없었을 것이라고 나는 믿기 때문이다. 이것은 한 나라의 국민들 대부분이 모르고 있는 외교에서의 사악함을 증명하는 또 하나의 증거이다.

이 책에 나오는 대부분의 사실들은 익히 알려진 것들이지만 이 박사는 그것들을 한국인으로서 새로운 관점에서 제시하고 있다. 이 책이 중요한 이유는 여기에 있다. 자기 민족의 우월성을 종교적으로 신봉하고 있고 인류에 대한 신(神)의 사명을 믿고 있는 일본인들의 위험천만한 정신세계를 그는 명쾌하게 밝히고 또 강조하고 있다. 그는 미국인들에 대한 일본인들의 태도를 설명하고 나아가 미국인들에게 진실하고 뜨거운 마음으로부터의 경고를 하고 있다.

이 박사는 일본인들에 대한 개인적인 증오(憎惡)는 없으나 다만 일본인들이 가지고 있는 심리상태가 전 인류에게 얼마나 위험한 것인지를 정확하게 진단하고 있다.

우리들이 나치즘(Nazism)의 구성요소라고 생각했던 속임수와 거짓 핑계와 망상 등은 히틀러가 탄생하기 이전부터 이미 일본의 정책이었음을 이 박사는 이 책에서 보여주고 있다.

이 책은 미국인들이 읽어야만 할 책이다. 왜냐하면 이 책은 미국인들을 위해 저술되었으며 지금이야말로 미국인들이 읽어야 할 때이기 때문이다.

다시 한 번 말하는데 내가 두려움을 느끼는 것은 이 책에서 말하는 것들이 전부 정말이라는 것이다.

물론 일본이 미국을 침략할 수 있다는 예상을 이승만만 한 것은 아니다. 미국은 20세기 초부터 일본을 잠재적 적국으로 내정하고 일본의 기습공격을 포함하여 일본과의 전쟁상황을 대비한 오렌지 계획을 준비해왔다. 미 해군 제독 어니스트 킹 또한 전간기에 일본이 어떻게 나올지 예상했었고 실제로 거의 그대로 일어났다.

일본 내막기에 대한 너무 과도한 찬사는 마치 당대 미국의 대일인식은 환상에 젖어있었으나 동양에서 온 이승만이 예언자적 경고를 하고 미국은 이 말을 무시하다가 진주만 습격을 당하고 뒤늦게 이승만을 인정한다는 식의 서술인데 이런 것의 근본적인 문제는 일본 내막기에 있지도 않은 내용들이 주장되고 있다는 점이다. 당시의 미국 사회가 일본에 대해 환상만을 품고 현실을 외면했다거나 막연하게 낙관 했다는 것은 사실이 아니며 '일본 내막기가 진주만 공습을 예언했다'는 말도 약간의 과장 섞인 발언이다.

1차대전 직후인 1920년대에 미일간 건함경쟁의 과열로 인해 양국간 전쟁 위기가 고조된 바 있으며 1920~1921년 사이에는 양국간의 전함 총량이 균형에 도달하는 1923년에 전쟁이 발발할 것이라는 예측을 담은 저서가 여럿 출판될 지경이었다. 워싱턴 군축조약으로 이러한 분위기가 일시적으로 가라앉기는 했지만 이후로도 크게 달라지지 않아서 1930년대로 접어들어서 런던 군축조약이 일본의 탈퇴로 유명무실 해지자마자 양국은 각각 아이오와급과 야마토급을 경쟁적으로 건조해 나가기 시작했다. 또한 1930년대 후반으로 접어들며 중일전쟁과 파나이 호 사건이 발생하며 미국의 대일 여론은 급속도로 나빠졌다. 참고로 일본 내막기는 이 두 사건 이후에 집필이 시작됐고 책 내용에도 비중있게 거론된다.

또한 이승만의 저서는 2차대전 전후에 출판된 영어권의 주요 일본 관련 서적들을 분석, 인용하는 방식으로 집필된 루스 베네딕트의 '국화와 칼'에 언급되지 않는다. 이 외에도 일본 내막기를 인용하거나 언급하는 관련 분야의 영미권 논문이나 서적 자체를 찾기가 매우 힘들다. 일본 내막기가 정말 미국의 대일인식을 획기적으로 뒤바꾼 예언서였으며 돌풍을 일으켰다면 태평양전쟁과 전후 미군정이라는 시기상 다른 일본 관련 유명 서적들처럼 많이 인용되었을 것이다.

따라서 담백한 역사적 사실은 이승만이 1941년 중순 일본 내막기를 발간했고, 그해 겨울 진주만 공습이 터지면서 일정기간 상당히 팔렸다는 것이다. 그렇지만 오히려 이 책을 높게 평가할 부분이 있다면 그것은 이승만이 최종적으로 한국을 독립시켜야만 그것이 미국의 이익에도 부합하고 팽창적 야욕을 펼치는 일본 제국을 막고 동아시아에서의 영구적 평화를 가져올 수 있다는 결론을 위해 아주 집요하게 논리를 전개한다는 점일 것이다.

그리고 이것은 실제 한미동맹을 통해 중국과 일본 모두 미군으로 인한 억제력으로 2차 대전 이후 지난 70여년간 열전 없이 기나긴 평화가 지속되었다는 것이 역사적으로 입증된 것을 볼 때, 또한 앞으로도 이 구도는 여전히 유효하다는 점에서 굉장히 놀라운 지정학적 통찰이라고 볼 수 있다.

결론적으로 이 책은 일본과 미국이 전쟁 전야로 치닫던 1941년이라는 시대적 배경, 그리고 일본과 아시아에 대해 조예가 깊은 이들이 꾸준히 우려의 목소리를 내오던 상황에서 자연스럽게 나온 것이지만 과연 저 당시 조선인 중에 이 정도 식견을 가지고 책을 내며 한국인들의 독립의 의지와 당위성을 당당하게 세계 여론에 설파할 수 있는 사람이 과연 이승만 말고 있었냐는 차원에서 대한민국 국민에겐 아주 가치있는 저서라고 볼 수 있겠다.

국내에 처음 번역된 것은 광복한지 얼마 지나지 않은 1954년으로 이때 '일본 내막기'라는 제목이 붙었다. 번역자는 이기붕의 아내 박마리아. 그래서 아주 오랫동안 국민들에게 알려질 기회도 없이 묻혀버리고 만 것.

1987년에는 '일본 군국주의의 실상'이라는 제목으로 재번역되었고 2007년에 '일본, 그 가면의 실체'라는 제목으로 대한언론인협회에서, 2015년엔 비봉출판사에서 '일본의 가면을 벗긴다 : 천황 전체주의의 기원과 실상'이라는 제목으로 출판했었다.

이승만이 미국의 선교사 인맥을 발판으로 활동했음을 알 수 있는 일면이, 일본 내막기를 발행한 레벨(Fleming H. Revell Company)출판사는 기독교 복음서를 전문으로 내놓던 곳이다. 미국 내에서만 2차 대전이 끝날때까지 약 12만 부 이상이 팔렸다.

□닉슨 전대통령이 본 큰 사람 이승만(李承晩)

 오늘 탄신 146주년을 맞은 이승만의 불운(不運)은 인물이 너무 컸다는 점이다. 그가 생전(生前)에 만나 큰일을 논의한 미국 대통령은
시어도어 루스벨트, 우드로우 윌슨, 해리 트루먼, 드와이트 아이젠하워, 리처드 닉슨이다. 이들 중 네 사람은 역대 미국 대통령 랭킹에서 모두 10위안에 든다.

미국의 가장 큰 인물들이 작은 나라의 거인(巨人) 이승만을 높게 평가한 것이다. 특히 아래에 소개하는 대전략가 닉슨의 이야기는 최고의 찬사이다.
1953년 7월27일 판문점에서 휴전협정에 서명한 유엔군 사령관은 마크 W. 클라크 대장이었다.

그는 轉役(전역)한 뒤 "다뉴브에서 압록강까지"라는 회고록을 썼다.
클라크 장군은 자신이 상대하였던 이승만(李承晩) 대통령에 대하여 생생한 체험기를 남겼다. 유엔군, 특히 미국의 도움으로 전쟁을 치르면서도 자존심을 세우면서 고집스럽게 국익(國益)을 추구하는 노(老) 투사의 모습을, 존경심을 깔고 객관적으로 묘사하였다.

그는 휴전을 반대하는 李 대통령 때문에 수많은 곤욕을 치렀지만 記述(기술)은 결코 적대적이지 않다. 李 대통령의 애국심과 교양, 그리고 용기에 감동한

사람처럼 썼다.

<한국전을 통하여 이승만은 아시아에서 장개석, 네루와 버금 가는 위상(位相)을 확보하였다. 그는 아시아의 반공국가 및 비(非)공산국가 군(群)의 지도자로 떠올랐다. 그는 공산주의자 들과의 투쟁을 통하여서 뿐 아니라 때로는 미국과 맞서기를 서슴지 않는 행동을 한다는 사실을 통하여 그런 지도자가 되었다.

이승만은 꼭두각시가 아니었다. 그는 아시아인(人)이었다. 그는 강력한 지도자였다. 성장하는 강력한 군대를 갖고 있었다. 그는 반공지도자일뿐 아니라 반(反) 식민지 지도자였다.

많은 아시아 사람들에게 이승만은 극동 지역에 존엄과 자존심을 가져다준 인물이었다. 이런 이미지는 그가 한국의 동맹국인, 강력한 나라들의 의지에 끌려가지 않고 오히려 그들과 맞서 전쟁을 자신의 의지대로 이끌고 있다는 점에 의하여 만들어진 것이다.

이런 평판과 자존심으로 해서 그는 다른 아시아 정부를 상대할 때도 정상급(頂上級)보다 낮은 직급자는 만나려 하지 않았다.> 2차 대전 때 이탈리아 전선을 지휘하였던 클라크 장군은 이승만을 "존경스러운, 애국적인, 그리고 능수능란한 국가 수반"이라고 표현하였다.

하원의원 시절부터 유명한 반공 투사였던 리처드 닉슨 대통령은 1953년 당시엔 아이젠하워 대통령 아래에서 부통령이었다.

1972년 중국을 방문, 모택동과 화해함으로써 소련을 고립시키는 대전략을 구사, 냉전 승리에 기여하였던 대전략가 닉슨도 이승만 대통령을 존경한 사람이다. 1953년 가을 닉슨 미국 부통령이 서울에 도착했을 때 그는 李承晩 대통령에게 보내는 아이젠하워 대통령의 친서(親書)를 갖고 있었다.

닉슨을 만난 駐韓(주한) 미국 대사 엘리스 브릭스는 아이젠하워 대통령과
비슷한 불안을 품고 있었다. 휴전에 반대해온 이승만(李承晩) 대통령이 북한군을 독단으로 공격하여 미국을 전쟁에 끌어들일지 모른다는 불안이었다.

李 대통령은 자신이 그런 공격을 해 놓으면 국은 한국을 돕지 않을 수 없게 될 것이라고 誤判(오판)하고 있을지 모른다. 닉슨은 브릭스와 다른 생각을 가진 사람을 대사관에서 만났다. 특별 협상팀을 이끌고 있던 아서 딘은 닉슨이 이승만에게 전달할 미국 대통령의 친서를 휴대한 것을 알고 말했다.

그는 이승만(李承晩) 대통령을 매우 존경하고 있었다. "李 대통령의 이빨을 뽑고 그로부터 무기를 빼앗아버리는 행동을 하지 않았으면 한다. 그는 위대한 지도자이다. 우리의 친구들이 거의가 상황이 좋을 때만 친구인 척하는 데 반해 李 대통령은 언제나 믿을수 있는 진정한 친구이다."

다음날 닉슨은 경무대로 이승만(李承晩) 대통령을 방문했다. 닉슨이 관찰한 李 대통령은 날씬한 몸매에 걸음이 활달하고 악수할 때의 힘도 세었다. 78세라고 믿어지지 않았다. 곤색 양복에 곤색 넥타이를 맸다.

李 대통령은 닉슨 부통령이 "개인적으로 논의할 사안이 있다"고 하니 배석자를 물렸다. 닉슨은 "나는 아이젠하워 대통령을 대표할 뿐 아니라 한국의 친구로서 활동한 오랜 기록을 가진 사람이다"고 말했다. 이승만(李承晚) 대통령은

그런 말을 하는 닉슨을 응시(凝視)하였다. 닉슨은 아이젠하워의 친서를 호주머니에서 꺼내 건네 주었다. 李 대통령은 그 편지 봉투를 조심스럽게 만졌다.

그는 천천히, 계산된 행동을 하듯이 봉투를 열고 편지를 꺼냈다. 그는 큰 소리로 읽어 내려갔다. 위엄 있고 정확한 발음이었다. 이 친서(親書)에서 아이젠하워는 한국이 또 다른 전쟁을 시작하는 것을 용납하지 않을 것이라고 천명한 뒤 李 대통령이 그렇게 하지 않겠다고 약속해줄 것을 요청했다.

李 박사는 편지를 무릎 위에 놓고 한참 내려다보았다. 그가 얼굴을 들었을 때 눈가에 눈물이 맺혀 있었다. 그는 "아주 좋은 편지입니다"라고 했다. 李 대통령은 이야기를 시작했다. 친서 내용과는 다른 화제(話題)로 옮겨갔다.

일본문제, 아시아-태평양 정세의 미래를 이야기하더니 미국정부가 대한(對韓) 원조를 해주는 방식을 비판했다. 닉슨은 화제를 다시 친서(親書)쪽으로 돌려 "아이젠하워 대통령의 요청을 들어주는 것이 가장 시급한 일이라는 것을 솔직하게 말씀드린다"고 했다.

"나도 귀하에게 솔직하게 말씀드리겠습니다.

미국으로부터 받은 도움에 대해서, 그리고 아이젠하워 대통령과

의 개인적 관계에 대해서 나는 심심한 감사를 드립니다. 이런 관계로 해서 나는 미국의 정책과 맞지 않은 일을 하지 않을 것이다.

그러나 한편 나는 노예상태의 북한동포들을 해방하기 위하여 평화적 방법으로, 그러나 필요하다면 무력(武力)을 동원해서라도 통일을 성취하는 것이 한국인의 지도자로서 나의 의무라고 생각한다."

그는 잠시 멈추더니 다시 이야기를 이어갔다."나는 미국이 평화를 유지하기 위하여 노심초사하는 것을 잘 이해한다. 그러나 한반도를 분단된 채로 남겨놓은 상태의 평화는 불가피하게 전쟁으로 이어질 것이고, 이 전쟁은 한국과 미국을 동시에 파괴할 것이기 때문에 나는 그런 평화에 동의할수 없는 것이다."

이 대목에서 李 대통령은 닉슨을 향하여 몸을 숙이더니 말했다. "내가 일방적인 행동을 취하기 전에 아이젠하워 대통령에게 미리 알려드릴 것임을 약속한다." 닉슨 부통령은 이 정도의 약속으론 안 된다고 생각했다.

그는 아이젠하워 대통령과 상호 합의하지 않고 서는 어떤 (도발적) 행동도 한국이 단독으로 해서는 안 된다는 약속을 해 달라고 요청했다. 두 사람은 합의를 이루지 못하고 헤어졌다.

미국 대사관에 돌아온 닉슨은 대화내용을 자세히 기록했다. 그는 일이 잘 풀리지 않는다고 생각했다. 닉슨은 자신의 침묵이나 무능으로 하여 이승만 대통령이 오해를 하도록 해선 안 된다고 판단했다.

미국 정부가, 이 대통령이 한국을 통일하기 위하여 일방적으로 군사적 조치를 취하는 것을 지지하지 않을 것이란 점을 이해시켜야만 한다. 이승만(李承晩) 대통령은 닉슨을 만난 뒤 기자들에게 "닉슨 부통령을 통하여 아이젠하워 대통령을 설득하여 한반도의 이 문제를 끝장내게 할 수 있을 것이다"라는 말을 했다. 이것도 닉슨을 불안하게 만들었다.

서울에서의 마지막 밤에 닉슨 부통령 부처는 한국 무용과 음악 공연에 초대되었다. 어린이 합창단이 출연했다. 공연도중 무대가 무너지는 사고가 발생했다.
다행히 다친 사람은 없었으나 어린이들이 비명을 질렀다. 지휘자는 귀빈 앞에서 이 무슨 창피냐는 듯이 퇴장해버렸다.닉슨은 미안한 마음이 생겼다.
동양에서 손님 대접에 실패하는 것이 얼마나 큰 수치인지를 잘 아는 그는 이 난처한 처지를 수습하고 싶었다. 닉슨 부통령 부처는 자리에서 일어나 박수를 치기 시작했다. 한 사람 씩 나중에는 관중들이 전부 다 일어나 함께 박수를 쳤다. 어린이 합창단도 웃기 시작했다. 지휘자도 무대로 돌아와 공연을 계속할 수 있었다.

다음날 닉슨은 이승만 대통령을 다시 만났다. 이 대통령은 지난 밤에 있었던 사건에 대해서 보고를 받은 듯 매우 친절하게 대해주었다. 대통령은 두 사람만 남게 되자 두 페이지 짜리 종이를 꺼내서 펼쳤다. 그는 "보안을 유지하기 위하여 내가 직접 타이프를 쳤다 "고 말했다.

이 대통령이 말했다.

"공산주의자들이, 미국은 이승만을 통제할 수 있다고 생각하는 순간, 귀국은 가장 중요한 협상력 하나를 잃는 것이 될 뿐 아니라 우리는 모든 희망을 잃는 것이 된다. 내가 모종의 행동을 취할 것이라는 두려움이 늘 공산주의자들을 견제하고 있다.

우리 서로 솔직 하자. 공산주의자들은 미국이 평화를 갈망하므로 그 평화를 얻기 위하여는 어떤 양보도 할 것이라고 생각한다. 나는 그들의 생각이
맞는 것 같아 걱정이다. 그러나 그 공산주의자들은 나는 미국과는 다르다는 것을 잘 알고 있다. 나는 공산주의자들이 가진 그런 불안감을 없애 줄 필요가 없다고 생각한다.

귀하가 도쿄에 도착했을 때인 내일 아이젠하워 대통령에게 답신을 보내겠다.
나는 아이젠하워 대통령이 그 편지를 읽어보고 파기해 주셨으면 한다."
이승만 대통령은 메모한 두 페이지 짜리 종이를 닉슨에게 건네면서 "보고용으로 이를 이용해도 좋습니다"라고 했다.

그 메모엔 이승만 대통령이 필기한 한 구절이 첨가되어 있었다.
<너무 많은 신문들이 이승만이 단독으로 행동하지 않기로 했다고 보도한다. 그런 인상을 주는 것은 우리의 선전방침과는 부합되지 않는다.> 경무대에서 두 사람은 악수를 하고 헤어졌는데, 李 대통령은 이때 이렇게 말했다고 닉슨 회고록은 기록하고 있다.
"내가 한국은 단독으로 행동할 것이라고 말하는 것은 전부 다 미국을 도와주는 일입니다. 나는 한국이 단독으로 행동할수 없다는 것을 잘 알고 있어요.

우리는 미국과 함께 움직여야 합니다. 우리가 함께 가면 모든 것을 얻을 것이요, 그렇게 하지 않으면 모든 것을 잃게 될 것입니다."

닉슨은 퇴임 후에
<나는 한국인의 용기와 인내심, 그리고 이승만의 힘과 지혜에 깊은 감동을 받고 떠났다.

나는 이 대통령이 공산주의자를 상대할 때는 '예측 불가능성'을 지하는 것이 중요하다는 통찰력 있는 충고를 한 데 대해서 많은 생각을 해보았다. 내가 그 후 더 많이 여행하고 더 많이 배움에 따라서 그 노인의 현명함을 더욱 잘 이해할 수 있게 되었다.>라고 회고록에 썼다. 닉슨은 冷戰(냉전)을 서방세계의 승리로 이끈 3大 전략가중 한 사람이다.

냉전 승리의 틀을 짠 트루먼, 소련을 압박하여 총 한 방 쏘지 않고 내부로부터 무너지게 만든 레이건, 그리고 중국과 화해하여 소련의 힘을 약화시켰던 닉슨이 그들이다. 닉슨은 워터게이트 사건 후 물러난 뒤 여러 권의 책을 썼다.

그는 공산주의자들과 대결함에 있어서 "우리는 무엇을 하지 않는다"는 것을 미리 알려주는 것은 바보짓이라고 강조했다. 이 깨달음은 이승만 대통령으로부터 배운 '불가측성의 중요성'에서 우러나온 것이 아닐까?

어쨌든 최고의 반공(反共)전략가인 닉슨이 이승만 대통령을 극찬한 것은 요사이 조국에서 잊혀 진 존재가 된 이 위대한 선각자를 이해하는 데 하나의 자료가 될 것이다. 국가생존을 위해선 무

엇이든지 할 수 있는 사람이란 느낌을 주는 지도자의 존재 자체
가 전쟁 억지력이다.

세계 정세를 가장 고차원에서 이해하고, 공산주의의 본질을 가장
정확하게 파악하였으며, 평생을 개화 독립운동에 바쳤고, 한국인
으로서 가장 높은 학력과 지성을 가진 용감한 행동가가 건국과
호국의 지도자였다는 축복, 그것을 한국인이 지금 공짜로 누리고
있다. 이승만을 잊은채. 이승만처럼 싫어하면서도 존경하지 않을
수 없는 지도자를 언제 다시 가져볼 것인가
.
- 모윤숙의 미인계
유엔총회는 유엔 한국 임시위원단 감시하에 남북한 총선거 않을
결의했다. 1948년 1월 18일 유엔 임시위원단 일행이 한국에 입
국하였으나 북한에 들어가지 못해 북쪽의 정치지도자와 만나지
못했다. 이런 상황에서 이승만은 시종일관 유엔위원단의 활동이
가능한 지역 내에서 총선거를 하여 중앙 정부늘 수립하여야 한
다는 의견을 견지했다.

유엔 한국위원단도 국가별로 의견이 갈려 합의점을 찾지 못했다.
유엔한국위원회 위원장 메논은 남북한이 단합하여 통일 정부를
수립해야 한다는 의견이었다. 메논 박사는 서울에 도착하여 서울
운동장의 환영식에서 이승만 박사의 환영사를 받고 "한국이 통
일국가로 독립하기 바란다."라는 답사를 했다. 메논은 인도인으
로 당시 인도의 입장은 한국의 분단을 영구 고착화할 어떤 일도
하지 않겠다는 것이었다.

메논은 1948년 2월 19일 유엔총회에 참석하여 개회 벽두에 한
국정세에 대한 보고 연설을 했다. 메논은 한국 문제에 대해 다음

의 세 가지 대안을 제시하며 2안을 지지하는 입장을 분명히 했다.

1) 남한 단독선거, 한반도 중앙정부 수립
2) 남한 단독선거, 남한 정부 수립
3) 남북협상 때문에 남북총선거 실시, 중앙정부 수립

(유엔한국임시위원회 메논의장과 모윤숙 시인)

또한, 그는 연설에서 이승만을 전설적인 국민 지도자라고 찬양하였다. 유엔 소총회는 남한지역에서만 총선을 실시하는 건에 대해 가결을 했다.

메논이 본국 정부의 의견을 거슬러가면서까지 입장을 바꾸는 배후에는 모윤숙이 존재하고 있었다. 메논 박사가 시인 모윤숙을 흠모하고 있다는 사실을 알게 된 이승만은 모윤숙을 이용해 메논의 마음을 돌려놓았다.

메논이 유엔 소총회에 참석하기 위해 뉴욕으로 떠나기 며칠 전, 이승만은 모윤숙에게 "무슨 일이 있어도 오늘 저녁 메논을 이화장 만찬에 초대하라"고 지시했다. 메논을 만나 안삼차를 마시던 이승만은 모윤숙을 통해 이승만을 지지한다는 저명인사들의 서명이 담긴 두루마리를 메논에게 전달하였고 모윤숙은 "두루마리에 쓰인 대로 온 한국 사람은 이승만을 지도자로서 지금 필요로 하고 있다". 고 호소했다.

유엔 한국위원단 환영파티에서 모윤숙과 대면한 메논 의장은 첫눈에 모윤숙의 문학적 재능과 인품에 반하여 파티가 끝나고 그녀를 집에까지 데려다주었고 다시 비서를 통해 호텔로 모윤숙을 초대했다. 이후 두 사람은 수시로 만나 시와 인생을 논했고 서로를 스스럼없이 대화하는 사이가 되었다.

모윤숙은 "만일 나와 메 논의장과의 우정이 관계가 없었더라면 남한만의 단독선거는 없었을 것"이며 따라서 "이승만 박사가 대한민국 대통령 자리에 계셨다는 것도 생각할 수 없다"는 것이다

메논 의장도 "외교관으로 있던 오랜기간 동안 나의 이성이 감정에 의해 흔들린 것은 내가 유엔 임시위원단으로 한국에 갔을 때 그때가 처음이자 마지막이다"라고 했다. 나의 심장을 흔든 건 모윤숙이라고 회고했다.

그녀와 나는 정치적인 견해 차이는 논하지 않기로 하고 해와 달

과 별, 사랑과 슬픔과 즐거움 같은 본질적인 이야기들을 나누며 많은 신성한 시간을 보냈다. 많은 회의에서 연설에 지쳐 아무에게 말하지 않고 빠져나와 모윤숙의 집으로 가서 그녀와 임영신과 함께 보냈다. 모윤숙은 시인이지 애국자로 남한에 주권 공화국을 세우는 것을 반대하는 것은 배반이라고 말했다. 모윤숙은 나에게 모든 희망을 걸고 한국의 '구세주라는 시'를 지었다.

좌파는 이승만이 미인계를 썼다고 하는데 두 사람의 순수한 사랑과 우정이 넘나드는 교제했다고 보여진 다. 남녀 사이에서 제삼자가 개입해서 미인계가 아니면 사랑이라고 하는 것은 무의미하다. 그것은 두 사람만이 간직한 고유한 추억이다.

- 처칠의 과감한 전략
영국의 총리였던 윈스턴 처칠(1874~1965)은 이승만 대통령(1875~1965)과 1살 차이로 같은 해 세상을 떠났다. 처칠은 1933년 독일의 히틀러가 집권하자 나치 독일이 조만간 영국을 공습할 것이라며 영국공군을 강화해야 한다는 의견을 내지만 당시 평화를 바라던 영국 정계에 의해 무시된다. 하지만 히틀러가 영국을 공격하여 처칠의 예견이 옳았다는 것이 입증되면서 결국 그는 영국 총리에 임명된다….

1940년 5월 13일 처칠은 의회에서 "나에게는 피와 수고와 눈물과 땀 이외에는 내놓을 것이 아무것도 없다."라고 연설을 한 뒤 수상에 취임한다. 그리고 6월 4일 다음과 같은 유명한 대국민 연설로 독일 폭격에 연일 시달리는 영국민들의 사기를 북돋아 준다….

"대가가 어떤 것이든 간에 우리는 바닷가에서 싸울 것이다. 상륙 지점에서 싸울 것이다. 들판과 시가지에서도 싸울 것이다. 구릉 지에서도 싸울 것이다. 우리는 절대 항복하지 않을 것이다. 어떤 대가를 치르더라도 승리요, 어떤 공포에서도 승리요, 그 길이 아무리 멀고 험해도 승리해야 한다. 승리 없이는 생존이 없기 때문이다."

그러나 1941년, 처칠은 미국의 참전 없이는 도저히 나치독일에 이길 수 없다는 결론을 내린다. 그러나 당시 미국은 참전 의사가 전혀 없었다. 그래서 고민에 빠진 처칠이 고안해 낸 것이 '미인계'였다.

1941년 처칠은 미국의 참전을 유도하고자 루스벨트 대통령 측근이자 미국의 유럽 특사 에브릴 해리만 (1891~1986)에게 자신의 며느리 파멜라 처칠(1920~1997)을 접근시킨다. 처칠은 해리만을 런던 도체스터 호텔의 만찬에 초대하면서 며느리 파멜라와 동행한다. 만찬 진행 중 갑자기 독일공습이 시작되었다. 파멜라에게 한눈에 반한 해리만은 지하벙커로 피난하러 가는 대신 자신의 방으로 그녀를 초대한다. 처칠의 계산대로 된 것이다. 결국, 해리 만과 파멜라는 런던 공습 중에 사랑을 나누고 연인으로 발전한다….

그 후 처칠은 며느리 파멜라를 이용해 수시로 미국에 대한 고급정보를 빼내고 결국 미국이 2차 세계대전에 참전하도록 유도하는 데 성공한다. 한편 1942년 봄, 2차 대전에 참전했다가 휴가차 집에 돌아온 처칠 수상의 아들 란돌프(1911~1968)는 아내의 불륜과 그 불륜을 아버지 처칠 수상이 사주했다는 사실을 알게 된다. 란돌프는 결국 아내와 이혼하고 아버지 처칠과도 평생 소원해진다.

파멜라 처칠은 당시 영국 특파원이었던 미국 언론인 애드워드 머로 (1908 ~1965) 와도 가깝게 지내기 시작해 1943년에는 연인

관계로 발전한다. 머로는 미국의 방송기자로 2차대전 당시 현장 라디오 뉴스를 진행해 수 백만 명의 청취자를 거느렸던 앵커다.

제2차 세계대전 초기 독일의 영국 본토 항공전을 중계한 그의 방송은 실로 대단했다. 머로는 2차 대전 초기 독일공군의 야간 공습이 진행되는 와중에도 마이크를 들고 건물 옥상에 올라가 공습 상황을 라디오로 생중계했다. 이 현장중계는 2차 대전 참전에 부정적이던 미국 내 여론을 긍정적으로 바꾸는 데 결정적으로 기여한다.

한편 파멜라 처칠은 1952년 민주당 대통령 후보였고 2차 대전 당시 연인이었던 에브릴 해리만과 1970년 결혼한다. 1971년 미국 시민으로 귀화한 그녀는 민주당에서 정치적 대모로 활약한다. 그녀는 1981년 무명의 빌 클린턴을 만나 그의 잠재성을 알아보고 이후 클린턴을 대통령에 당선시키는데 큰 공적을 세운다….

(위 사진은 파멜라 처칠)

그래서 파멜라는 '빌 클린턴의 엄마'라고 불리기도 했다. 파멜라 덕에 대통령의 당선 된 클린턴은 파멜라를 프랑스 대사로 임명한다. 1997년 파멜라가 급작스레 사망하자 클린턴은 대통령 전용기를 프랑스로 보내 파멜라의 시신을 미국으로 모셔온 후 국장으로 예우한다. 1997년 장례식장에서 클린턴 대통령은 "그녀(파멜라)가 없었다면 오늘의 저는 없었을 것입니다."라고 그녀의 역할에 찬사를 표했다.

나라가 전쟁의 광기에 빠지고 사회가 극심한 혼란에 빠졌을 때 이승만과 처칠은 둘 다 미인계를 이용해 난국을 극복하고자 했다. 그 와중에 이승만은 메논 의장이 모윤숙을 흠모한다는 사실을 알고 UN의 대한민국 승인문제를 해결하는데 결정적인 역할을 하도록 한다.

반면 처칠은 자기 며느리를 도구로 삼아 2차 대전의 참전을 꺼리던 미국의 참전을 유도하는 데 성공했고 결국 히틀러를 패망시키고 2차 대전을 연합국의 승리로 이끌었다. 국가의 존망과 안녕을 위해 며느리를 이용하고 자기 아들의 가정을 파괴한 처칠을 어떻게 평가해야 할까?

참고로 지난 2002년 10월 영국 방송은 영국인 100만 명을 대상으로 한 달간 여론 조사하여 '위대한 영국인 Great Britons' 100명을 선정했다. 그 중 윈스턴 처칠은 전체 응답자의 28.1%의 지지를 얻으며 '가장 위대한 영국인' 1위에 올랐다.

2. 6, 25전쟁의 위기에서 나라를 구한다.

1950년 6월 25일 새벽 4시에 북한 소련제 탱크를 앞세워 남한을 침공했다. 공격에 무기가 없었던 한국군을 탱크, 중포 전투기로 잘 무장된 북한군의 적수가 되지 못했다. 그런데도 한국군은 용감하게 잘 싸웠다. 휴가를 나왔던 장병들은 자진해서 부대로 돌아가고 탱크에 맞서 화염병을 던지며 뛰어들 정도로 애국심이 강했다. 그럼에도 불구하고 한국군은 사흘 만에 완전히 무너졌다. 남은 것은 남한의 항복뿐 이였다.

이승만은 동경의 맥아더 장군과 워싱턴 미국 정부에 긴급 요청했다. 서울 하늘에 소련제 전폭기들이 기관총으로 공격하는 상황에서도 시민들이 동요하지 않도록 "미군과 UN이 우리를 돕기 위해 오고 있다"라고 시민들을 안심시켰다. 전황이 악화하자 측근들의 피난을 강력히 요구했다. "국가원수가 포로가 되면 모든 것이 끝난다"라며 피난길을 재촉했다.

이승만은 6월 27일 새벽 특별 열차 편으로 남쪽으로 향했다. 혹자는 이승만의 피난을 '도망'갔다고 한다. 피난이냐 도망이냐는 그 후의 역사가 말해준다. 그대로 있으면 체포되고 포로가 될 상황을 대피하는 것은 참 잘할 선택이었다. 한강철교 폭파 건도 말이 많다. 서울 시민이 미처 다 빠져나가지 못했는데 다리를 폭파함으로써 탈출하지 못한 시민들이 많다. 6.25 전쟁의 분수령이 된 낙동강 다부동 전투에서 학도병까지 온몸으로 저항하며 막아낸 전투다. 한강 다리 폭파가 없었으면 유엔군이 참전하기 전에 이미 전쟁은 끝났을 뻔했다.

경상북도와 부산 등 일부만 남기고 북한군이 점령한 위급한 상황이 되자 미국과 정치권 일각에서 이승만에게 일본으로 대피해 망명정부를 세우라고 요청 했다. 이승만은 단호하게 "내가 내 나라와 동포를 버리고 어디를 가느냐?"며 "살아도 여기서 살고 죽어서도 여기"라며 확고한 전쟁의 승리를 다짐하며 전선을 지휘했다. 현장에서 지켜 보았던 제임스 벤플리트 장군은 "한국의 현대사에 가장 위대한 사상가 정치인 애국자"라고 평했다.

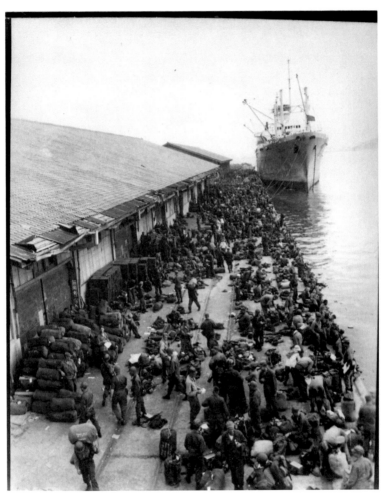

(인천상륙작전)

그나마 다행스러운 것은 미국의 참전 결정이 신속했다. 트루먼 대통령은 27일 일본 맥아더 장군에게 한국을 도우라고 명했다. 맥아더는 우선 현지 상황을 알아보기 위해 29일 수원으로 날아와서 전시상황을 점검했다. 한강 전 선에서 흑석동 참호 속에 군인을 발견하자 "귀관의 업무가 무엇인가"라고 물었을 때, 초병은 "후퇴명령이 있기 전까지는 진지를 사수하는 것"이라는 대답을 듣고 이 전쟁에 승리할 수 있다고 판단했다.

UN군이 한국에 도착한 시점은 전쟁이 시작된 후 약 4개월 만이다. 맥아더 장군은 인천상륙작전이라는 군 작전상 최고의 작품을 만들어 낸다. 모두 불가능을 말할 때, 맥아더는 자신의 소신대로 밀어붙여서 승리를 끌어냈다. 서해안은 수심이 얕아서 해군함정이 대기에는 적합하지 않다는 것과 조수 간만의 차이가 커서 상륙이 쉽지 않다는 보고서 내지만 맥아더는 자신의 판단과 전략을 그대로 진행합니다. 그리고 전세를 한순간에 역전으로 만들어버립니다.

7월 14일 이승만은 전쟁을 효율적으로 수행하기 위해 한국군의 작전권을 유엔군에 맡기는 대전협정을 체결했다. 맥아더는 전세를 획기적으로 바꾸기 위해 인천상륙작전을 구상했다. 9월 15일 새벽 함상에서 맥아더가 지켜보는 가운데 인천상륙작전이 시작됐다. 한국군과 유엔군은 서울을 수복하고 진격을 계속해서 3. 8선에 도달했다. 낙동강 전선에서 고립된 북한군은 태백산맥 줄기를 타고 북으로 도주를 시작했다.

국군과 유엔군은 압록강에 이르렀다. 문제는 전선의 맥아더 장군과 트루먼 대통령 사이에서 전쟁목표를 둘러싼 갈등이 일어났다. 중공군의 개입으로 전세의 흐름이 바뀌는 순간, 맥아더는 중공군의 보급로를 차단하기 위해 압록강과 북한을 연결하는 다리를 폭약으로 터트릴 것을 주문하자 트루먼 대통령은 휴전을 강요하며 중공군과 전쟁을 원하지 않았다.

이 일은 대한민국에 현대사에 참으로 아쉬운 장면이다. 이 갈등으로 맥아더는 유엔군 사령관에서 해임되고 리지웨이 장군으로 대체 되었다. 잠시 통일 꿈에 젖을 수 있는 상황이었다.

(유엔 참전용사)

▶유엔군의 참전

전세계 전쟁사에 유엔군에 창설되고 처음으로 이루어진 세계군이다. 앞으로도 없고 처음이자 마지막인 유엔군이지 싶다. 아프리카에서 남미에서 유엔의 깃발아래 이름도 듣도 보도 못한 나라 한국이라는 나라를 구하기 위해서 모였다는 것 자체가 상상도 할 수 없는 신기하고 신비롭기 까지하다.

참 전 의 의

유엔군 참전 의의는 회원국들이 파견한 병력의 규모만으로 평가할 수는 없습니다. 이는 제2차 세계대전 이후 처음으로 '평화의 파괴자'에 맞서 국제기구의 집단적 행동으로 평화를 회복하려는 노력이었기 때문입니다.
세계대전의 전화가 가신 지 얼마 되지 않은 상황에서 평화와 자유의 위협에 대해 세계는 '유엔헌장'에 입각해 이를 집단행동으로 막아야 한다'고 입을 모았습니다.

유엔군은 한반도가 위기에 처한 상황에서 참전해 주도적인 역할을 수행함으로써 한국을 돕고, 나아가 공산침략을 격퇴하는 데 결정적으로 기여했습니다. 유엔의 지원결의에 따라 많은 국가들이 유엔의 깃발 아래 결속됐습니다.

유엔 안전보장이사회 결의로 1950년 6.25 전쟁 당시 북한의 불법 침공으로부터 대한민국을 방어할 목적으로 특설되어 한반도에서 대한민국 국군과 함께 조선인민군 및 중국 인민지원군을 상대로 전투를 벌였으며, 현재에도 대한민국에 주둔 중인 다국적 연합군 부대를 가리킨다.

현재 유엔사의 주 임무는 1953년에 서명된 7.27 정전협정의 내용을 성실히 집행하고, 유사시 한미연합사와 국제사회 간의 교량 역할을 하며 전력제공국의 전력 지원에 협조하는 것이다.

유엔 내부의 비상설 군사조직 중 하나인 유엔 평화유지군과는 성격이 전혀 다르며, 유엔 창설 이래 현재까지 '유엔군'이라는 이름으로 창설된 유일한 다국적 연합군이다. 또한 북대서양 조약 기구(NATO)와 함께 세계에서 유이한 다국적 상설 군사연합기구 두 곳 중 하나이기도 하다.

유엔의 현재 입장에 따르면, 현재의 유엔사는 유엔의 명칭과 상징을 사용하는 것 외에는 유엔과 연관이 없고, 유엔사의 입장은 유엔의 입장을 대변하지 않는다.

안전보장이사회는, 북한군의 대한민국에 대한 무력공격이 평화파괴를 조성한다고 단정하였으며, 이 지역에서 무력공격을 격퇴하고 국제적 평화와 안전을 회복시키기 위하여 필요한 원조를 대한민국에 제공하도록 유엔 제회원국에게 권고하였으므로

유엔의 각 정부와 각 국민이 1950년 6월 25일과 27일의 결의 제82호, 결의 제83호에 따라 무력공격에 대하여 자위하고 있는 대한민국을 원조함으로써 이 지역에 국제적 평화와 안전을 회복함에 신속 강력한 지지를 표명하였음에 대하여 이를 환영하고, 유엔 제회원국이 대한민국에 대한 원조 제공을 유엔에 통고하였

음을 주목하고, 전기 안전보장이사회 모든 결의에 의거하여 병력 기타 원조를 제공하는 전 회원국은 여기한 병력 기타 원조를 미국 주도하의 통합군사령부로 하여금 사용케 하도록 권고하고,

이러한 모든 병력의 군사령관을 임명할 것을 미국에게 요청하고, 북한군에 대한 작전중 참전 각국의 국기와 함께 유엔기를 임의로 병용할 권한을 통합군사령부에 부여하고,
통합군사령부 지휘하에 행하여지는 활동사태에 관하여 적당한 시기마다 안전보장이사회에 보고서를 제출하도록 미국에게 요청한다.
—

유엔 안전보장이사회 결의안 제84호
북한군이 1950년 6월 25일 기습적으로 남침을 감행하자, 전쟁발발 당일인 6월 25일 유엔 안전보장이사회는 결의안 제82호를 통과시켜 "북한 정권은 38도선 이북으로 철군"[5]하도록 권고하였다. 이 조치가 이루어지지 않자 1950년 6월 27일 소련의 불참속에 열린 안보리는 결의안 제83호를 결의하여 재차 인민군의 38도선 이북으로의 철군을 권고하고 "유엔 회원국들이 (북한의) 공격을 격퇴하고 한반도의 평화와 안전을 회복하기 위해 대한민국에 원조를 할 것"을 권고하였다. 이에 대한 후속 조치로 1950년 7월 7일 유엔 안보리가 결의안 제84호를 통과시키면서 "군대 및 기타 원조를 제공하는 모든 회원국은 미국이 지휘하는 통합된 사령부를 통해 활동할 것과 미국은 이 통합된 사령부의 행위에 대한 보고서를 안보리에 제출할 것"을 권고하고 1950년 7월 31일 결의안 제85호를 통과시켜 통합된 사령부 지휘 아래 "유엔기구와 비정부기구들이 대한민국의 민간인을 원조할 것"을 권고하였다.

제84호 결의로 인해 미국은 지휘관을 임명하여 대한민국을 지원하는 국가들을 지휘할 수 있게 되었고 공식적으로 유엔기를 사용할 권리를 얻게 되었다. 여기에 1950년 7월 14일 이승만 대통령이 작전통제권을 유엔군사령관 맥아더에게 위임함으로써 전쟁은 유엔군 대 조선인민군 및 중국인민지원군 간의 전쟁이 되었다. 따라서 정전협정은 유엔군 총사령관을 일방으로 하고 조선인민군 최고사령관 및 중국인민지원군 사령원을 다른 일방으로 하여 서명되었다.

3.1. 휴전 후 유엔사에 대한 유엔의 입장
'유엔군사령부(United Nations Command)'라는 명칭을 사용하고 있으나 유엔 안전보장이사회나 사무총장의 통제를 받지 않는다. 유엔은 유엔군사령부의 행동은 유엔의 공식적인 입장이 아니라고 명시하고 있다.

1994년 당시 유엔 사무총장 부트로스 부트로스 갈리는 북한 외무상에 "안전보장이사회는 통합사령부를 설립한 것이 아니라 설립할 것을 권고했고, 그렇기에 통합사령부의 해산 명령은 유엔이 아닌 미국의 권한 하에 있다."라고 밝혔다. 공식적으로 유엔군사령부는 안보리 결의 제84호에 의거한 '자위권의 집단적 권리 하에 운영되는 국가 군대의 동맹'으로 '각국의 깃발과 함께 유엔기의 사용을 동시에 허가'했다는 입장이다. 즉 유엔의 권고로 설립되고 유엔의 이름을 빌린 미군을 주축으로 한 군사연합이다. 유엔군사령부는 명목상으로든 실질적으로든 유엔의 관할 하에 있지 않다.

다만 이것은 '온전하게 종결되지 못하고 애매한 무기한 휴전'상태에 들어간 6.25 전쟁의 현실상, 유엔과 그 가맹국들의 입장을 고려해 현재까지 존속하고 있는 유엔사의 존재를 두루뭉술한 말로 변명해 넘기려는 책략이다. 유엔군은 분명히 명분상으로는 인류 역사상 최초로 명분 없는 침략자에 대항하여 단 하나의 국가를 위하여 전 세계가 연합하면서 발족된 것이며, 실질적으로도 공산진영의 명분 없는 횡포에 대한 유엔 차원의 대응이었다. 이 유엔 결의 당시 공산진영은 제대로 대응을 하지 않고 회피만 했는데, 이에 반발했다간 공산진영이 전 세계를 상대로 명목적, 실질적 모두에 해당되는 전쟁을 벌이겠다는 소리가 되기 때문이었다. 제2차 세계 대전이 끝나자마자 5년만에 제3차 세계 대전이 열릴 판이었다.

그래서 공산진영이 1960년대부터 현재까지 열심히 해대기 시작한 것이 '유엔사 해체 요구'다. 이것은 소련의 은밀한 지원과 방조하에 북한이 대한민국을 개전 명분 없이 선제 침략한 것에 반발하여 비공산권이 모조리 참전하여 격퇴에 성공할 뻔했다가, 중공군의 무단 개입으로서 실패하고 정체 상태에 빠진 것이기에, 유엔사가 대한민국의 통일이라는 중대한 목표를 달성하지 못한 채로 해체할 경우 참전국들로썬 엄청난 모욕이 되어버리기 때문이다. 또한 유엔사가 해체될 경우에 주한미군의 당위성도 낮아지므로 공산진영 측에게 더욱 유리해지는 꼴이다. 2021년 유엔 총회에서 북한이 유엔군사령부의 해체를 주장했을 정도로 북한 및 공산진영은 꾸준히 유엔군사령부의 해체를 주장하고 있다.

1953년 7월 정전 협정 체결 이후 미국, 영국 등 일부 국가들을 제외한 나머지 국가들은 철수했다. 원래 "모든 외국 군대의 철수와 한반도 통일 문제를 논의할 회담을 3개월 이내에 개최한다"는 정전협정 60조에 의거하여 열리기로 한 제네바 회담이 유엔사와 북한 양측의 언플만 지속되었고, 아무런 성과 없이 끝나면서 유엔군사령부 체제는 계속 유지되었다. 그럼에도 미국을 제외한 국가들이 철수한 명분은 일단 정전이 되었기 때문에 대규모 병력을 주둔시킬 필요가 없다는 당위성 때문이었지만, 실질적으로는 한국에 대규모 병력을 주둔시킬 능력이 부족한 게 컸다.[79] 이후에는 전력 제공국이 돌아가면서 연락 장교들을 한국에 파견하는 형태로 이루어지고 있다.

이후 북한을 위시한 공산권에서는 어떻게든 유엔군사령부를 해체하기 위해 갖은 노력을 다하였다. 1974년 제29차 총회만 봐도 한국 문제를 둘러싼 표 대결은 계속되어 자본주의 진영이 상정한 한반도 평화통일 촉진을 위한 남북 대화 재개 촉구 내용의 결의안이 채택되었고, 공산 진영이 상정을 시도하였던 한반도 내 외국군 철수와 유엔군사령부의 해체를 요구하는 결의안은 정치위원회에서 부결되었다.

그러나 1975년 8월 페루에서 개최된 비동맹 외상회의에서 베트남 민주 공화국과 북한이 비동맹 회원국으로 가입하면서 상황이 변했다. 비동맹 진영 내에서 공산권의 영향력이 최고조에 달하게 된 것이다. 이를 배경으로 1975년 제30차 유엔총회에서 남·북한 지지 세력간 일대 외교 대결이 전개되었다. 9월 22일 제30차 유엔 총회에서 자본주의 진영은 남북대화의 계속 촉구, 휴전협정 대안 및 항구적 평화 보장 마련을 위한 협상 개시 내용의 결의안을 제출하였고, 공산 진영도 유엔군사령부의 조건 없는 즉각 해체, 한반도 내 외국군 철수, 평화협정체제로 전환 등을 요구하는 결의안을 상정하였다.

상기 양 결의안이 표결에 부쳐진 결과 자유 진영의 결의안(제3390 A호)과 공산 진영의 결의안(제3390 B호)이 동시에 통과되는 일이 벌어지고 만다. 여기에 미국 정부의 행동을 보면 '타방 직접 관계 당사자들이 정전협정 유지를 위하여 상호 수락할 수 있는 대안에 동의한다면, 미국 정부는 1976년 1월 1일자로 유엔군사령부를 종료할 용의가 있음'이라는 내용의 서한을 안전보장이사회 의장 앞으로 발송한 적이 있다. 이 결의안을 토대로 공산진영은 유엔사의 해체를 끊임없이 주장해왔다.

지금도 북한이 남북간의 대화 분위기를 깨뜨리고 싶을 때 사용하는 단골 메뉴다. 물론 이 외에도 몇 가지 있다. 대표적인 게 서해의 NLL 문제. 물론 자기들 생각대로 회담이 풀려나가면 유엔사나 NLL 문제는 입도 뻥긋 안 한다.

한편 앞서 언급했듯 다른 유엔군 구성국 군인도 차례차례 철수해[80] 사실상 대한민국과 미국만 남게 된다. 이와 같은 정세의 변화로 인해 껍데기만 남은 유엔군사령부를 대신해 박정희 대통령 시절 1978년에 한미연합군사령부를 설치하고 주한미군사령관이 한미연합군사령관을 겸임하면서 작전권을 행사하는 지휘체계를 수립하였다.

유엔군사령부는 38선 이북 휴전선 이남의 대한민국 영토, 즉 수복지구에 대한 주권을 가지고 있다. 유엔 결의안에 따라 38선 이북의 영토에 대해서는 유엔군사령부가 관할하는 것으로 결정되었기 때문이다. 다시 말해 대한민국은 수복지구에 관한 행정권만을 가지고 있을 뿐 주권이 없다. 행정권마저도 1954년 11월 17일까지는 유엔사가 가지고 있다가 대한민국에게 사실상 이양한 것 뿐이다.

유엔군사령부는 1978년 한미연합군사령부에 한국군과 주한미군에 대한 지휘권을 넘긴 이후 정전협정과 관련한 업무만 맡고 있다. 주한미군사령관이 한미연합군사령관과 유엔군사령관을 겸직하고 있다. 유엔사는 정전협정에 따라 군사정전위원회의 가동, 중립국감독위원회 운영, 판문점 공동경비구역 관할 경비부대 파견 및 운영, 비무장지대 내 경계초소 운영, 북한과의 장성급 회담 등을 맡고있다.

유엔후방사령부는 주일미군 요코타 공군기지에 설치되었다. 후방사령관은 호주 공군 대령이 맡는다. 유엔이 관리하는 부산 남구 대연동의 재한유엔기념공원에 2,300명의 유엔군 전사자가 모셔져 있다. 반면에 북한을 지원했던 중국 인민지원군 전사자들은 파주 적군묘지에 안장되어 있다.

2000년 6.15정상회담 이후에 경의선 공사 과정에서 비무장지대 관리(혹은 관할) 권한을 둘러싸고 유엔사와 북한이 논쟁을 벌어지기도 했다.

유엔군과 북한군은 정전 협정에 따라, 자신들이 신임하는 "중립국"을 각자 둘씩 선임하였다. 유엔군은 스웨덴과 스위스를 선임했고, 공산군은 체코슬로바키아 사회주의 공화국과 폴란드 인민공화국을 선임했다. 이들로 하여금 판문점에 장교단을 파견해 정전협정이 잘 이행되고 있는지 감독을 하는 역할(중립국감독위원회, 약칭 중감위)을 맡기기로 하였다. 그래서 판문점 남측 지역에는 스웨덴군과 스위스군 판문점 북측 지역에는 체코군과 폴란드군의 기지가 설치되어 있다. 판문점 한가운데에는 파란색 회의실 건물을 만들었고 중감위는 이곳에서 업무를 보기로 하였다.

하지만 1990년대를 전후해 공산권이 무너지면서 체코슬로바키아와 폴란드가 민주화되었고, 이에 북한은 체코군과 폴란드군을 본국으로 추방해버렸다. 그래서 현재 판문점 북측 중감위원단 기지는 비어 있다. 추방 직후 체코는 중감위 업무에서 손을 뗐다. 폴란드군 장교단은 폴란드 본국에서 중감위 업무를 보며, 회의가 있을 때마다 대한민국 정부의 협조 아래 남한 땅을 통해 판문점 회의실에 들어간다.

독립화 및 다국적화 추구
2018년에 캐나다 육군 중장 웨인 에어 장군이 유엔군 부사령관으로 부임하였다. 부사령관이 미군이 아닌 첫 사례였다. 웨인 에어 장군의 후임으로 2019년, 비 미군 출신인 오스트레일리아 해군 중장 스튜어트 캠벨 메이어 제독이 유엔군 부사령관으로 부임하였다. 2021년 12월, 메이어 제독은 부사령관직을 이임하고 한국을 떠났으며, 후임자로 영국 육군의 앤드류 해리슨 중장이 유엔군 부사령관으로 부임했다. 해리슨 중장의 후임자로 데릭 A. 멕컬레이 캐나다 육군 중장이 임명되었다.

도널드 트럼프 행정부 이래로 한미연합사 창설 이후의 소극적 역할에서 벗어나 다국적 군사기구로의 역할을 모색하고 있다. 현존 18개 회원국 외에도 독일에게 옵저버가 아닌 전력제공국으로 참여하라는 제안을 한 것으로 알려져 있다.

유엔사는 1950년 창설 이후 최초로 2018년과 2019년 부사령관으로 미군이 아닌 영국군, 캐나다군, 호주군, 뉴질랜드군의 3성 장군을 잇달아 임명했고, 동일인이었던 유엔사의 참모장과 주한미군사령부의 참모장을 2018년 8월부터 서로 다른 인물로 임명하고 있다. 참모장교들도 영국, 뉴질랜드 등 여러 유엔사 전력제공국들의 장교들로 충원하고 있다.

유엔사는 최근 대외 홍보활동도 부쩍 강화하는 기류다. 트위터와 페이스북 등 SNS를 통해 호주군 파견대의 정전협정 관리 임무, 유엔사 의장대 소속 필리핀군 장병들의 활동, 유엔사 요원들의 지뢰 제거작전 지원, 일본에 있는 도쿄 유엔사 후방기지의 뉴질랜드 공군기 전개 지원, 유엔사 후방 해군기지에 기항한 유엔사 소속 호주 호위함의 지원 등 다양한 임무 수행 사실을 적극 소개하고 있다.

한국에게도 99개의 평시 직위 중 20개 이상을 맡아달라고 요청했다. 그와 동시에 유엔사의 확대는 연합사의 지원을 보강하기 위함을 밝혔다.

문재인 정부 출범 이후 페이스북 페이지와 기존의 주한미군과 한미연합사와 같이 쓰던 페이지와 별개로 독자적인 홈페이지가 만들어졌다. 문재인 정부가 전작권 환수를 임기 내 마치겠다는 목표를 추진하고 있는 가운데, 미국은 이에 유엔사의 권한과 역량을 늘리려는 자세를 갖고 있다. 2018년~2019년에 있었던 남북협력에 대한 물자 반송 및 인원 출입에 대해서 마찰이 발생하기도 하였다.

미국이 동일인이었던 유엔사 참모장과 주한미군사령부 참모장을 2018년 이후 서로 다른 인물로 임명하고 있듯이, 동일인물이던 유엔군사령관과 한미연합사령관을 전작권 전환 이후 서로 다른 인물로 임명할 가능성이 있다.

2019년 8월, 대한민국 국방부는 덴마크를 유엔사 참모부에서 제외하겠다고 통보했다. 덴마크 외교부는 이에 동의할 수 없다고 반발했다. 이 조치는 윤석열 정부에서 철회했다.

대한민국의 유엔군사령부 직접 가입

대한민국은 2023년 정전 70주년을 맞이하여 전쟁 당사국 자격으로 유엔군사령부에 직접 가입하기로 합의하고, 대민작전을 담당할 장성급 장교를 유엔군사령부에 파견하기로 했다. 과거 문재인 정부는 유엔사의 가입 제안을 거절한 바 있으나, 윤석열 정부는 이를 수용하기로 한 것이다.

한국이 유엔사에 가입을 한다면, 정전협정 관리체계에 한국이 직접 참여할 수 있게 되어 한국의 발언권이 커질 수 있다. 또한 향후 종전선언이나, 기타 정전협정 체계에 대한 변화를 추진할 때 한국은 정전협정 당사국 자격으로 공식적으로 참여할 수 있게 된다. 뿐만아니라, 그동안 유엔사 한국 미가입 문제로 주권 침해라던가, 유엔사의 일방적인 정전관리 문제를 빌미로 유엔사 해체를 주장해오던 일부 극좌, 종북 세력과 북한의 논리를 약화시킬 수 있는 효과가 있을 수 있다.

논란 및 사건사고

문재인 정부가 2019년 8월에 유엔군사령부에 속해 있었던 덴마크를 유엔사에서 일방적으로 축출하려고 시도했음이 문재인 대통령 퇴임 1년여가 지나서야 보도되어 논란이 일었다. 당시 덴마크의 항의와 유엔사의 우려 표명에도 불구하고 문재인 정부는 유엔사에서 활동해야 하는 덴마크군 장교에게 비자를 발급하지 않는 등 덴마크의 유엔사 활동을 방해하는 행위를 지속하였으며, 거기에 더해 유엔군사령부에 대한민국도 참여하라는 제안을 '한국은 전쟁당사자이지 전력제공국이 아니다'라는 논리로 거부하고, 독일이 참여 의사를 밝히자 주한독일대사관 무관을 초치해

항의하기까지 한 것으로 밝혀졌다.

윤석열 대통령이 취임한 이후에 덴마크는 다시 유엔사에 복귀하게 되었다. 또한 윤석열 정부 국방부는 6.25전쟁 당시 기여 형태와 무관하게 회원국이 유엔군사령부에 참여할 수 있게 했다고 선포했다.

6.25 전쟁 참전국가 유엔군 22개국 중 16개국: 고마워야 할 이유

서론: 왜 이 글을 써야 하는가?

한국 전쟁, 또는 육이오 전쟁은 우리 역사에서 지울 수 없는 중요한 페이지입니다. 그 고통과 희생 속에서도 한국은 지금의 자유와 평화를 얻을 수 있었습니다. 이를 가능하게 한 것은 단순히 우리 국민의 노력 뿐만 아니라, 세계 각국에서 온 유엔군의 도움이 있었기 때문입니다. 이 글에서는 유엔군 육이오 참전국 22개국 중 16개국에 대해 소개하고, 그들의 역할과 희생에 대해 깊이 알아보겠습니다.

참전국가와 그들의 역할

유엔군 육이오 참전국은 총 22개국으로, 이 중 16개 국가가 전투에 참여하였고, 6개 국가는 의료 지원에 집중하였습니다. 이들 각각은 한국 전쟁에서 다양한 방식으로 참여하였고, 그 결과로 많은 희생과 고통 속에서도 우리는 오늘의 자유와 평화를 얻을 수 있었습니다.

참전국	전투 참여	의료 지원
미국	O	O
영국	O	X
오스트레일리아	O	X
캐나다	O	X
프랑스	O	X
네덜란드	O	X
뉴질랜드	O	X
필리핀	O	X
태국	O	X
그리스	O	X
터키	O	X
남아프리카공화국	O	X
콜롬비아	O	X
벨기에	O	X
에티오피아	O	X
룩셈부르크	O	X
스웨덴	X	O
인도	X	O
덴마크	X	O

노르웨이	X	O
이탈리아	X	O
독일	X	O

미국: 가장 큰 참전국

미국은 한국 전쟁의 가장 큰 참전국으로, 전투와 의료 지원 모두
에 참여하였습니다. 미국은 6.25전쟁 초반부터 참여하여, 승리에
결정적인 역할을 하였습니다. 또한, 많은 미국 병사들이 이 전쟁
에서 생명을 잃었으며, 그들의 희생은 절대로 잊혀서는 안 됩니
다.

영국, 오스트레일리아, 캐나다: 해군과 육군을 동원

이들 국가들은 해군과 육군을 동원하여 한국 전쟁에 참가 하였
습니다. 각각 자신들의 역할을 충실히 수행하였으며, 그 과정에
서 많은 희생을 감내하였습니다. 그리고 그 결과, 우리는 평화를

찾을 수 있었습니다.

프랑스와 네덜란드: 해군과 육군 투입

이 두 국가는 해군과 육군을 투입하여 한국 전쟁에 참여하였습니다. 특히 프랑스군은 많은 희생을 했지만, 그 덕분에 많은 지역을 수복할 수 있었습니다.

뉴질랜드와 필리핀: 육군으로 참여

뉴질랜드와 필리핀은 육군으로 참여하였습니다. 이들 국가들도 전쟁에 직접 참여하여, 한국을 지키는 데 중요한 역할을 하였습니다.

다른 국가들: 각자의 방식으로 참여

태국, 그리스, 터키, 남아프리카공화국, 콜롬비아, 벨기에, 에티오피아, 룩셈부르크 등은 전투를 통해 한국의 평화를 지켰습니다. 스웨덴, 인도, 덴마크, 노르웨이, 이탈리아, 독일은 의료 지원을 통해 참전 병사들의 건강을 지켰습니다.

6.25 전쟁 참전용사

결론: 그들의 희생은 어떻게 기리고 기억할 것인가?

이들 모든 국가들의 참여는 한국 전쟁에서 우리의 승리를 가능하게 하였습니다. 그들의 희생과 봉사는 오늘날의 한국의 평화와 번영을 가능하게 하였습니다. 그래서 우리는 이들을 영원히 기억하고 그들에게 감사의 말을 전해야 합니다. 그들이 흘린 피와 땀, 그리고 희생의 결정은 우리가 오늘의 자유와 평화를 누릴 수 있게 하였습니다. 이 전쟁을 통해 우리는 평화의 중요성과 자유의 가치를 다시 한번 깨닫게 되었습니다. 이를 기리기 위해, 우리는 이들 참전국들을 잊지 않고, 그들의 희생을 기억해야 합니다.

키워드: 한국 전쟁, 육이오 전쟁, 유엔군 참전국, 미국, 영국, 오스트레일리아, 캐나다, 프랑스, 네덜란드, 뉴질랜드, 필리핀, 태국, 그리스, 터키, 남아프리카공화국, 콜롬비아, 벨기에, 에티오피아, 룩셈부르크, 스웨덴, 인도, 덴마크, 노르웨이, 이탈리아, 독일.

"나 죽거든 한국땅에 묻어주오"···세계유일 유엔기념공원

부산광역시 남구 대연동에 위치한 유엔기념공원의 역사에서 특별한 날입니다. 세계 유일의 유엔기념묘지인 이곳에 마크 리퍼트 당시 주한 미국대사가 유엔기념공원에 마련된 6·25전쟁 참전 미군 묘역을 찾아 참배한 날이기 때문입니다. 주한 미국대사가 이곳을   방문하고   참배한   것은   처음이었습니다

6·25전쟁 중이던 1951년 5월 30일 부산 남구 대연동 유엔묘지
(현 유엔기념공원)에서 유엔군 전몰장병 추모식이 열리고 있다.
국방일보DB

1951년 1월 유엔군사령부가 전사자의 공동묘지로 조성한 13만
4000㎡의 넓은 이 부지에는 현재6·25전쟁 당시 유엔군부대에 파
견 중에 전사한 한국군 중 36명을 포함, 대한민국을 위해 싸우
다 숨진 11개국 2311구의 유해가 영면해 있습니다.

부산 유엔기념공원. 국방일보DB

1954년까지 유엔군 전사자 약 1만1000여 명의 유해가 안장돼 있었지만벨기에, 콜롬비아, 에티오피아, 그리스, 룩셈부르크, 필리핀, 태국 등 7개국 용사의 유해 전부와 그 외 국가의 일부 유해가 그들의 조국으로 이장돼 현재에 이르고 있습니다.

2019년 11월 11일 부산 남구 유엔기념공원에서 열린 '턴 투워드 부산(Turn Toward Busan) 유엔 참전용사 국제추모식'에서 참석자들이 11시 정각이 되자 묵념하고 있다. 국방일보DB

과정도 간단하지 않습니다. 1955년 11월 대한민국 국회가 부지의 유엔 기증을 결의했고 약 한 달 뒤 유엔은 이 묘지를 유엔이 영구적으로 관리하기로 유엔총회에서 결의문 제 977(X) 호를 채택했습니다.

이후 1959년 유엔과 대한민국간 관련 협정을 체결함으로써 지금의 유엔기념묘지로 출발하게 되었습니다.

그 후 유엔 한국통일부흥위원단 (UNCURK·언커크)에 의해 관리
됐지만 1974년 UNCURK 가 해체됨에 따라 관리업무가 11개국
으로 구성된 유엔기념공원 국제관리위원회 (Commission for
the UNMCK)에 위임됐고 2001년에는 유엔기념공원으로 명칭이
변경돼 오늘에 이르고 있습니다.

유엔군 한국전 전사자 유족 30명 방한

한국전쟁 당시 유엔군으로 참전했다 전사, 부산의 유엔기념공원에 안장돼 있는 전사자 유족들이 22일 국가보훈처 초청으로 방한했다.

유엔기념공원 안장자 유족 초청 행사로 한국을 찾은 이들은 영국 19명·캐나다 8명·네덜란드 3명 등 3개국 30명이다. 이들은 27일까지 머무르면서 국립서울현충원과 유엔묘지에 참배하고 전쟁기념관·판문점 등을 둘러볼 예정이다.

초청 행사는 매년 유엔의 날을 기념, 한국전쟁 참전 용사에 대한 감사와 참전 국가와의 우호 협력 강화를 위해 정전 50주년인 2003년부터 실시돼 왔으며 지난해까지 8개국 120여 명의 유족이 초청된 바 있다.

현재 유엔기념공원에는 호주·캐나다·터키 등 11개국 2285기의 유해가 안장돼 있다.   이석종 기자
seokjong@dema.mil.kr

6·25전쟁 유엔군 전사자 유족의 한국방문을 보도한 2006년 10
월 24일자 국방일보 지면.

각국의 수많은 참전 용사가 영원한 안식을 취하고 있는 만큼 개

개인의 사연도 다양합니다. 참전 계기, 전사 이유 등은 저마다 다르지만 그럼에도 이 모든 것을 넘어서는 공통점이 있다면 바로 자유와 한국에 대한 사랑일 것입니다. 그동안 국방일보에서 소개한 유엔기념공원에 잠든 참전용사와 그 가족들의 사연을 간략히 소개합니다.

6·25전쟁 당시 미 2군수기지사령부 사령관으로 부산에 부임했던

리처드 위트컴 장군이 부산 메리놀 병원 건립을 위해 한복을 입고 모금활동을 벌이고 있다. 위트컴희망재단·유엔평화기념관 제공

▶ *한국인보다 더 한국을 사랑한'전쟁 고아의 아버지' 美 리처드 위트컴 장군 (2015년 6월 5일자)*

1916년 ROTC로 군 생활을 시작한 위트컴 장군은 제1·2차 세계 대전에 참전한 백전노장이다. 그가 부산으로 오게 된 것은 전쟁 막바지였던 1953년. 미 2군수기지사령부 사령관으로 부임한 그는 전쟁으로 고통받는 부산 시민들을 위해 따뜻한 손길을 내밀었다.

1953년 11월 전쟁의 상처가 채 아물지 않은 부산에 큰 재앙이 닥쳤다. 이른바 '부산 역전 대화재'다. 피란민 판자촌에서 시작된 불이 부산역까지 번진 이 대형 화재로 6000여 가구가 피해를 입고 29명의 인명피해, 3만여 명의 이재민이 발생했다.

부산 전체가 아비규환에 휩싸인 상황에서 위트컴 장군은 군법을 어기고 군수창고를 개방하는 한편 보광동 일대에 이재민들을 위한 보금자리를 마련했다. 이 일로 위트컴 장군은 군사재판에 회

부됐다. 이 자리에서 위트컴 장군은 "전쟁은 총칼로만 하는 것이 아니다. 그 나라 국민을 위하는 것이 진정한 승리다"라는 유명한 말을 남겼다.

위트컴 장군은 또 대한미군 원조처(AFAK)를 통해 부산의 재건을 돕는 데 큰 힘을 보탰다. 특히 그가 관심을 가졌던 것은 의료와 교육. 그는 직접 부산 메리놀 병원 건립을 추진했다. 병원 신축 기금을 마련하기 위해 '사령관의 체면'을 벗어던지고 직접 한복을 입고 시내를 돌아다니며 모금운동을 벌이기도 했다.

1954년 퇴역한 위트컴 장군은 한국에 남아 재건을 도왔다. 이승만 대통령의 정치고문을 맡아 한미 외교라인의 가교 역할을 한 위트컴 장군은 1964년 한묘숙 여사와 결혼하면서 '푸른 눈의 한국인'으로 뿌리내렸다. 1982년 서울 용산 미8군 기지에서 심장마비로 숨진 그는 스스로 원한 대로 '제2의 고향'인 유엔기념공원에 안장됐다.

▶"남편과 함께 묻어주오"… 60년 긴 세월 기다려 남편 곁으로 (2015년 6월 5일자)
허머스톤 여사는 1950년 10월 3일 낙동강 전선에서 전사한 호주군 소속 케네스 존 허머스톤(당시 34세) 대위의 아내다. 허머스톤 여사는 2010년 4월 전사한 남편을 따라 이곳에 합장됐다.

허머스톤 대위는 일본에서 주둔하던 당시 간호장교였던 낸시와 3년여 동안 열애한 끝에 결혼했다. 하지만 결혼 일주일 만에 결정된 6·25전쟁 파견 명령. 허머스톤 대위는 망설임 없이 대한민국 수호를 위해 참전을 결정했다.

그리고 치열한 전투 중 결국 결혼 1년여 만에 전사하고 만다. 미망인이 된 허머스톤 여사는 평생 남편을 그리워하며 혼자 지내오다 2008년 10월 향년 91세로 세상을 떠나면서 "나를 꼭 남편 묘소 곁에 묻어 달라"는 유언을 남겼다. 그렇게 그는 60년 가까운 세월 만에 평생을 그리워하던 남편과 함께 잠들었다.

또 1951년 11월 전사한 영국군 제임스 헤론 상병과 2001년 1월 숨진 부인 엘렌 헤론 여사 역시 50년 만에 부산에서 해후했다. '영원히 함께 잠들다'라는 묘비는 두 사람의 영원한 사랑을 한마디로 압축하고 있다. 이 밖에도 미국의 마테나, 호주의 세퍼드 부부 등도 이곳에 합장됐다.

2012년 4월 25일 유엔기념공원 캐나다 묘에서 6·25전쟁 참전 용사인 아치발드 허시의 유해안장식이 거행되고 있다. 국방일보DB

▶ *60년 만에 함께 잠든 형제-조지프·아치발드 허시 형제(캐나다) (2012년 6월 5일자)*

전장에서 잃은 형을 평생토록 그리워하던 동생 아치발드 씨는 형이 세상을 떠난 지 60여 년 만인 2012년 4월 25일 마침내 부산 유엔기념공원에 묻힌 형의 곁에서 영원히 잠들었다.

허시 형제는 캐나다 온타리오 주의 한 작은 마을에서 태어났다. 동생 아치발드는 21세 되던 1950년 9월 7일 6·25전쟁 참전을 위해 입대했다. 그런 동생이 걱정된 형 조지프(당시 22세)는 동생 몰래 다니던 회사를 그만두고 이듬해 1월 6일 동생이 소속돼 있던 프린세스 패트리셔연대 제2대대에 자원 입대했다.

같은 연대에 소속돼 있던 형제는 1951년 10월 13일 형이 총상을 입은 뒤 마지막 생을 거두는 순간에야 비로소 만났으며 그때서야 아치발드는 형이 자신을 보호하려고 참전했다는 사실을 뒤늦게 알게 됐다.

조지프는 그해 10월 27일 유엔기념공원에 안장됐고, 동생은 1955년 명예 제대를 한 뒤 고국인 캐나다로 돌아갔다. 아치발드는 형의 묘지를 찾기 위해 한국에 오고 싶었지만 가정 형편이 여의치 않았다. 6·25전쟁 참전용사에게 한국 방문 기회를 제공하는 프로그램이 있다는 걸 알았을 때에는 건강악화로 여행이 불가능한 상태였고 결국 그는 2011년 6월 눈을 감았고 "한국 땅에 잠든 형 곁에 합장해 달라"는 유언을 딸에게 남겼다. 그리고 이 사연을 들은 국가보훈처의 지원으로 형 곁에 안장됐다.

2015년 11월 11일 오전 부산 유엔기념공원에서 열린 6·25 전쟁 영국군 참전용사 고(故) 로버트 매코터 씨의 안장식에서 아들 게리 매코터 씨가 유해를 안장하고 있다. 6·25 전쟁에서 살아남아 고국으로 돌아간 맥코터 씨는 지난 2001년 사망 당시 "전우들이

있는 유엔기념공원에 묻히고 싶다"는 유언을 남겼고, 14년 만에 부산유엔기념공원에 안장됐다. 국방일보DB

이외에도 많은 사연의 해외 참전용사들이 이곳에서 영면하고 있습니다.또한 6·25전쟁에 참전했던 유엔군 참전용사들이 사후부산에서 영면하려는 사례가 이어지고 있습니다. 6· 25전쟁 생사를 함께 넘나들던 전우들이 누워있다는 사실에 이곳에서 잠들기를 소망하는 이유의 하나가 아닐까 합니다.

이들유해 봉환식이나 안장식에 국가보훈처장이나 각국 주한대사 등이 참석해 고인을 기리는 등 최고의 예우를 갖춰 모시고 있습니다.

6·25전쟁 발발 71주년을 맞이한 2021년 6월, 대한민국의 자유를 위해 희생하신 '벽안의 장병'들을 다시한 번 생각하는 시간을 가졌으면 좋겠습니다.
구성=편집팀/사진=국방일보DB

●중공군의 참전
20만 중공군의 반격은 거셌다. 국군과 유엔군은 퇴각하며 1. 4 후퇴로 이어지고 유엔군 철수 얘기가 거론되면서 한반도의 위기가 찾아왔다. 이승만과 리지웨이 장군은 북위 37도선 인 평택까지 밀리면서 미국이 전쟁을 계속 수행할 것인지 유엔군은 철수할 것인지를 놓고 심각한 토론을 한다.

(중공군 개입)

이승만은 "대한민국이 이 전쟁에서 패하고 사라지면 전 세계 모든 전쟁에서 미국은 소련에 패할 것이다"라며 이승만의 확고한 전쟁에 대한 의지를 리지웨이 사령관에게 주입한다. 리지웨이 장군은 "더 이상 후퇴하지 않겠다"라며 다시 반격을 시작해서 서울을 탈환하고 3. 8선 근처에 이르렀다.

휴전회담이 판문점에서 계속됐다. 이승만은 유엔이 제멋대로 휴전하지 못하도록 53년 6월 18일 전국 여러 수용소에 갇혀 있던 포로들을 한국군 헌병들이 쏘는 카빈총 총소리를 신호로 탈출작전을 감행한다. 2만7천여 명의 포로들이 철조망을 뚫고 민가로 파고들며 숨었다.

이 소식을 들은 미국의 아이젠하워 대통령은 새벽에 면도하다 면도칼을 뜨려 뜨리며 충격을 받았고, 영국의 처칠은 연합국에 대한 '배신행위' 극단적인 말로 이승만을 거칠게 비판했다. 댈러스 미 국무장관은 "우방의 등에 칼을 꽂았다"라고 비난했다. 이는 공산 측이 휴전을 거부할 수 있는 명분을 좋기 때문이다. 이승만은 휴전의 대가로 한미상호방위조약을 체결 종용했다. 물론 미국은 당연히 거부했다. 신생국 그것도 전쟁이 나라에서 '방위조약' 체결 운운은 말 자체가 성립되지 않은 내용이었다.

당시 유엔군과 미군은 전투는 1년, 휴전 협상은 2년을 끄는 지루한 전쟁을 끝내고 싶어 휴전 협상을 받아들이고 협상을 하게 되었는데 협상의 난제는 첫째 전선을 어디에서 멈출 것인가? 였다.

전쟁 전의 상태인 38선으로 하냐?
현재의 전선인 휴전선으로 할 것인가?

서로의 입장이 엇갈리는 상황에서 전세를 유리하게 이끌던 유엔군의 입장을 공산군이 받아들여 휴전선은 현재의 전선이 되었기에 동쪽은 한국군이 주로 맡았기에 금강산 바로 밑까지 올라갔던 것이고 서부전선은 주로 유엔군이 담당했기에 전쟁 전보다 오히려 내려온 것이기에 개성을 내준 결과가 된다….

두 번째는 '포로 석방 문제'였는 데 전쟁 포로 교환은 '제네바 협정'에 따르면 되는 것이었기에 간단한 문제였다.

- 제네바 협약의 탄생

제네바 협약은 인도주의의 또 다른 산물인 국제적십자사와 연관이 있다. 이 둘의 탄생을 이끈 사람이 같은 사람이기 때문이다. 스위스 출신 앙리 뒤낭은 리소르지멘토(Risorgimento)가 벌어지고 있던 이탈리아의 솔페리노를 여행하던 중, 수많은 시체와 부상자들이 그대로 버려져 있는 모습을 보고 큰 충격을 받는다. 몇 년 뒤인 1862년, 그는 그가 목격했던 전쟁의 참상을 담은 "솔페리노의 회상"이라는 책을 발간한다. 그 책에서 그는 다음과 같은 두 가지를 제안했다. 전시에 인도적 구호를 할 영구적인 구호기관을 만들자.

이 구호기관이 전장에서 안전하게 활동할 수 있도록 보장하는 국제 협약을 만들자. 이 제안의 첫 번째 항목은 국제 적십자 기구의 설립으로 이어졌고, 두 번째 항목은 제네바 협약으로 이어졌다.

제1 협약, 즉 첫 제네바 협약은 1864년에 12개국에 의해 채택되었다. 이들 12개국은 스위스, 바덴 대공국, 벨기에, 덴마크, 프랑스 제국, 헤센 대공국, 네덜란드, 이탈리아 왕국, 포르투갈 왕국, 프로이센 왕국, 스페인 및 뷔르템베르크 왕국이다. 미국은 이보다 한참 뒤인 1882년에 비준했다. 제1 협약은 10개 조항으로 이루어졌으며 육상전에서의 부상자 등에 대한 대우를 규정한 협약이다.

제2 협약은 1906년 7월 6일에 확정되었으며, 해상에서의 인도적 대우에 대해 다루고 있다.
제3 협약은 1929년 7월 27일에 확정되어 1931년 7월 19일에 발표되었다. 포로의 대우에 대한 협약이다.

제4 협약은 1949년에 만들어졌다. 제2차 세계 대전이 끝난 직후 인도주의/평화주의가 무르익었고 뉘른베르크 국제군사재판에서 밝혀진 전쟁범죄에 대한 분노가 커졌다. 이에 따라 1949년에 여러 차례의 회담을 거치며 제1, 제2, 제제3 제네바 협약이 증보되고 경신되었으며, 아울러 제4 협약도 새로이 만들어졌다. 제4 협약은 전시의 민간인 보호를 명시한 협약이다.

의정서의 추가
세월이 흐름에 따라 제네바 협약만으로는 부족하게 되었다. 1949년에 만들어진 협약은 냉전으로 인해 변화된 전쟁의 양상에 제대로 대처하지 못했기 때문이다. 냉전 시대에 접어들면서, 무력 충돌의 대부분을 내전이 차지하였으며, 국가간의 전쟁조차 점차 비대칭적 전쟁, 즉 강대국과 약소 집단 간의 전쟁으로 변해갔다. 게다가 현대의 무력 충돌에서는 민간인 희생이 늘어만 갔고, 따라서 민간인과 그의 재산을 보호할 필요성이 커져갔다. 이러한 맥락에서, 2개의 의정서(Protocol)가 1977년에 채택되었다. 이 의정서들은 추가적인 보호를 규정하여 1949년의 제네바 협약을 확장하는 역할을 한다.

제1 의정서는 국제적 무력충돌의 희생자 보호에 관한 것이다. 식민통치, 외세의 점령 및 인종차별에 맞서 민족자결권을 행사하기 위해 투쟁하는 무력충돌을 국제적 무력충돌로 격상시켰으며 제네바 협약의 범위에 포함시켰다.[2] 또한 전투에 있어 그 방법 및 수단과 관련하여 신무기가 불필요한 고통을 주거나 적군의 전투원과 민간인을 구분없이 공격하는 무기인 경우, 새로운 무기가 국제인도법에 의해 금지되어야 하는지 여부를 결정하여야 한다고 규정하였다.

제2 의정서는 비국제적 무력충돌의 희생자 보호에 관한 것이다. 여기서 비국제적 무력충돌이란 제 1추가의정서의 적용을 받지 못하는 무력충돌로서, 체약 당사국의 영토 내에서 당사국의 군대와 조직된 무장집단과의 무력충돌에 적용된다고 규정하여 그 대상을 명백히 하고 있다. 쉽게 말해 (공통 3조에서 국제적 무력충돌로 격상된 민족해방운동(NLM)을 제외하고) 일국 내 영토 일부분을 통제하며 책임 있는 지휘 하에서 지속적이고 조화된 군사작전을 수행하는 조직된 무장집단(예: 반군)이 있다면 전부 제2 의정서의 관할 대상이 된다.

요약하자면 민족해방운동을 포함한 국제적 무력 분쟁은 제네바 4개 협약 및 제1 추가의정서의 관할 아래에 있으며, 반군 등 비국제적 무력 분쟁은 제네바 4개 협약의 공통 3조 및 제2 추가의정서 관할 아래에 있다고 생각하면 된다.

2005년에는 세 번째 의정서가 추가되어 의료 활동을 보호하기 위한 식별표장의 추가가 규정되었다. 이는 의료 상징 표식, 쉽게 말해 적십자 기호 같은 것을 하나 더 도입하자는 내용인 것이다. 원래는 국제 구호기관을 상징하는 기호로서 다들 잘 아는 "적십자"(red cross), 그리고 마이너하지만 "적신월"(赤新月, red crescent. 붉은 초승달)이 함께 쓰이고 있었다. 초기에는 적십자만 쓰이다가 이슬람 쪽의 (십자가에 대한) 종교적 반발을 고려해서 적신월이 추가로 도입되었던 것이다.

그런데 이 두 상징이 정치/종교적으로 받아들여질 수 있어 정치와 종교를 초월한다는 국제구호의 참뜻에 어긋난다는 곤란함이 있었다. 게다가 이스라엘에서는 이 두 기호가 아닌 자체 기호만을 고집하고 있는 문제도 있었다. 따라서 구호기관의 취지도 살리고 이스라엘 건도 해결하기 위해 붉은 마름모 모양의 "적수정"(Red Crystal)이 고안되었고 이를 의료기관의 상징들에 추가한다는 것이 제3 의정서의 내용이다. 어찌보면 큰 의미가 없는 내용이고 중동 지역에 개입하지 않는 이상 필요없는 부분이라 그런지 대한민국은 이것만은 비준하지 않고 서명으로 그쳤다. 다른 나라들도 이 의정서는 비준하지 않는 경우가 많다.

4. 적용 대상

제네바 협약은 전쟁이나 무력 충돌시에 이 협약을 비준한 국가들에 대해 적용된다. 구체적인 적용 정도는 공통 2조와 공통 3조에 명시되어 있다. 이 조항들은 각 차수별 협약에 공통으로 들어있기에 공통 조항이라 불린다.

국제적 무력 충돌에 관한 공통 2조

이 조항은 국제적 무력 충돌에 대해 다음과 같은 조건하에 제네바 협약이 적용됨을 명시한다. 분쟁국 모두가 제네바 협약을 비준했을 경우: 선전포고가 있었건 없었건 간에 제네바 협약이 적용된다.

분쟁국 중 한쪽만 비준했을 경우: 비준을 안 한 측이 제네바 협약의 조문을 인정하고 따를 경우 비준한 국가에 제네바 협약이 적용된다.

하지만 실질적으로는 제네바 협약이 관습법 취급을 받기 때문에 비준하지 않은 국가라고 해도 대놓고 무시할 경우 나중에 국제적 제재를 받을 수 있어 대부분 협약을 준수한다. 독소전쟁 당시 나치나 현재의 북한처럼 패할 경우 살 생각 자체를 포기한 경우라면 상관없겠지만, 실제로 중월전쟁 당시의 중국 인민해방군은 제네바 협약에 가입하지 않았지만 실질적으로는 제네바 협약을 준수하는 태도를 보였고 베트남 전쟁 당시의 베트남 인민군도 제대로 지키지는 않았지만 그래도 공식적으로는 지켰다.[5]

비국제적 무력 충돌에 관한 공통 3조

이 조항은 쉽게 말해 내전에서도 막나가지 말고 최소한의 규칙을 지키라는 내용이다. 정확히는 국제적 충돌이 아닌 한 국가의 국경 내의 충돌(일국 내 비국제적 무력 분쟁)이라 할지라도 최소한의 규칙은 적용되어야 함을 명시한다. 이 조항의 적용 여부는 무력 충돌의 성격에 달려 있다. 이 "비국제적 무력 상황"이 무엇을 의미하는지 아주 명백히 나와 있는 것은 아니지만, 일반적으로 해석상 교전단체로 승인을 받지 않은 반군 세력이더라도 어느 정도 체계를 갖추어 전쟁의 주체(war faction)로서 국제법의 주체가 될 수 있는 경우 공통 3조가 적용된다. (예: 반군과 정부군 간의 충돌, 두 반군 세력 간의 충돌, 내전 등) 단 그렇지 않은 소규모의 반란이나 폭동, 소요 등의 경우에는 적용되지 않으며 국내법에 따라 처리한다. (예: 몇몇 폭도의 경찰서 공격 등)

미국이 알카에다와 탈레반을 잡아 족칠 때 이 공통 3조가 적용되어야 한다는 비판의 목소리가 있었다. 물론 미국은 이들이 테러리스트라는 이유로 받아들이지 않았다. 다만 탈레반의 경우는 이들이 실질적으로 조직을 구성하고 정치적 목적을 가지고 활동하는 반군이란 현실을 감안해서 교전권자로 인정해야 한다는 주장도 팽배하다.

내전 같은 내부 충돌의 경우 주권국의 주권을 존중하여 제네바협약은 다른 항목은 적용되지 않지만, 정부군 혹은 반군 측의 만행을 막기 위해 특별히 이 3조의 내용은 적용된다. (내전에 관한 규약인 제2 의정서도 적용된다).

공통 3조의 내용은 쉽게 말해 다치거나 가만히 있는 사람 괴롭히지 말라는 것이다. 내용을 요약하면 다음과 같다.

부상 등으로 전투력을 잃은 군인이나 적대 행위를 하지 않는 사람은 인도적으로 대우해야 하며, 다음 행위는 금지된다.

모든 종류의 살인, 상해, 학대 및 고문 인질로 잡는 일

인간의 존엄성에 대한 침해, 특히 모욕적이고 치욕적인 대우

정상적인 재판 없이 형을 언도하거나 집행하는 것.

부상자 및 병자는 수용하여 간호하여야 한다.

제네바 협약 및 기타 조약에 관한 최종 국제재판소 역할은 유엔 안전보장이사회에서 맡게 되어 있다. 그러나 실질적으로 안보리가 제네바 협약에 관해 권한을 행사하는 경우는 거의 없고, 대부분의 사건은 본국법이나 다자 간 조약에 의해 처리된다.

제네바 협약에 어긋나는 행위들이 모두 똑같이 취급되는 것은 아니다. 몇몇 행위는 "중대한 위반 행위"(grave breaches)라 하며 심각한 위반으로 취급되며, 전쟁범죄의 구성 요건이 된다. 제3 협약과 제4 협약에서의 공통적인 중대한 위반 행위는 다음과 같다.

의도적인 살해, 고문, 비인도적인 대우 (생물학적 실험 포함).

의도적으로 중상을 입히거나 심한 고통을 주는 행위

적을 위해 복무하도록 강요하는 행위[7]

전범으로 기소했을 때, 의도적으로 공정한 재판을 받을 권리를 박탈하는 행위

제4 협약에서 중대한 위반행위로 간주하는 것은 다음과 같다.

인질을 잡는 행위

군사적 정당성 없이 불법적 / 자의적으로 재물을 광범위하게 파손하거나 도용하는 행위.
불법적인 추방, 이송, 구금.

이 협약을 비준한 나라들은 반드시 이러한 범죄를 처벌하는 법을 만들고 집행해야 하며, 이들 범죄의 용의자를 수색하고 법정에 세울 의무를 가진다. 용의자의 국적이나 범죄가 발생한 지역은 아무 영향을 주지 못한다. 게다가 중대한 위반 행위에 대한 조항은 관습법으로 간주되어 협약에 가입하지 않았다 하더라도 전범으로 처리되기 때문에 실질적으로는 가입/미가입 여부와 무관하게 제네바 협약 미준수는 그 자체가 범죄가 된다. 대표적인 예가 나치 독일과 일본 제국이다. 독일은 독소전쟁 당시 소련 포로를 잔혹하게 대하거나 대량학살하면서 소련이 1929년 제2 협약에 사인하지 않은 것을 구실로 삼았지만 패전 후 그것은 아무런 변명이 되지 못했으며 일본은 공식적으로는 비준했지만 실제로는 준수하지 않았는데 일본군이 국민과 병사들에게 반일분자는 협약 적용 대상이 아니라고 세뇌했기 때문이며 놀랍게도 그 반일분자에 일본과 전쟁 중인 나라의 군인들도 포함되어 있었다.[8]

중대한 위반에 대해서는 유엔 안전보장이사회가 UN헌장에 따른 관할권을 행사하기도 하며, 이 경우 보편 관할권[9]의 원칙이 적용된다. 쉽게 말해 국적이고 국가고 간에 상관없이 UN이 직접 재판할 수 있다. 안보리는 르완다 국제형사재판소, 구 유고슬라비아 국제형사재판소를 열었을 때 이 권한을 행사한 바 있다.

제네바 협정은 국제적 분쟁뿐만 아니라 내전에도 적용된다. 현대에 들어와서 전쟁은 내전 형태가 많아졌고 전투원과 민간인 간의 경계가 모호해져 가고 있기 때문에 이는 매우 중요한 점이다. 내전에 관련된 사람들을 보호하기 위해 공통 3조가 마련되어 있고, 이는 제2 의정서에 의해 보충된다. 이러한 조항들은 그간 소집되었던 국제재판소들, 특히 구 유고슬라비아 국제형사재판소의 판례를 통해 명확하게 되었다.

1999년 구 유고슬라비아 국제형사재판소는, 중대한 위반행위는 국제적인 충돌뿐만 아니라 국내 간의 무력 충돌에도 적용된다며 관련자들에게 잇달아 무기징역을 판결[10]하여 이러한 원칙을 분명히 하였다. 그렇다고 100% 제네바 협약을 지키는 경우는 없다, 특히 탈레반, 알 카에다, 마약 카르텔 같은 테러단체 등이 이러한데, 애초에 인권 같은 거 생각할 자들이 아니므로 수틀리면 민간인이라도 제네바 협약을 무시하고 살해하는 경우가 많다,

●이승만의 승부수
그러나 휴전 협상 자체를 인정하지 않던 이승만의 기상천외한 비밀 작전은 북한으로 돌아가기 원치 않았던 반공포로들이었다. 당시 반공포로들은 전쟁이 일어나자 강제로 인민군에 끌려갔던 사람들로서 당연히 북으로 가기 싫어했다.

이승만은 이런 포로들을 휴전 협상의 피해자로 만들기 원치 않았고 휴전협정이 이루어지고 미군이 철수되면 제2의 6.25가 올 것을 예상하였고 당시 북한은 우리보다 40배의 경제력과 중공군은 우리보다 100배 큰 땅을 가진 나라이고 소련은 우리보다 250배 큰 나라였는데 미군이 철수하고 나면 이러한 공산군들이 다시 쳐들어오면 100% 공산화될 수밖에 없다고 판단한 선견지명이 있었기에 미군을 한반도에 주둔시키기 위한 절묘한 한 수가 반공포로 석방이었다.

거제도와 전국의 포로수용소 8개에 있던 포로 중에서 북한으로 돌아가기 원치 않았던 반공포로들 27,000명을 전격적으로 석방하여 탈출 시켰던 것이다.

이승만이 반공포로 석방을 통하여 얻고자 했던 것은 한국군의 현대화를 통한 안전과 미래였다.

그러나 유엔군은 정전협정 중이었기에 이승만은 반공포로 석방을 통하여 미국이 조속히 휴전협정을 맺고 돌아가고 싶어 했던 미국을 압박하고 한국의 안전과 미래를 위해서 미군의 주둔과 경제원조를 요구하였다.

이것이 협상의 달인 이승만이 얻고자 했던 마지막 목표였다.
그리하여 미국은 1953년 8월 미 국무장관 댈러스와 행정부 각료들을 한국에 보내어 이승만을 설득하기 위해 날라왔다.

이승만은 전세가 유리한데 왜 북진 통일하지 않는가? 라며 휴전협정에 사인하지 않았고 휴전협정을 하루 빨리 마무리하고 본국으로 돌아가고 싶었던 유엔군과 미군에게 이승만은 '한미 상호방위조약'을 조건으로 내세우고 8억 달러 경제원조 약속을 받아냈다. 결국, 미국은 이승만의 요구대로 '한미방위조약체결'을 했다. 유엔은 1954년 7월 27일 판문점에서 공산 측과 휴전협정에 조인했다.

하지만 휴전 상태가 지금은 운동경기로 예를들면 전반전을 마치고 후반전을 대비하는 작전타임 시간인데 휴전 상태가 70년이 넘어가다 보니 6·25전쟁은 잊힌 전쟁이 되었다. 그리고 전쟁을 겪지 않은 세대가 전 국민의 90%가 되다 보니 점점 '잊혀진 전쟁'으로 자리매김 하고 있다. 그러다보니 참여하거나 고통을 겪고 어려움에 동참한 세대들의 희생은 파묻히고 외려 나이들어가는 노인들에게 연금을 주는 그것까지 불평하는 젊은 친구들이 늘어나는 안타까운 실정이다.

조국을 위해 생명을 바친 선배들의 희생 위에 지금의 번영이 있다. 결국, 미국은 이승만의 요구대로 '한미방위조약체결'을 했다. 유엔은 1954년 7월 27일 판문점에서 공산 측과 휴전협정에 조인했다.

3. 한미방위조약

한미방위조약 전문
한미방위조약은 휴전회담이 진행되는 동안 진행되었다. 이승만은 미국 국민이 한국에 동경심을 일으키기 위하여 감동적인 성명서를 여러 차례 발표했다. 예를 들면 1953년 7월 4일 미국 독립기념에는 "한국인들의 반공 투쟁이 18세기 미 국민이 영국으로부터 독립하기 위한 투쟁과 같다"라며 방송했다. 그 방송을 들은 수천 명의 미국인이 격려편지를 보내왔고 일부 주 의회에서도 한미동맹 지지 선언을 보내는가 하며 많은 신문이 지지성명을 발표했고 논설을 실으면서 한미동맹에 힘을 보탰다.

1953년 8월 3일 한미동맹 조약을 논의하기 위해 댈러스 미 국무장관이 한국을 방문했다. 미국은 이승만을 체포하고 미 군정을 부활시키는 방안과 이승만의 하야까지 거론하면서 다 각도로 방안을 갖고 댈러스 국무장관은 방한했다. 하지만 국내적으로 이승만의 반공포로 석방에 대한 인기가 치솟았고 각급 학교에서 '휴전협정 결사반대' 시위가 잇따르자 한국 국내 분위기를 감지한 미국의 분위기는 반전되었다.

댈러스 국무장관과 이승만이 한자리에 앉았다. 이미 두 사람은 하버드 대학과 프린스턴 대학의 동창인 관계로 면이 있었다. 하지만 양국을 대표하는 입장이라 '사'가 개입할 여지는 없었다. 한미동맹은 "북한이 남침할 때만 유효하다"라는 점을 얘기하면서 최소한의 동맹을 주장했다.

하지만 이승만은 "미국은 그동안 두 차례나 한국을 배신했다. 첫째는 1905년 일본과 맺은 '가쓰라-태프트' 밀약으로 한국을 일본에 팔아넘겼고, 두 번째는 6.25 반발 직전 '애치슨 라인' 선언으로 한국을 북한군에 침략할 수 있는 근거를 제공했다."라며 추궁하고 "세 번째는 안전보장 없이 휴전협정을 맺고 미군이 철수하는 것은 또 다른 배신행위다"라며 거칠게 몰아 붙였다.

이승만은 "미국과 한국은 공산 세계와 싸우는 자유 세계의 동반자이므로 언제든지 도와야 한다."라는 주장을 했다. 근본적인 시각 차이를 좁히지 못했지만 두 사람 14차례의 회담을 진행했고, 일단 두 나라는 한미상호방위조약에 '가' 서명했다. 정식 조약체결은 10월 1일 워싱턴에서 이루어졌다.

그에 따라 이승만은 미군 2개 사단의 주둔과 한국군 20사단을 창설하고 한국군대의 자주국방을 위한 부흥기금 7억 달러를 들여온다. 한국은 "유엔의 휴전협정에 방해하지 않는다"가 전부다. 이때 이승만은 한미방위조약체결로 "우리 후손이 여러 대에 걸쳐 이 조약으로 갖가지 혜택을 누릴 것이다"라고 말했다.

['자유의 최전선'에서 한미 군사동맹을 맺다]
「한미상호방위조약」은 한미관계를 규정하는 가장 기본적 협정으로, 정식명칭은 「대한민국과 미합중국간의 상호방위조약」이다. 1953년 10월 1일 한·미 간에 조인되고 1954년 11월 18일 발효되었으며, 상호방위를 목적으로 체결되었다. 한국이 외국과 맺은 유일한 동맹조약이다.

「한미상호방위조약」은 전문(前文)과 본문 6개 조로 구성되며, 외부로부터의 무력 공격에 대한 공동방위 결의가 전문에 명시되어 있다. 동 조약에 근거하여 미국은 그들의 육·해·공군을 한국 영토와 그 부근에 배치할 수 있게 되었다. 또한 한미주둔군지위협정(SOFA)과 정부간 또는 군사 당국자 간의 각종 안보 및 군사 관련 후속협정의 기초를 제공하고 있다.

한미상호방위조약이 체결되고 발효되기까지 한미교섭과 쟁점

1953년 4월 포로 문제로 중단되었던 정전회담이 재개되자, 한국 정부와 이승만 대통령은 더 강하게 정전을 반대하였다. 국회에서는 이승만 대통령의 북진통일을 지지하는 결의안을 통과시켰고, 이승만 대통령은 아이젠하워(Dwight D. Eisenhower) 미 대통령에게, "중국군이 압록강 남쪽에 그대로 남아있게 된다면 한국군 작전지휘권을 위임한 것을 철회하여 필요하다면 단독으로라도 싸울 것"이라고 통보하였다. 전쟁 초기 유엔군의 이름으로 미군이 참전하자 1950년 7월 14일 대전으로 피난했던 이승만 대통령은 한국군 작전지휘권(command authority)을 맥아더(Douglas MacArthur) 유엔군 사령관에게 넘겨주었다. '전쟁 수행의 효율성'을 내세운 미국의 요구에 따른 것으로, '전시 하에서만'이라는 단서를 달았지만, 전쟁 수행과정에서 한국 정부나 한국군의 영향력과 자율성은 극히 제약될 수밖에 없었다. 한국군에 대한 통제는 전쟁 시기는 물론 전후까지 가장 중요한 문제이자 한미 간에 민감한 사안이었다.

미국은 한국군의 작전지휘권을 철회하는 돌발사태를 대비하여 만든 상비계획(Everready Plan)을 재검토하였다. 1952년 부산 정치파동 이후 유엔군사령부가 마련한 상비계획은 유사시 이승만 대통령을 축출하려는 계획이었다. 이때 미국은 대한정책 전반을 검토하면서 상비계획과 상호방위조약 체결을 동시에 고려했다. 이른바 '채찍'과 '당근' 중에 어느 것이 더 유용한 가 저울질한 결과 최종 선택은 당근이었다. 이승만 축출 계획보다는 상호방위조약을 체결하는 쪽을 선택했지만, 두 가지 전제 조건을 두었다. 첫째는 한국이 유엔군사령부가 제안한 방향의 정전을 수락하고 그 이행에 협력할 것, 둘째는 한국군을 유엔군사령부 지휘하에 둔다는 것이었다.

미국은 한국을 배제하고 일방적으로 정전회담을 진행시키는 한편, 상호방위조약을 한국과의 협상 수단으로 활용했다. 1953년 6월 2일 이승만 대통령은 아이젠하워 미 대통령에게 공개적으로 서한을 보내, 정전이 체결된 후에 공산군이 또다시 침략할 경우 미국이 즉시 개입한다는 내용이 포함된 상호방위조약 체결을 요구했다. 그러나 미국은 "한국이 먼저 정전을 수락해야 상호방위조약에 대해 협상할 수 있다"는 태도를 보였다.

1953년 6월 8일 판문점에서 포로송환 협상이 타결되고 정전협정 체결이 기정사실로 굳어지자 한국 내 휴전 반대 시위가 급증하였다. 미국은 이승만을 회유하기 위해 더 적극적으로 나섰고, 대통령 특사로 로버트슨(Walter S. Robertson) 국무차관보를 파견하기로 약속했다. 그 상황에서 이승만 대통령이 6월 18일 유엔군사령부와 협의 없이 일방적으로 '반공포로석방'을 단행하였다. 클라크(Mark W. Clark) 유엔군 사령관은 한국군을 유엔군 사령관 지휘 하에 둔다는 공약을 위반하였다고 이승만에게 책임을 물었다.

이 때문에 정전협정 체결이 연기되자 결국 미국은 예정대로 미 대통령 특사를 파견하여 이승만 대통령과 2주간에 걸친 교섭을 벌였다. 쟁점은 한미상호방위조약의 체결 시점, 한국군 규모, 유엔군이 지닌 한국군에 대한 지휘권의 지속 여부, 정전 이후 정치 회담의 기한 등이었다. 회담을 마치고 7월 11일 양측은 "이승만이 정전협정 체결에 협조하면 상호방위조약 체결 교섭에 동의한다"는 공동성명을 발표했다. 이 교섭 과정에서 이승만은 '유엔군이 한국의 이익에 배치되는 행동을 하지 않는 한 한국군을 그 지휘하에 남겨둘 것'을 약속하였고, 7월 9일 상호방위조약 초안을 교환했다.

정전협정 조인 직후인 1953년 8월 5일, 미 국무장관 일행이 방한하여 한미상호방위조약과 정치회담 문제 등을 논의하였다. 회담에서 덜레스(J. F. Dulles) 미 국무장관은 "상호방위조약은 한국이 결코 혼자가 아니라는 사실을 보여줄 것이며, 적들에게 우리는 반드시 말한 대로 행동한다는 점을 깨닫게 해 줄 것이며, 조약의 목적은 우리가 서로 단결하여 협조하는 한, 한국이 아시아에서 자유의 최전선이라는 사실을 전 세계에 알리는 것"이라고 발언하였다. 양측은 회담을 마치고 8월 8일 '한미상호방위조약'에 가조인하고 공동성명을 발표했다.

그러나 이 조약은 미 의회의 동의를 거치지 못하고 있다가 1년이 지난 1954년 11월 18일에야 발효되었다. 그 이유는 한국군에 대한 지휘권 문제가 해결되지 못했기 때문이었다. 미국은 한국이 단독으로 북진하는 것을 막고자 했는데, 국제적 관례에 근거할 때 한국군을 통제하는 조항을 상호방위조약에 포함시킬 수 없었기 때문에 한미 간에 또 다른 명확한 협약이 필요했다. 이에 이승만이 1954년 7월 26일부터 8월 13일 미국을 방문한 데 이어, 같은 해 11월 17일 한국군 작전통제권을 주한미군사령관이 겸임하는 유엔군 사령관에게 이관한다는 내용을 골자로 하는 한미합의의사록을 채택하였다. 그리고 그 다음날 한미상호방위조약이 발효될 수 있었다.

한미상호방위조약 주요 내용

한미상호방위조약은 1953년 10월 1일 워싱턴에서 한국문과 영문 두 벌로 작성되었다. 한국 대표로 변영태(卞榮泰), 미국 대표로 덜레스가 서명하였다. 한미상호방위조약 전문(前文)에는 "태평양 지역에 있어서의 평화 기구를 공고히 할 것을 희망하고", "외부로부터의 무력 공격에 대하여 그들 자신을 방위하고자 하는 공동의 결의를 공공연히 또한 공식으로 선언"하며, "태평양 지역에 있어서 더욱 포괄적이고 효과적인 지역적 안전보장 조직이 발달 될 때까지 평화와 안전을 유지하고자 집단적 방위를 위한 노력을 공고히 할 것"을 희망한다고 명시했다. 그에 따라 양측이 동의한 6개 조항은 다음과 같다.

제1조 평화적 수단에 의한 해결, 무력에 의한 위협이나 무력 행사 삼가
제2조 정치적 독립 또는 안전이 외부로부터의 무력 공격에 의하여 위협을 받고 있다고 인정될 때 서로 협의하며, 적절한 조치와 협의를 합의하에 취할 것
제3조 태평양지역에서 무력 공격의 위험에 대처하기 위해 각자 헌법상의 수속에 따라 행동
제4조 상호 합의에 의하여 미국은 육·해·공군을 대한민국 영토 내와 그 부근에 배치하는 권리를 대한민국이 허여하고 미국이 수락함.
제5조 본 조약은 각자의 헌법상 수속에 따라 비준되어야 하며 그 비준서가 양국에 의하여 워싱턴에서 교환되었을 때 효력을 발생한다.
제6조 본 조약은 무기한으로 유효하다.

이 조약으로 한국에 대한 미국의 안보 공약이 확고해졌지만, 전쟁 발발 시 '자동 개입'을 보장한 것은 아니었다. 미국은 미군을 한국에 주둔시킬 수 있는 법적 근거를 마련했다는 점에서 의미가 있었지만, 한국군의 단독 북진을 막기 위해 한국군에 대한 지휘권을 통제하는 문제가 남아있었다. 조약의 제5조에 따라 추가

협상이 진행되었고, 1954년 11월 17일 한미합의의사록이 서울에서 변영태 외무장관과 브릭스(Ellis O. Briggs) 주한 미 대사 사이에 작성되었고, 같은 날 워싱턴에서는 한미상호방위조약 비준서 교환이 이루어졌다.

한미합의의사록의 정식 명칭은 「한국에 대한 군사 및 경제원조에 관한 대한민국과 미합중국간의 합의의사록」이다.

한미합의의사록은 한국과 미국이 긴밀히 협조하는 것이 공동이익에 유익하며, 자유세계가 공산침략에 대응하는 결의에 중요하다고 보고, 한국과 미국이 각각 이행해야 할 6개 조항의 협조사항에 합의한 것이다. 한국 측은 북진통일을 포기하고 유엔을 통한 통일 노력에 미국과 협조하며, "유엔군사령부가 대한민국의 방위를 위한 책임을 부담하는 동안 대한민국 국군을 유엔군사령부의 작전통제권(operational control) 하에 두는 것"에 합의했다. 미국은 한국의 실행 조건을 기초로 경제 및 직접적 군사원조를 제공하기로 합의했다. 기존의 포괄적인 '지휘권'이 좀 더 제한된 의미의 '작전통제권'으로 바뀌었지만, 군사 및 경제 지원의 대가로 주권의 일부를 침해당하는 대가를 치른 셈이었다.

의의와 영향
한미상호방위조약 체결과 그에 따른 한미 동맹은 북한의 도발을 막는 안보의 핵심 기제이자 주한미군 주둔의 근거가 된다. 정전 직후 국제적으로 제네바회담을 통해 정치적 해결방안을 모색하는 같은 시기에 양 진영의 동맹구조가 형성되었다. 한미상호방위조약이 체결되고 주한미군의 주둔이 결정되는 시기에 중국인민지원군의 북한 내 잔류와 중조동맹조약이 이어졌다. 이러한 동맹 대 동맹의 대립구조는 전후 한반도 분단의 원형으로 자리 잡았다.

현실적으로 한국에 미군이 주둔함으로써 한국 방위의 핵심 전력이 되며, 한반도 및 동북아 전쟁을 억지하여 한반도 안정과 평화 유지에 기여하고 있음은 분명하다. 그러나 한편으로는 강대국인 미국이 약소국인 한국에 안보를 제공하고 한국은 미국에 정책적 자율성을 일정부분 양보하는 전형적인 비대칭 동맹의 형태라는 점도 무시할 수 없는 사실이다.

-한미동맹 체결후 미 이브닝스타 선데이스타와 인터뷰 기사

"자유 투사" 이승만의 절규, "나는 왜 홀로 섰는가!"
대한민국 초대 대통령 이승만
1953년 8월 16일 미국 수도 워싱턴의 유력지 "이브닝스타(EveningStar)"의 일요판 "선데이스타(SundayStar)"는 이례적으로 대한민국 대통령 이승만의 특별 기고문을 7면, 21면, 22면 3면에 걸쳐 독점 게재했다. 1953년 7월 27일 대한민국 대표가 불참한 가운데 미국, 중국, 북한이 정전 협정을 맺은 지 불과 20일 만이었다. 그 당시 조속한 정전을 요구하던 워싱턴포스트 등 미국 주요 일간지는 "호전적 늙은이", "작은 독재자" 등 이승만을 향한 거친 말 화살을 쏘아대고 있었다. 이 글에서 이승만은 그런 언론의 목적과 의도를 냉철하게 꿰뚫어 보면서 왜 자신만 혼자서 정전 협정을 거부하고 고독하게 투쟁했는지 소상하게 밝히고 있다.

편집인은 당대 최대의 논쟁적 인물로 부상한 이승만을 "58년 동안 조국의 자유를 위해 투쟁해 온" 인물로 소개했다. 지난 회에 언급했듯 편집인은 이승만의 장문을 게재하는 의의를 다음과 같이 썼다. "당신의 평가가 어떠하든, 그가 이 글을 쓴 이후 무슨 일이 일어났든, 지금도 진행 중인 우리 시대 역사의 일부로서 당신은 이 글을 읽고 싶어 할 것이다." 편집자의 이 권유는 바로 한국의 모든 국민을 위한 소중한 조언이다. 71년 만에 전문을 완역하여 한국의 독자들에게 내놓는다.

이승만은 명실공히 대한민국 헌정사의 가장 중요한 인물이다. 이승만이 희구했던 자유의 가치, 민주의 이상, 인권의 소망, 법치의 염원은 바로 오늘날 대한민국을 지탱하는 네 개의 기둥이다. 그가 그토록 경계하고 비판했던 공산주의 이념은 20세기 인류사에서 무려 1억 명의 인명을 살상한 죽음의 극단론으로 판명되었다. 그가 "북진 통일"을 외치며 해방하고자 했던 북한은 지금도 인류사 최악의 공산 전체주의 세습 전제 정권이 되어 인구의 10% 이상을 노예로 삼는 세계에서 가장 악랄한 <u>노예제 국가</u>로 남아 있다.

바로 지금도 역사를 제멋대로 조작하고 편의적으로 왜곡하는 대한민국의 일부 집단은 공산 세력의 기습 침략으로 사흘 만에 수도가 무너지는 절체절명의 상황에서 전략적으로 급히 후퇴한 이승만을 "런(run)승만"이라 폄훼하고 조롱하고 있다. 스스로 조선노동당의 정치전(politicalwarfare)에 놀아나고 있음을 그들은 언제나 깨닫게 될까? 한국 사람이라면 이승만을 비판하기 전에 그가 무슨 생각으로 어떻게 행동한 사람인지 최소한의 공부라도 해야 한다. 자, 이제 1953년 8월 16일로 돌아가서 이승만의 육성에 귀 기울여보자.

1954년 7월 28일 미국 상·하원 합동회의 연설. /이승만 기념관 제공 **"나는 왜 홀로 섰는가(WhyIStoodAlone)!"**

내 삶의 퇴조기에 나는 아시아에서 공산주의의 침략에 맞서 계속 싸워야만 했다. 그 때문에 나는 많은 비판에 휩싸였다. 휴전 협상 과정에서 최근 한국이 취한 태도와 행동을 윈스턴 처칠과 같은 저명한 정치가는 '반역적(treacherous)'이라고까지 했다. 그러나 나는 한국의 단호한 태도가 공산 제국주의 폭정에 맞서 도록 역사의 조류를 돌리는 데 이바지할 것이라 확신한다. 히틀러에 맞서 홀로 계속 싸우겠다는 1940년 처칠 자신의 결정이 나치즘과 검은 폭정의 종식에 이르는 출발점이 되었음과 같다.

위대한 웅변가 처칠(WinstonChurchill, 1874-1965)은 왜 한 나라가 일시적 파괴의 위험을 무릅쓰고 싸우는 편이 투쟁을 포기하는 것보다 더 나은 선택인지 전 세계를 설득할 수 있었다. 그 처칠을 두고 "자멸적(自滅的,suicidal)"이라거나 "무모하다(reckless)"고 하는 말이 나왔다는 얘기는 들어본 적이 없는데, 내가 한국에서 발휘한 리더십을 두고는 이런 말들이 즐겨 사용되고 있다.

그러나 오늘날 내 나라 한국은 [1938년 9월 뮌헨협정을 체결하여 히틀러의 요구를 다 들어주고서도 불과 1년 만에 침략을 당해서 항전에 나섰던] 1940년의 영국이 그러했듯, 우리 스스로 자살행위라고 확신하는 유화적 정전 협정을 수용하기보다는 계속 싸우는 편이 최선이라 믿는다. 우리의 지속적인 저항이 시간을 벌어줄 것이고, 여러 사태의 압력 아래서 붉은 세력의 망동이 벌어지게 되면, 자유 진영의 다른 국가들은 공산 중국의 괴물들을 국경 밖 그들 땅으로 몰아내는 것이 자국의 이익에 부합함을 깨닫게 될 것이다. 그렇지 못하면, 공산 중국이라는 괴물이 또 다른 점령지를 뜯어 먹으면서 아시아 전체를 향한 힘과 먹성만을 키울 것이다.

"나는 결코 확신을 잃지 않았다(INeverLostConfidence)."

나는 긴 세월 기독교 윤리와 유교 윤리를 모두 연구해 온 학자다. 이 두 철학에 뿌리박힌 격률은 미국인의 문구로 이렇게 표현된다: "옳음이 승리한다(rightwillprevail)." 결국 내 생애 58년 가까이 걸려서야 비로소 조선 국왕들과 일본인들의 반동적 지배로부터 남한만의 해방이라도 성취할 수 있었다. 나는 결코 옳음이 결국 승리하리라는 확신을 잃지 않았다.

종신형을 선고받고 내가 옹호하며 싸웠던 원칙들이 내가 죽은 뒤에야 실현될 듯 보이던 그 암울한 시절에도 늘 그렇게 믿었다.

우리 시대의 극동판 뮌헨협정처럼 보이는 휴전 협정을 거부한 우리 한국인의 동기에 대해 서방 세계에 너무나 심각한 오해가 있는 듯하여 참으로 유감이다.

(1953년 8월 16일 "이브닝스타" 일요판 "선데이스타" 7면).

정전 협정 원안의 구체적 쟁점을 따져보자. 수백만 중공군이 무력으로 점령한 북한 땅을 여전히 장악하고 있고, 우리나라 안에서 붉은 적군(敵軍)의 지속적인 불법 주둔이 종료되어야 할 시한도 전혀 휴전 협정에 명시되지 않았는데, 그 누가 진지하게 공산 침략이 격퇴되었다고 말할 수 있단 말인가? 도무지 믿을 수가 없다.

1950년 당시 우리나라는 50만가량의 북한 적병에 직면하고 있었다. 1953년 현재 우리가 대치하고 있는 중국과 북한의 연합 병력은 수적으로 최초 침략자들의 3배에 달한다. 새로운 공산 군대는 아시아 최초로 제트기를 가진 공군을 비롯하여 1급의 최신식 무기를 보유하고 있는 데다 우리나라 수도 서울은 전선에서 최단 거리로 20마일 이내에 놓여 있다. 우리는 이 험악한 현실에 너무나 가까이 처해 있어서 붉은 세력을 제외하고는 그 누구에게도 이를 진보라 부를 수가 없다. **침략자가 다시 쳐들어올 경우 미국의 자동 지원을 보장해달라는 우리의 요구가 정말 그토록 터무니없는가?**

다수의 유엔군 고위 장교들도 우리와 마찬가지로 38선 인근에 배치된 강력한 공산군 조직의 위협을 우려하고 있음을 나는 개인적으로 알고 있다. 공산 세력이 통제하는 북한 내 비행장은 남한뿐만 아니라 일본, 오키나와 등지의 미국 진지도 위험에 빠뜨릴 수 있다.

투쟁(TheStruggle)

넓은 의미에서 한국과 우방국 사이의 유감스러운 의견 차이는 공산주의 폭정과 팽창주의에 어떻게 대처하는 것이 최선인지에 관한 서로 다른 진단에 근거하고 있다. 현재 한국이 처해 있는 곤경은 압제에 맞서 투쟁하는 일개인으로서 직접 겪은 나의 초창기 경험을 떠올리게 한다.

1896년의 일이었다. 우리의 독립운동은 국민의회를 갖춘 입헌정부의 수립을 요구하고 조선 국왕과 일본 고문관들의 독재적 방식에 항의하고 있었다. 조선 국왕이 우리 독립운동의 지도자 17명을 체포해 간 후, 나는 계속 대중집회를 열었다. 집회는 여러 날에 걸쳐 계속되었고, 때로는 수십만 군중이 운집하기도 했다. 독립투사들이 석방된 후에도 우리는 대중 시위를 이어갔다. 만약 우리가 해산하면 경찰이 절대로 우리의 재결집을 용납하지 않을 것임을 알고 있었다.

마라톤 집회가 절정에 이르렀을 때 경찰이 무력으로 집회를 해산시키려 한다는 경고를 들었다. 주변에서는 내게 집회를 그만 단념하고 몸을 숨기라고 충고했다. 그런데 정작 경찰이 나타났을 때 우리 집회의 대중은 똘똘 뭉쳐서 완강하게 저항했고, 경찰은 감히 군중을 공격할 수 없었다. 경찰은 민중의 결기를 보건대 진압을 행동에 옮기는 순간 전국적 봉기가 촉발될 수도 있음을 깨달았다.

우리의 저항에 그들은 겁을 먹었다. 만약 그때 내가 흔들렸다면 나는 길을 잃고 헤매었을 것이다.

같은 글, 21면 게재

한결같은 원칙(SamePrinciple)

내가 늘 그렇게 운이 좋았던 건 아니다. 무자비한 통치자에 맞서는 모든 애국자가 그러하듯 나도 투옥되어 고문당하는 내 몫의 고통을 겪었다. 그러나 원칙은 언제나 한결같았다. 승리를 위해 위험을 무릅쓸 각오가 그대의 적만큼 충분히 되어 있지 않다면 싸움을 시작도 하지 말라. 그대는 흔들려선 안 된다. 그 어떤 종류의 편의주의도 적에게 그대의 한계점을 노출하여 더 악랄하게 나오도록 적을 부추길 뿐이다.

이것은 어떤 괴상한 오리엔탈 심리학이 아니다. 역사적 유례들을 고찰하면 국가적 태세를 명확히 정립하는 데 분명 도움이 될 수 있다. 2차 대전 당시 프랑스의 사례를 생각해 보자. 1940년 프랑스 총리 페탱(PhilippePétain, 1856-1951) 원수(元帥)는 "빈손보다는 반쪽이라도 얻는 편이 낫다"는 판단으로 프랑스 절반을 독일 점령지로 내어주는 휴전 협정에 합의했다. 나치가 법적 재가를 얻게 되자 프랑스인의 저항 의지는 약해졌고, 무도해진 독일인들은 자신들에게 유리할 때 나머지 영토도 접수하고 말았다. 페탱은 이후 자기 국민에 의해 반역자로 낙인찍혔다.

한 국가를 '반은 노예, 반은 자유 상태(halfslave,halffree)'로 남겨둠으로써 빚어지는 비극은 제2차 세계대전 이후 시기에도 여러 사례를 통해 거듭 입증되었다. 독일과 오스트리아를 붉은 진영과 자유 진영으로 분단하는 조치는 결국 분란만 낳았다. 왜 한국에서 같은 실수를 반복해야 하는가? 우리는 분명히 안다. 공산주의자들의 철권통치를 맛보고서 고통에 몸부림치는 북한 주민은 오직 압제의 공포와 모욕을 몸소 맛본 자들만이 품게 되는 강렬한 열망으로 자유를 희구한다는 사실을.

최대한의 힘(MaximumPower)

한국은 3차대전을 원하지 않는다 대신에 우리는 공산 침략자를 국경 밖의 자기네 땅으로 돌아가게 만드는 유일한 길은 그가 국제연합이 실제로 작동함을 깨닫게 하는 데에 있다고 확신한다. 만약 유엔이 이러한 목적 달성을 위해서라면 최대한의 힘을 발휘할 각오가 되어 있음을 명백하게 한다면, 중국의 붉은 무리가

6개월 안에 코리아에서 물러갈 것이라 믿는다. 끝없는 망설임과 흔들림은 나약함의 징후이며, 붉은 세력은 결코 이를 놓치지 않고 이용해 먹을 것이다. 이는 또 다른 적화 침략을 부추기고 공산 세력에 유리하게 이 세계의 세력 균형을 교란하여 3차대전의 발발 가능성은 더 높아질 것이다.

"WHY I STOOD ALONE"

Continued from preceding page

legal sanction given the Nazis dimmed the impulse for resistance and so aroused the contempt of the Germans that when it suited them they took over the rest of the country. Pétain was later condemned as a traitor by his own people.

The tragedy of leaving a nation half slave, half free has been illustrated time and again in the period after the Second World War. The division of Germany and Austria between the Reds and the free world has caused nothing but trouble. Why repeat the same mistake in Korea? We certainly know that the anguished people of North Korea having tasted the iron rule of the Communists yearn for liberation with a fervor reserved for those who have personally tasted the fear and the indignity of oppression.

Maximum Power

KOREA is not asking for a Third World War. But we do believe that the only way to make the Communist aggressor return to his own border is to convince him that the United Nations means business. We believe that the Chinese Reds would be out of Korea within six months if the United Nations made it plain that it was prepared to use maximum power in achieving this end. Perpetual hesitation and wavering are symptoms of weakness that the

Reds are sure to take advantage of. This encourages new Red aggression and tends so to disrupt the balance of power in the world in the Communist favor that the chances of a Third World War will indeed be enhanced.

Self-delusion is always easier when you are geographically remote from the scene. Back in 1945 I was called many names when I protested the American agreement with Russia whereby the Soviets were to occupy Korea for the purpose of receiving the surrender north of the 38th Parallel of Japanese troops. At the time American officials assured me this was only a temporary expedient and that there was no intention of permitting the Russians to retain the area. America's intentions no doubt were excellent. But the fact is that America never succeeded by peaceful means in shaking the Red grasp in North Korea once it had been "temporarily" granted.

President Eisenhower undoubtedly was sincere in hoping that the Chinese could be persuaded at a political conference to get out of North Korea. But now with the Chinese stronger than ever why should they be any more prepared today than yesterday to leave the North?

It has of course been painful for me to face suggestions that selfish

personal ambitions have motivated my stand. If I wanted ease, comfort and power would it not be simpler to take half a loaf? Why not live out the last years of my life without any more struggle hoping that the Communist deluge will come after my time. But one cannot dedicate a life to a cause and then give up at the end for the sake of material comfort.

Threats Don't Work

CERTAINLY those Western statesmen who have sought to influence us by hints of withdrawing their aid and support or by other threats have completely misunderstood us. Such threats work only with nations that are prepared to put temporary advantage above long-range conviction of what is necessary to save freedom in one's country. What good is United Nations aid to Korea if the price we pay gives the Reds such advantages that they can overwhelm us any time they choose?

Should worse come to worst and Korea ever have to carry on the struggle alone, we would do so in hope that our fate would ultimately rally all nations of good will. We count especially on the United States to see that in this global civil war between dictatorships and republics the survival of freedom as we know it depends on halting Red aggression here and now.   *The End*

같은 글, 22면 게재.

현장에서 지리적으로 멀리 떨어져 있으면, 자기기만은 언제나 더 쉬워진다. 지난 1945년, 이미 나는 많은 욕설을 들었다. 미국이 러시아와 합의하여 38선 이북에서는 소련이 일본군의 항복을 접수할 목적으로 코리아를 점령하기로 한 결정에 대하여 내가 강력하게 항의했기 때문이다. **당시 미국 정부의 관리들은 그것이 일시적인 편의상의 조치일 뿐이고 러시아가 해당 지역을 계속 장악하도록 용납할 의도는 전혀 없다고 장담하면서 나를 안심시켰다.** 미국의 의도는 분명 훌륭했다. 하지만 붉은 세력의 북한 장악이 "일시적으로" 허용되고 나자 미국은 그 어떤 평화적 수단으로도 그 세력을 흔들 수 없었다.

아이젠하워 대통령이 정치적 협의를 통해 중국을 설득해서 북한에서 물러가게 할 수 있으리라고 진심으로 기대했다는 점엔 의심의 여지가 없다. 하지만 그 어느 때보다 강성해진 오늘의 중국이 대체 왜 갑자기 북한을 떠나려 하겠는가?

물론 나 역시 나만의 이기적 야심을 채우려고 홀로 버티는 것 아니냐는 수군거림에 맞서기가 고통스러웠다. 내가 편의와 안락과 권력을 원한다면, 절반만 얻는 편이 더 간단하지 않겠는가? 내 세상이 끝난 다음에 공산주의의 홍수가 덮치기를 희망하며 더 싸우지 않고서 여생을 살다 가도 되지 않겠는가? 그러나 일평생을 대의에 바친 사람이 막바지에 이르러 세속적 안락을 바라고 단념할 순 없다.

협박은 안 통한다(ThreatsDon'tWork)

우리에게 원조와 지지를 끊겠다고 암시하는 등 갖은 협박으로 우리를 좌우하고자 했던 서방 정치가들은 우리를 완전히 잘못 이해했음에 틀림없다. 그러한 협박은 한 국가가 자유를 지키려면 무엇이 필요한지에 대한 원대한 신념보다 일시적 유불리만 따지는 나라들에만 통할 뿐이다. 한국에 대한 유엔의 지원이 다 무슨 소용이란 말인가. 우리가 치르는 비용이 붉은 세력에게 그런 우위를 점하게 하여 그들이 원할 때면 언제든지 우리를 압도할 수 있다면?

상황이 더 악화되어 한국이 혼자서 투쟁을 이어가야 한다면, 우리의 운명이 마침내는 선의를 가진 모든 나라들을 규합할 수 있으리란 희망을 품고서 우리는 고독하게 싸워나갈 것이다. 우리는 특히 미국이 독재정권들과 공화국들 사이에서 벌어지고 있는 전지구적 내전(globalcivilwar)에서 우리가 아는 자유의 존속 여부가 바로 지금 여기에서 붉은 세력의 침략을 막는 데에 달려 있음을 잘 알리라고 믿는다. <끝> (번역: 송재윤·이동민)

1954년 7월 28일 미국 상·하원 합동회의 연설./이승만 기념관 제공

▶이승만 한미동맹의 탄생, 국빈 방미와 한미동맹 발효
인 보길 /뉴데일리 대표, 이승만 포럼 대표

7월간 26일 여름날 오후, 워싱턴 내셔널 공항에 시커먼 미군용
기 한 대가 내려앉았다. 서울 김포공항 이륙후 무려 40시간 만
에 도착한 일행은 이승만 대통령 부부와 수행원들, 유엔군총사령
관 헐 장군의 전용기 컨스텔레이션 호는 "일본에 기착하지 말
라"는 이승만의 고집 때문에 일본 열도를 우회하여 알류산 열도
의 해군기지에서 급유하고 알래스카를 돌아 시애틀 기지에 들렀
다가 미대륙을 횡단하는 길고 긴 여정을 강행군해 온 참이다.

아이젠하워의 환대는 예상을 넘는 것이었다.
국빈이라지만 닉슨 부통령과 덜레스 국무장관까지 부부동반으로
출영하고 함참본부장등 군장성들과 다수의 관리들, 그리고 이승
만의 독립운동을 도와준 미국인 친우들도 대기 중이었다. 시민들
은 태극기와 성조기로 환호하였다.
비행기를 내린 이승만은 열광적인 환영을 받으며 일일이 악수를
나누었다.
한국전을 지휘한 리지웨이, 밴플리트 장군의 뜨거운 포옹도 받았
다.

미국 관리들은 "경의와 단결의 표시"라며 이대통령에게 '행운의
열쇠'를 증정하였다. 21발의 예포와 한미 두 나라 국가 연주를
들으면서 이승만은 무슨 생각을 하였을까. 해방후 귀국 9년 만에
다시 온 미국, 끝까지 '국적 없는 독립투사'로 40년을 떠돌던 땅
은 제2의 고향 같은 나라, 태극기를 흔들며 감격의 눈물을 흘리
는 한국동포들과 어린이들의 꽃다발을 받는 이승만은 무명의 망
명객이 독립국가 대통령이 되어 다시 만난 미국에서 일종의 '금

의환양'
같은 감격과 국무성에서 냉대 받던 설움, 그리고 보기 좋게 독립을 쟁취한 승리감이 한꺼번에 밀려왔을 것이다.

▲ 이승만 대통령이 워싱턴 내셔널 공항에 도학, 닉슨 부통령이 영접하여 환영행사를 하고있다.

★ 충격의 도착성명 "미국이 겁쟁이라 아직도 통일을 못했다"
닉슨의 환영사가 끝나자 이승만은 마이크 앞에 서더니 자신이 써온 도착성명을 치우고 즉석연설을 시작하였다. 그는 1904년 '국가없는 인간'으로 난생처음 미국에 상륙하였을 때의 이야기와 독립이 가망 없는 것으로 보이던 때의 망명생활에 관한 이야기, 1950년 공산침략에 대하여 말할 때는 감회를 못이기는 듯 꺼져 가던 음성이 갑자기 톤을 높였다.

"미국의 수많은 청년들이 한국을 도우러 와서 목숨을 바쳤다. 그런데도 우리는 아직도 통일을 이루지 못하였다. 미국이 '겁을 먹어서' 압록강까지 진격했던 우리는 후퇴해야만 했다. 조금만 용기를 더 가졌더라면 우리 두 나라는 지금 이런 고통에서 벗어나 있을 것이다."

<iframe class="ip-engine" height="100%" width="100%" frameborder="0" marginheight="0" marginwidth="0" hspace="0" vspace="0" scrolling="no" src="http://ds.interworksmedia.co.kr/RealMedia/ads/adstream_sx.ads/newdaily_www.newdaily.co.kr_NEWS_BA_300X250_CMTF/page@x04?_4161&_G41115" style="margin: 0px; padding: 0px; border-width: 0px; border-style: initial; vertical-align: baseline; opacity: 1; object-fit: cover; will-change: opacity; transition: opacity 1s cubic-bezier(0.4, 0, 1, 1) 0s; visibility: visible;"></iframe>

그 순간 닉슨과 덜레스, 리지웨이등 장성들은 표정의 변화없이 연설을 듣고 있었다고 한다. 이승만은 또 톤을 바꾸어 함께 싸운 미국과 미군에게 '심심한 감사'를 표한다면서 "우리는 앞으로도 함께 싸운다. 하나님은 우리 계획을 성취할 수 있도록 항상 함께 하실 것"이란 말로 15분간 즉흥연설을 끝냈다.

비행장 환영식이 끝난후 이승만 부부는 녹색 리무진을 타고 백악관으로 향하였다. 미국에 도착하자마자 던진 "미국은 겁쟁이"라는 한마디.
준비한 원고에는 없던 그 말은 이승만이 미국과 마지막 결판을 내고자 싸우러 왔다는 선전포고나 다름없었다. 왜냐하면 '제네바 정치회의에서 통일을 관철'하겠다던 미국이 제네바에서 양보를 거듭하는 행태에 분격한 이승만은 아이젠하워와 통일을 위한 담판을 끝장내야 하기 때문이다.

그는 이미 서울 출발 전날 경무대에서 기자회견을 열어 "미국과 유엔은 중공군을 북한에서 즉시 철수 시키라"는 포문을 열고 "소련이 제안한 새로운 통일국제회의는 서방측 항복을 받아내려 는 음모"라며 "판문점 중립국감시위도 해산하라"고 요구한 바 있다.

▲ 아이젠하워 미국대통령이 백악관에서 베푼 국빈만찬회 보도 기사ⓒ조선DB

백악관 정문 앞에서 기다리던 아이젠하워 부부가 이승만 대통령 부부를 맞아 들였다. 곧 이어 아이젠하워가 베푼 백악관의 국빈 만찬 역시 화려하고 성대하였다. 닉슨 부통령과 각료들, 국회의 원들과 외교관들, 국방관계 인사들과 그들의 부인들이 '세계의 반공지도자' 동양 노인 대통령의 손을 잡고 감사와 존경의 찬사 를 이어갔다.

아이젠하워는 잔을 들고 이승만 대통령을 위해 축배를 들겠다며 건배사를 시작하였다. 이날 밤 이승만 부부는 백악관에서 잠을 잤다. 이런 특별배려도 전례가 드문 환대였다. 공식 수행원들은 본격적인 스테이트 비지트(state visit)였기에 네팀 27명이 따라 와서 백악관 인근 영빈관 블레어 하우스에서 숙박하였다.

▶ 제1차 정상회담 '한일 관계' 동상이몽 격론
이튿날 아침 블레어 하우스로 옮긴 이승만은 10시부터 백악관 오벌 룸에서 아이젠하워와 1차 정상회담을 가졌다. 아이크의 대 통령취임 전부터 휴전 반대로 갈등을 벌였고 제네바 협상에서도 양보하는 유화적 태도에 실망한 이승만은 '못 믿을 포퓰리스트' 로 아이젠하워를 내려다보는 입장인지라 불편한 심기를 감추고 기세등등했다고 한다.

그런데 놀랍게도 정상회담의 첫 의제가 양국이 똑 같은 '한일관 계'임이 드러났다. 한국이 제시한 의제는 '한일 공동방위체제에 관한 문제점'인 반면, 미국이 제시한 것은 '한일 국교 정상화'였 다. 첫 눈에 이승만의 눈에서 불꽃이 일었다.. 미국의 일방적인 일본지원을 비판해온 이승만의 눈앞에 국교정상화를 들이밀다 니...아이젠하워가 한일회담 결렬문제를 꺼내자 이승만은 벼락같 이 언성이 올라갔다.

"수석대표라는 구보다란 자가 일본의 식민통치는 한국에 유익했다는 둥 망발을 했는데 그것도 모르오? 이런 반성도 없는 일본과 어찌 관계 정상화를 하라는 겐가?"양유찬 대사가 재빨리 끼어들어 지난해 10월15일에 터졌던 구보다의 망언 경과를 설명했다.

화를 삭이던 아이젠하워는 덜레스에게 "사실이냐?"물었고 덜레스는 보충설명을 했다. 한시간 반 동안 진행된 첫 회담은 구보다에 걸려 두 번째 의제 '원조 증가와 군원-민원 문제'로 넘어가지 못하였다. 미국측 의제도 똑 같이 '대한 군원 및 민간경제부흥'이었다.

이날 저녁 덜레스 국무장관이 베푸는 만찬은 역사적인 고택 애디슨 하우스에서 열렸다. 이승만은 인사말에서 "공산주의자들에 대한 보다 적극적인 방책이 있어야 한다"고 말했다. 오전 백악관 정상회담에서도 이승만은 아이젠하워와 대좌하자마자 "나는 이번에 양국이 협의할만한 제안을 가져왔다"고 말을 꺼냈는데 '방책'과 '제안'이 무엇인지는 다음날 국회연설에서 드러난다.

주최자 덜레스는 이승만의 무거운 분위기를 풀어주기 위해 곰 이야기를 내놓았다. 갈홍기 공보실장의 '이대통령 각하 방미 수행기'에 보면 그 곰은 국군이 강원도 산골에서 잡아 온 것을 백악관에 보낸 한쌍이다. 덜레스는 "이대통령을 기쁘게 해드리려고 그 곰을 정원에 풀어달라 했더니 너무 크게 자란 맹수라서 안된다 하니 유감입니다. 각하께서도 그 곰과 같이 노년에도 원기 왕성하시니 보기 좋습니다."라며 웃었다.

이승만은 즉각 "나도 지금 곰처럼 갇혀있는 것 같아서 부자유를 느낍니다"라고 받았다. 좌중은 웃음을 터트렸다. 미국과 미국 국민들에게 하고 싶은 말들이 가득찬 이승만과 수행원들은 농담아닌 농담에 웃을 수가 없었다. 그 말들은 다음날 국회에서부터 2주일간 쏟아진다.

▲ 미국회 양원합동 의회에서 '중공과의 전쟁'을 선언한 이승만 대통령 연설 내용 보도. ⓒ동아DB

▶ 미의회 양원합동회의 연설…
미국 의회 의사당 대회의실에 여러대의 TV 카메라와 조명등이 켜졌다.
상하 양원의원들과 각료들, 대법원 판사들이 임시 좌석까지 채우고 특별입장권 소지자들만 방청석에 들어왔다. 오후 4시 32분, 청색 양복의 이승만이 들어서자 기립박수가 쏟아졌다.

"미국민들이 진심으로 존경하는 자유를 위한 불굴의 투사를 소개하게 되어 영광입니다" 마틴 하원의장의 소개에 등단한 이승만은 다음과 같이 40분 동안 열변을 토한다.

　*이승만 대통령, 미의회 연설 전문

I thank you. Mr, Speaker, Mr, President, honorable Senators and Representatives, ladies, and gentlemen, I prize this opportunity of speaking to this august body of distinguished citizens of the United States,
국회의장님, 부통령님. 상하(上下) 양원(兩院) 의원님들, 신사 숙녀 여러분!
나는 미국의 저명한 시민여러분이 모인 이 존엄한 자리에서 연설할 기회를 가지게 되었음을 흔쾌(欣快)히 생각하는 바입니다.

You have done me great honor by assemblying in this historic Chamber. I shall try to reciprocate in the only way I can- by telling you honestly what is in my mind and heart. That is part of the great tradition of American democracy and free government, and it is a traditon that I have believed in for more than half a century.
Like you, I have been inspired by Washington, Jefferson, and Lincoln.
Like you, I have pledged myself to defend and perpetuate the freedom your illustrious forefathers sought for all men. I am Korean, but by sentiment and

education I am an American.[Applause]

여러분이 이 역사 깊은 의사당에 모여주심으로써 나에게 커다란 명예를 베풀었습니다. 나는 내가 할 수 있는 단 한 가지 방법-나의 마음속에 있는 것을 솔직(率直)히 여러분에게 말씀 드림으로써 여러분의 후의(厚意)에 보답하려 합니다.

내가 말하고자 하는 것은 미국의 민주주의와 자유정부의 위대한 전통에 관한 것이며, 그것은 내가 반세기 이상 신봉(信奉)해온 것입니다. 나도 여러분처럼 워싱턴, 제퍼슨, 링컨에게서 자극을 받아왔습니다. 나도 여러분처럼 여러분의 영광된 선조들이 전 인류를 위해 추구했던 자유를 수호 보전하려고 스스로 맹서해온 사람입니다. 나는 한국인입니다. 하지만 정서적으로 미국 교육을 받은 미국인이기도 합니다.(박수)

I want first of all to express the unbounded appreciation of Korea and Koreans for what you and the American people have done. You saved a helpless country from destruction, and in that moment the torch of true collective security burned brightly as it never had before. The aid you have given us financially, militarily, and otherwise in defense of our battlefront and for the relief of the refugees and other suffering people of Korea is an unpayable debt of gratitude.
나는 무엇보다도 먼저 여러분과 미국민이 해주신 일에 대해 한국과 한국국민의 넘치는 감사를 표하는 바입니다. 여러분은 고립무원(孤立無援)한 나라를 파멸에서 구출하여 주었으며, 그 순간에 진정한 집단안전보장의 횃불은 전례(前例)없이 찬란하게 불타

올랐던 것입니다. 우리 전선의 방어를 위해서, 피난민과 이재민의 구호를 위해서 여러분이 정치적으로 군사적으로 그리고 각 방면으로 보내준 원조는 갚을 수 없는 감사의 빚입니다.

We owe much also to the former President Truman, whose momentous decision to send armed forces to Korea saved us from being driven into the sea, and General Eisenhower, the latter as President-elect and now as Chief Executive, for their help and knowledge of the enemy peril.

우리는 또한 즉각적인 한국파병 결정을 내려 바다로 빠지려는 한국을 구해준 트루먼 전 대통령과, 대통령 당선자 아이젠하워 장군이 현 행정수반으로서 적의 위협을 잘 알고 우리를 원조해 준 데 많은 신세를 지고 있습니다.

The President-elect came to a Korea which for 40 years had been under a cruel Japanese subjugation. Few foreign friends had ever been permitted on our soil. Yet here, for the first time in history, because your military might alone regained our freedom, came the great man you had chosen as President. He came to see what could be done to help the Koreans.[Applause]

여러분의 대통령당선자는 40년이나 일본의 잔학한 정복하에 놓였던 한국에 왔었습니다. 우리 국토에 발을 들여놓을 수 있었던 외국 친우들이 드물었는데, 그러나 오직 여러분의 군대가 우리 자유를 회복하여 주었기 때문에 여러분이 대통령으로 선출한 위

대한 인물이 처음으로 우리나라에 와서, 한국인을 돕는 일이 무엇인가를 보고자 했던 것입니다.(박수)

I cannot bear to pass this occasion without mentioning our deep and heart-felt thanks to the American war mothers. We thank them for sending their sons, their husbands, and their brothers in the American Army, Navy, and Air and Marine Corps to Korea in our darkest hours. We shall never forget that from our valleys and mountains the souls of American and Korean soldiers went up together to God. May the Almighty cherish them as we cherish their memory.[,Applause]

나는 이 기회에 미국의 참전용사 어머니들에게 마음 속에서 울어나는 깊은 감사를 표하지 않을 수 없습니다. 우리는 그들이 미국 육해공군 및 해병대에서 복무하는 자식을, 남편을, 그리고 형제를 우리가 가장 암담했던 순간에 한국으로 보내준데 대하여 감사하는 바입니다. 한-미 양국 군인들의 영혼이 수많은 계곡과 산중에서 하나님 앞으로 함께 올라갔음을 우리는 영원히 잊지 못할 것입니다. 우리가 그들을 소중히 여기듯이 전능하신 하나님께서 그들을 소중히 보살펴주옵소서. (박수)

Ladies and gentlemen of the Congress, these noble compatriots of yours had magnificent leadership in Generals Mac Arthur, Dean, Walker, Almond, Ridgway, Clark, Hull, and Taylor. Then, too, in 1951 General Van Fleet arrived in Pusan to command the Eighth Army. It was he who discovered the soldierly spirit of the Korean youths and their fervent desire for rifles with which to fight for their homes and their nation. Without much ado he gathered them together in Cheju Do, Kwang Ju, Nonsan, and other places and sent Korean military advisory group officers to train them almost day and night. Within a few weeks they were sent to the front line and they performed marvelously.[Applause]

국회의 신사 숙녀 여러분! 여러분의 고귀한 애국 장병들은 맥아더, 딘, 워커, 아몬드, 리지웨이, 클라크, 헐 및 테일러 장군과 같은 훌륭한 지휘를 받았습니다. 그리고 1951년에는 밴플리트 장군이 제8군을 지휘하기 위하여 부산에 도착하였습니다. 한국청년의 용감한 정신과 가정과 조국을 위하여 싸우기 위해 총을 달라는 열망을 발견한 사람은 바로 그였습니다. 그는 큰 어려움 없이 한국청년을 제주도, 광주, 논산 기타 여러 곳에 모아서 주한미군사고문단 장교들을 보내 주야로 훈련 시켰습니다. 몇 주일 이내로 이들은 일선에 배치되어 경이적인 성과를 올렸던 것입니다. (박수)

Today this army is known to be the strongest anti-Communist force in all Asia. [Applause] This force is holding more than two-thirds of the entire frontline. So General Van Fleet is known in Korea as the father of the Republic of Korea Army, the hard ROK's as ther GI's called them. Now, if the United Stares could help build up this force, together with the air and sea strength in adequate proportion, I can assure you that no American soldier would be required to fight in the Korean theater of action. [Aplause.]

오늘날 이 군대는 아세아 전역 최강의 반공군(反共軍)으로 유명해졌습니다. (박수) 이 군대는 전전선의 3분의2 이상을 담당하고 있습니다. 그리하여 밴플리트 장군은 GI(미국군인)들에게 굳센 락스(ROKS)라고 불리워지고 있는 '대한민국 육군의 아버지'로서 알려져 있습니다.

이제 만약 미국이 이 군대 적절한 비율(比率)의 공-해군력과 함께 증강하도록 원조해준다면 한국전선에서는 단한명의 미국 병사도 싸울 필요가 없게 될 것임을 나는 여러분에게 보장할 수 있습니다. (박수)

Yet many, many Americans gave all they had to give to the good cause: but the battle they died to win is not yet won. The forces of Communist tyranny still hold the initiative throughout the world. On the Korean front, the guns are silent for the moment, stilled temporarily by the unwise armistice which the enemy is using to build up his strength. Now that the Geneva Conference has come to an end with no result, as predicted, it is quite in place to declare the end of the armistice. [Applause0The northern half of our country is held and ruled by a million Chinese slaves of the Soviets. Communist trenches, filled with troops, lie within 40 miles of our national capital. Communist airfields, newly constructed in defiance of armistice terms and furnished with jet bombers, lie within 10 minutes of our national assembly.

수많은 미국인들은 대의를 위하여 모든 것을 바쳐야 했습니다. 그러나 승리를 위해 목숨을 바친 그 싸움은 아직도 승리하지 못하고 있습니다. 공산주의 폭군 세력은 지금도 전 세계의 이니셔티브를 쥐고 있습니다. 한국전선에서는 현명(賢明)치 못한 휴전(休戰)으로 말미암아 포화(砲火)는 잠시 중단되고 일시적 침묵을 지키고 있지만, 적(敵)은 이 기회를 이용하여 무력을 증강하고 있는 것입니다. 이제 제네바 회담도 예상한 대로 아무런 성과 없이 끝났으니만치 휴전의 종결을 선언할 때는 바로 지금입니다. (박수)

우리나라 북반부는 소련의 1백만 중국인 노예가 점령 지배하고 있습니다. 적병이 가득 찬 공산군 참호(塹壕)는 우리 수도 서울에서 불과 40리 이내에 있습니다. 휴전협정 규정을 무시하고 새로이 건설되어 제트 폭격기로 가득 찬 공산 공군기지들은 우리 국회까지 10분 이내 비행거리에 있습니다.

Yet death is scarcely closer to Seoul than to Washington, for the destruction of the United States is the prime objective of the conspirators in the Kremlin. The Soviet Union's hydrogen bombs may well be dropped on the great cities of America even before they are dropped on our shattered towns.[Applause]

그러나 죽음은 워싱턴보다 서울에 더 가까운 것은 아닙니다. 왜냐하면 미국을 파괴하는 것이야말로 크레믈린 음모자들의 최고 목표이기 때문입니다. 소련의 수소폭탄은 파괴된 우리나라 도시

보다 오히려 미국의 대도시에 먼저 떨어질는지도 모릅니다.(박수)

The essence of the Soviet's strategy for world conquest is to lull Americans into a sleep of death by talking peace until the Soviet Union possesses enough hydrogen bombs and intercontinental bombers to pulverize the airfields and productive centers of the United States by a sneak attack. This is a compliment to the American standard of international morality: but it is a sinister compliment. For the Soviet Government will use the weapons of annihilation when it has enough to feel confident that it can eliminate America's power to retaliate. We are obliged, therefore, as responsible statesmen, to consider what, if anything, can be done to make certain that when the Soviet Government possesses those weapons, it will not dare to use them.[Applause]

소련의 세계정복 전략의 본질은 평화를 말함으로써 미국을 달래어 죽음의 잠속으로 유인하는 것입니다. 그것은 소련이 미국의 비행장들과 생산중심지를 분쇄할만한 수소폭탄과 대륙간 폭격기들을 보유하여 몰래 공습할 수 있을 때까지입니다. 이것이 미국의 국제도의 기준에 대하여 소련이 찬사를 보내는 이유로서, 그러나 그것은 사악한 칭찬입니다.

왜냐하면 소련 정부는 미국의 보복능력을 제거하기에 충분히 자신할 수 있는 섬멸무기(殲滅武器)를 가지게 될 때에는 곧 사용할 것이기 때문입니다. 그런고로 책임 있는 정치가로서 우리는 소련

정부가 그런 무기를 소유하게 될 때라도 감히 그것을 사용하면 안되겠구나 확신하도록 할만한 무슨 대책을 강구해야만 하는 것입니다.(박수)

We know that we cannot on Soviet promises, Thirty-six years of experience have taught us that Communists never count respect a treaty if they consider it in their interest to break it. They are not restrained by any moral scruple, humanitarian principle or religious sanction. They have dedicated themselves to the employment of any means, even the foulest-even torture and mass murder-to achieve their conquest of the world. The Soviet Union will not stop of its own volition. It must be stopped. [Applause]

우리는 소련의 약속은 믿을 수 없음을 잘 알고 있습니다. 36년 간 경험을 통해서 우리가 배운 것은 공산주의자들은 어떠한 맹약이라도 그것을 깨트리는 것이 유리하다고 생각할 때는 결코 그것을 존중하지 않는다는 것입니다. 그들은 어떤 도덕적 가책(苛責)이나 인도적 원칙이나 종교적 제재에도 구속을 받지 않습니다. 그들은 세계정복의 야욕을 달성하기 위해서는 어떤 수단-즉 집단학살 같은 가장 잔인한 수단까지도- 가리지 않고 사용해 왔습니다. 소련은 그러한 전략을 스스로의 자유의사로 중지하지는 않을 것이므로 우리가 중지시켜야만 하는 것입니다.(박수)

Does this necessarily mean that the United States and its allies must either drop bombs now on the Soviet factories or stand like steers in a slaughterhouse awaiting death?

The way to survival for the free peoples of the world-the only way that we Koreans see-is not the way of wishfully hoping for peace when there is no peace; not by trusting that somehow the Soviet Government may be persuaded to abandon its monstrous effort to conquer the world; not by cringing and appeasing the forces of evil; but by swinging the world balance of power so strongly against the Communists that, even when they possess the weapons of annihilation, they will not dare use them. [Applause.]

그렇다면 미국과 우방들은 지금 소련의 공장들에 폭탄을 투하해야 할 것입니까? 아니면 도살장에서 죽음을 기다리는 거세된 소(去勢牛)처럼 우두커니 서있어야만 하겠습니까?

전세계 자유시민들이 생존할 수 있는 길은 - 우리 한국인들이 알고 있는 오직 하나만의 길은 평화가 없을 때에 부러운 눈치로 평화를 기다리기만 하는 것은 아닙니다.- 소련정부로 하여금 그 무도한 세계정복 공작을 포기하도록 우리가 어떻게든지 설득시킬 수 있다고 믿는 길도 아니며, 악마의 힘에 굽신거리거나 유화적이 되는 길도 아닙니다. 오직 세계의 세력균형을 강열히 요동시켜서 공산측에서 불리하게 함으로써, 그들이 섬멸무기를 갖더라도 그것을 사용하지 못하도록 하는 길 뿐인 것입니다. (박수)

There is little time, Within a few years the Soviet Union will possess the means to vanquish the United States. We must act now. Where can we act?

We can act in the Far East. [Applause]
우리에게 시간적 여유는 얼마 없습니다. 수년 내로 소련은 미국을 정복할 수단을 갖게 됩니다. 우리는 지금 행동해야 합니다. 어디서 행동할 수 있습니까? 극동에서 행동을 개시할 수 있습니다.(박수)

Ladies and gentlemen, the Korean front comprises only one small portion of the war we want to win- the war for Asia, the war for the world, the war for freedom on earth.

  Yet the Republic of Korea has offered you its 20 equipped divisions and the men to compose 20 more. A million and a half young Koreans ask for nothing better than to fight for the cause of human freedom, their honor and their nation. [Applause].

The valor of our men has been proved in battle and no American has doubted it since General Van Fleet's statement that a Korean soldier is the equal of any fighting man in the world. [Applause.]

  신사 숙녀 여러분! 한국전선은 우리가 승리 하고자 원하는 전쟁 - 아세아를 위한 전쟁. 세계를 위한 전쟁, 지구상의 자유를 위한 전쟁- 의 작은 부분에 지나지 않습니다.

대한민국은 여러분에게의 20개 사단의 무장과 또 20개 사단을 더 편성할 수 있는 인원을 제안하였습니다. 150만의 한국 청년들은 인류의 자유와 자신의 명예와 자신들의 조국을 위하여 싸

우는 것 이상 더 좋은 것을 바라지 않습니다. (박수)

  우리 군인들의 용감성은 전투에서 실증되었고, 밴플리트 장군이 한국군은 세계의 어느 군인들과도 비견할 만 하다고 언명한 이래 이 사실을 의심하는 미국사람은 아무도 없습니다. (박수)

The Government of the Republic of China in Formosa also has offered you 630,000 men of its Armed Forces and additional reserves.
The Communist regime on the mainland of China is a monster with feet of clay. It is hated by the masses. Although the Reds have murdered 15 million of their opponents, thousands of free Chinese guerrillas are still fighting in the interior of China. Red China's army numbers 2,500,000. but its loyalty is not reliable, as was proved when 14,369 of the Communist Chinese army captured in Korea chose to go to Formosa, and only 220 chose to return to Red China. [Applause]

대만 중화민국정부도 여러분에게 무장군 63만명과 예비병력을 제안하고 있습니다. 중국본토의 공산정권은 결정적 약점을 지닌 괴물입니다. 이 정권은 대중의 증오를 받고 있습니다. 중공은 반대세력을 150만 명이나 학살하였지만 아직도 수많은 자유중국 게릴라들이 중국본토 내에서 투쟁하고 있습니다. 중공의 육군은 2백만 병력을 가지고 있으나 그들의 충성심은 결코 믿을만한 것이 못됩니다. 그것은 한국에 포로가 된 중공군 중 14,369명이 대만 송환을 선택하였으며, 중공 귀환자는 불과 220명이었다는 사실이 입증합니다.

(박수)

Furthermore, the economy of Red China is extremely vulnerable. Sixty percent of its imports reach it by sea and seaborne coastal traffic is its chief means of communication from north to south. A blockade of the China coast by the American Navy would produce chaos in its communications.

게다가 중공의 경제상태는 극도로 취약합니다. 수입의 60%는 해상을 통하며 연안해운이 남북교통의 주요수단입니다. 미국해군이 중국해안을 봉쇄하면 교통망에 일대 혼란이 야기될 것입니다.

The American Air Force, as well as the Navy, would be needed to insure the success of the counterattack on the Red Chinese regime, but, let me repeat, no American foot soldier. [Applause]

중국 붉은 정권에 대한 반격이 성공하려면 미국의 해군과 공군이 필요할 것입니다. 미국 지상군(地上軍)은 필요없다는 것을 나는 다시 한 번 강조합니다. (박수)

The return of the Chinese mainland to the side of the free world would automatically produce a victorious end to the wars in Korea and Indochina, and would swing the balance of power so strongly against the Soviet Union that it would not dare to risk war with the Unites States. Unless we win China back, an ultimate victory for the free world is unthinkable.[Applause]

중국본토가 자유진영 편에 환원 된다면 한국과 인도차이나 전쟁은 자동적으로 승리로 귀결 될 것이며, 세력균형은 소련에 극히 불리하게 기울어지게 되어 감히 미국과의 전쟁모험을 기도하지 못할 것입니다. 우리가 중국을 다시 찾지 못하는 한, 자유세계의 궁극적 승리는 바랄수 없습니다. (박수)

Would not the Soviet Government, therefore, launch its own ground forces into the battle for China, and its air force as well? Perhaps. But that would be excellent for the free world, since it would justify the destruction of the Soviet centers of production by the American Air Force before the Soviet hydrogen bombs had been produced in quantity.
I am aware that this is hard doctrine. But the Communists have made this a hard world, a horrible world, in which to be soft is to become a slave.[Applause]

그러므로 소련정부는 이 중국 탈환 전쟁에 지상군과 공군을 투입하지 않을 것인가, 아마도 투입하겠지요. 그러나 그것이 오히려 자유세계에는 아주 좋은 일입니다. 왜냐하면 소련의 참전은 소련이 수소폭탄을 대량생산하기 전에 그 생산지를 미공군이 파괴하여도 정당화해 줄 것이기 때문입니다. 나는 이런 주장이 강경론이란 걸 것을 잘 알고 있습니다. 하지만 공산주의자들은 이 세계를 고통스럽고 무서운 세계로 만들어버렸습니다. 부드럽게 대해주면 공산당 노예가 되어버리는 세상 말이오. (박수)

Ladies and gentlemen of the Congress, the fate of human civilization itself awaits our supreme resolution. Let us take courage and stand up in defense of the ideals and principles upheld by the fathers of American independence, George Washington and Thomas Jefferson, and again by the great Emancipator, Abraham Lincoln, who did not hesitate to fight in defense of the Union which could not survive half free and half slave.[Applause]

미국 국회의 신사 숙녀 여러분! 인류 문명의 운명은 바야흐로 우리의 최고 결단을 기다리고 있습니다. 용기를 가집시다, 그리고 궐기합시다. 우리의 이상과 원칙을 수호합시다. 미국 독립의 아버지들 조지 워싱턴과 토마스 제퍼슨이 펼친 이상과 원칙, 그리고 다시 한번 저 위대한 해방자 에이브러햄 링컨이 절반의 자유 절반의 노예론 살수 없다며 연방 수호 전쟁을 주저하지 않았던 그 이상과 원칙을 지키기 위해 일어납시다. (박수)

Let us remember, my friends, that peace cannot be restored in the world half Communist and half democratic. Your momentous decision is needed now to make Asia safe for freedom, for that will automatically settle the world Communist problems in Europe, Africa, and America. [Applause]

다 같이 명심합시다, 친구들이여! 절반 공산주의 절반 민주주의 세계에서는 평화란 회복될 수 없다는 것을! 이 순간 여러분의 중대 결단이야말로 아시아 자유 정착에 필수불가결하며 그래야만 전세계 유럽 아프리카 아메리카의 공산주의 문제는 저절로 해결될 것임을 기억합시다. (박수)

▲ '예상보다 거액?' 원조협상을 보도한 동아일보 기사.Ⓒ동아DB

★연설은 대성공이었다. 기립박수등 33차례나 박수가 터지는 바람에 연설은 자주 중단되었다. 영어의 묘미를 십분 살린 이승만

특유의 선동적 어휘구사와 자유투사로서의 신념과 투지가 불꽃처럼 청중들을 사로잡아 미국민 대표자들의 뇌리에 낙인찍히는 감동적인 반공강의였다.

국무성에서 실무협의를 하던 한국 대표들도 회담을 중단하고 달려와 연설을 경청하였다. "극동의 약소국 백성으로서 이때처럼 긍지를 느껴본 적이 없다. 이승만 박사에 대해 말이 많지만 그는 미국을 가지고 노는 위대한 인물이다."라고 백두진은 뒷날 회고하였다.

이날 미극에 제시한 이승만의 주장은 대강 다섯 가지로 요약된다.

첫째, 휴전협정에 규정된 정치회의(제네바회담)가 실패로 끝났으니 휴전협정은 무효라는 것, 한국의 통일을 정치회의에서 달성시켜주겠다는 미국의 약속은 물거품 되었으므로 지금 바로 '휴전 무효 선언'을 해야 한다.

둘째, 한국군은 자유진영 최고의 반공군이므로 미국이 조속히 강화시켜 달라. 그러면 중공군을 한국 단독으로 물리칠 것이며 미국 지상군 한명도 싸울 필요가 없다.

셋째, 중공군이 침략무장을 강화하기 전에 공격하여 중국 대륙을 자유세계로 탈환해야 한다. 중국이 공산체제인 한, 한국은 살아남을 수 없으며 세계 평화도 보장 못한다.

넷째, 소련이 한-중 전쟁에 참전하면 미국은 즉시 소련의 군수기지를 공습하라. 미국과 자유세계의 위험을 사전에 제거할 수 있는 절호의 찬스가 된다.

다섯째, 이것은 강경론이 아니다. 절반이 공산주의 세상은 곧 그들의 노예세상 된다.

★ 이 날은 6.25전쟁 휴전1주년 다음날이다. 박수소리가 컸던 만큼 충격도 커졌다.

휴전 1년만에 미국이 지금 당장 중국에 선전포고를 하란 말인가?
지겨운 한국전쟁을 금방 또 하라고? 원조를 요청하러 온 한국대통령이 또 전쟁을 요구한다고 받아들인 여론이 수근거리기 시작했던 것이다.

이런 반응이 나올까봐 가장 염려했던 사람은 이승만 정치자문역 올리버 박사였다. 이대통령의 주요연설문에 자료를 제공하고 원고를 검토했던 그는 이번에야말로 중요한 국민방문이므로 이승만이 타이프라이터로 찍은 원고들을 보살폈는데 국회연설문이 보이지 낳았다.

올리버는 언제 보려주려나 기다렸지만 워싱턴에 도착해서도 안 보여주는 것이었다. 견디다 못해 국회연설 하루전날 블레어하우스에서 이승만에게 '보여달라'고 말을 꺼냈다. "안되오" 이승만은 올리버가 가리키는 공문가방에 재빨리 손을 얹고 고개를 저었다. "그냥 훑어보기만 하겠습니다. 고치거나 다시 쓰는 일은 않겠습니다." 올리버가 간청하였다.
"절대로 안되오. 그럴 수 없소. 나는 휴전에 대한 내자신의 생각을 말하려고 미국에 왔소. 꼭 그렇게 할 것이오. 내 식대로 말이오. 올리버 박사가 내 창끝을 무디게 하고 싶은 모양인데 그렇게는 못하오."

이러면서 이승만은 다른 연설문들을 건네주고 손질할 곳을 봐달라고 요구하였다. "이런 것들은 그다지 중요하지 않소. 박사 뜻대로 하시오. 그러나..." 순간 이승만은 문서 가방을 들어 두 팔로 가슴에 안았다. "이 의회 연설만은 나 자신의 이야기인 것이오. 내가 꼭 하고싶은 말이 들어있고 정확히 그대로 전하려고 하오." "손대자는 게 아니라 그냥 한번 보고 도움되는 말씀이라도..." 올리버가 어물거렸다. "이제 박사도 그만 가보시게. 덜레스 만찬 전에 좀 쉬어야겠으니..." 이승만은 고개를 돌렸다.
(올리버 지음 [이승만의 대미투쟁] 비봉출판
사 2013 발행)

국회에서 폭풍같은 연설과 환호를 겪은 올리버는 사후 소감을 이렇게 적었다.
"그는 가장 진정한 의미에서 위대한 연설가이다. 주요한 문제는 언제나 도덕적, 인도적 관점에서 보았다. 그의 목소리와 연설 태도는 놀랄만큼 함축적인 표현을 담고 있으며 연설의 전환점에서 엄숙한 '멈춤'의 가치를 잘 활용하고, 마치 대성당의 오르간처럼 목소리를 바꾸고, 누구라도 집중할 수 밖에 없도록 점점 강력한 열정적 표현으로 메시지를 토해냈다. 미국 국민들의 혼을 빼놓은 듯 열렬한 환호와 박수의 회수를 표시해보니 서른 세 번이다.

만약 이대통령이 연설문을 손봐달라고 부탁했더라도 그 감동적인 원문을 더 좋게 만들 재주는 나에게 없었다. 단지 '평화와 협력을 더 강조하는 것'말고는..." 18일간에 걸친 미국 방문이 끝난 뒤에 서울에서 다시 만난 이승만이 이렇게 말했다고 헌다.

"올리버 박사, 그 의회연설은 내 일생의 큰 실수였소."
이승만의 말에 동감하는 올리버는 그 연설이 미국 여론을 악화시켜 역효과를 가져왔다고 그의 책에서 지적하고 있다. 과연 그럴까? 일찍이 외교독립론을 주창하며 미국 조야의 여론을 한국편으로 모으고자 평생을 애써온 이승만이, 그것도 미국 국회에서 중계방송되는 국빈 연설을 '실수'인지도 모르고 감행했단 말인가? 동의하기 어렵다. 이승만의 여행길을 좀더 따라가 보자.

▲ 마운트 버논의 워싱턴 묘소와 알링턴 묘지에 '한국 단풍나무'를 기념 식수하는 이승만 대통령.

★7월 29일 방미 사흘째, 이승만은 국빈 스케줄에 따라 마운트 버논, 알링턴 국립묘지를 방문한다. 마운트 버논(Mount Vernon)은 미국의 건국대통령 조지 워싱턴이 묻힌 유택(幽宅)으로 외국원수들이 의례적으로 방문하는 곳, 이승만이 이곳을 처음 찾았던 때는 반세기전 1905년이었다.

난생처음 미국에 와서 조지 워싱턴 대학에 입학한 30세 한국청년은 미국 독립의 영웅 워싱턴의 독립투쟁을 자기화하면서 여러번 이곳을 찾곤 하였다고 회상한다. "포토맥 강 굽이를 돌아가는 배들과 물결을 비추는 그때 달빛이 어찌나 아름답던지...당신들은 태어나기도 전이오. 일본에 점령당한 조국을 떠나 독립을 갈망하던 유학생 심정을 여러분은 짐작이나 하겠소?"

수행원들과 취재진에게 역사 이야기를 설명하면서 이승만은 한국서 가져온 단풍나무를 그곳 정원에 기념으로 심었다. "이 나무가 자라거든 '일본 단풍'이란 푯말은 붙이지 마시오. 이 단풍나무는 난쟁이 같은 일본 단풍과는 전혀 다른 '한국 단풍'이라고 설명하시오."

이곳 관광명소의 책임자에게 이승만은 장난스런 미소로 말했다. 이어서 알링턴 국립묘지를 참배하고 거기에도 '한국 단풍'나무를 심었다. 영빈관으로 돌아오는 길에 예정에 없는 링컨 기념관에도 들러서 대형 석고상 앞에서 머리를 숙이고 기도하였다. 누구보다도 링컨은 한국의 분단 비극을 잘 이해해줄 것 같았다. '반쪽 노예상태'론 안된다며 남북 통일전쟁을 성공시킨 링컨, "그들의 죽음을 헛되이 소멸되지 않도록 우리도 남북통일 할 수 있게 도우소서" 눈감은 이승만은 링컨과 대화를 나눈다.

어떤 여인이 다가와 눈물을 머금고 "신께서 당신 나라를 축복하시기 기원합니다'라고 말했다. 또 어떤 여인은 7살된 어린이 손을 잡고 함께 사진 찍자고 요청하며 사인도 부탁하였다. 예정에 없던 곳을 또 찾아갔다.

펜실베니아 거리 '워싱턴 스타' 신문사. 친구인 카우프만 회장은 출타중이어서 맥켈웨이 편집인을 만나 "6.25전쟁중에 한국에 호의적인 보도를 많이 해주어 고맙다"는 인사를 건넸다. 마치 독립운동 시절 홍보활동을 했듯이 현직 대통령 스스로 홍보활동을 다시 하고 있다.

"조지 워싱턴처럼 꼭 이루리라" 다짐하던 청춘시절의 이상향 워싱턴, 백악관과 국무성은 물론 수많은 희로애락이 얽힌 '독립운동의 고향' 워싱턴은 대한민국 꿈이 무르익은 곳이다.

▲ 링컨 기념관을 방문한 이대통령에게 사인을 받는 어린이들.

▶. "저런 고얀 사람이 있나"...이승만, 아이젠하워에 분노 폭발
이날 오후 2시30분 이승만은 백악관으로 가서 아이젠하워와 2차
정상회담을 열었다. 백악관으로 떠나기전 블레어 하우스로 미국
무성 관리가 회담후 발표 할 공동성명서 초안을 들고 찾아왔다.
초안을 훑어본 이승만의 표정이 느닷없이 변색되었다. "이 사람
들이 나를 불러다놓고 올가미를 씌우려는 모양인데, 그렇다면 회
담은 하나마나지."공동성명 초안에는 이대통령과 합의되지 않은

귀절이 들어있었다. 다름 아닌 한일관계. "한국은 앞으로 일본과의 관계에서 우호적으로 협력하며...운운..."

1차 회담에서도 견해 차이를 좁히지 못한 문제에 대하여 미국측은 공동성명 발표 전에 은근슬쩍 이승만의 고집을 건너뛰어 넘으려 시험하듯 통고하듯 일종의 압력이다.

1950년 후반 미국의 대한 원조가 시작된 이래 이승만은 미국의 '일본 지원 우선정책'(Buy Japan)에 대하여 끈질기게 시정을 요구해 왔다. 한국엔 식량등 소비재만 공급하는 미국이 필요한 공산품은 모두 일본서 만든 제품을 구입하게 했던 것. 건국초부터 '수입품 대체정책'을 추진한 이승만은 원조자금으로 생산공장을 지으려했으나 번번이 미국이 막았으므로 이번에 '원조사용 재량권'을 다시한번 확대, 다짐받아야 할 부분이다..

"아이젠하워를 더 이상 만날 필요가 없겠네."정상회담 시간이 다가와도 이승만은 움직이지 않았다. 백악관의 독촉 전화를 받은 측근들이 "그래도 회담은 하셔야 합니다"라고 거듭 건의하였다.

마지못한 듯 이승만은 30분 늦게 백악관에 도착하였다.
아이젠하워 역시 미국의 반공전략 한일관계 정상화를 이번에 결판내려 하였다.
"중단된 한일 회담을 속히 재개하여 국교 수립을 추진해야..."
아이젠하워가 말을 이었다. "그렇게는 안되오. 내가 살아있는 한 일본과는 상종하지 않을 것이오.".

한미방위조약을 맺은 이유의 하나가 일본의 재침을 예방하려는 것인데 일본을 재무장 시켜주는 미국이 언제 또 한국을 '팔아넘

길'지도 모를뿐더러, 한일수교는 미국의 압력에 의해서가 아니라 어디까지나 한국 주도로 추진해야 하고 사전에 풀어야할 과제가 산더미인 것이다.

무슨 말인가 더 하려는 듯 이승만을 쏘아보던 아이젠하워가 화난 얼굴로 방을 나가버렸다. "저런...저런 고얀 사람이 있나..." 이승만이 아이크의 등을 가리키며 소리질렀다. 잠시후 아이젠하워가 흥분을 삭인 듯 회담장으로 돌아와 앉았다. 이번엔 튕기듯 이승만이 벌떡 일어섰다. "외신기자들 회견할 준비나 해야겠소." 이튿날 발표된 한미정상회담 '공동성명'에는 '한일관계' 부분이 빠져 버렸다.

★ "조지 워싱턴 대학의 아들, 대한민국 대통령, 높은 분별력과 기독교정신이 결합된 인물, 동양적인 적을 서양적인 것으로, 서양적인 것을 동양적인 것으로 새로운 해석을 내놓은 비범한 재능, 항상 민감하게 정의의 편에 서는 이승만, 너무나 짧은 방문이라도 너무 기쁘다" 조지 워싱턴대학 총장 클로이드 마빈이 이승만의 두손을 잡고 소개하였다.

"우리 대학교 이사회와 교수회의를 대표하여 당신에게 명예법학박사 학위를 수여합니다" 1905년부터 2년동안 고학 끝에 학사학위를 받았던 모교에서 47년 뒤 독립국 대통령이 되어 명예박사 학위를 받는 이승만의 심정이 어떠했을까. 입학당시 이승만을 테스트한 학장은 영어실력과 해박한 미국역사 지식에 놀라서 "한국의 배재 대학(배재학당)의 연구 수준이 이렇게 높은 줄 몰랐다"며 2학년에 편입시켜주었다. 그 와중에 한국서 보낸 6대 독자 태산이를 제대로 돌보지 못해 남의 집에 맡겼다가 디프테리아로 잃고 말았다. 그는 마음속에 쌓였던 과거와 현재를 털어놓는 긴 연설을 하였다.
".....내가 조지 워싱턴 대학을 택한 이유는 조국에 있을 때 벌써 미국 독립의 아버지 워싱턴을 열렬히 흠모하였기 때문입니다. 나도 조국의 독립운동을 하였고 조지 워싱턴 대학이 아주 이상적으로 보였습니다. 미국 민주주의 중심부에서 배운 민주정부 운용방식과 국민의 자유를 보호하는 방법등 내 평생의 삶에 진정한 초석이 되었고 내민족의 자유를 쟁취하는데 큰 힘이었습니다.

우리 국민들이 나를 '국부'라고 부르는데 조지 워싱턴대학 덕분입니다....(중략)....나는 두 가지 일, 한민족의 자유와 약소민족의 자결주의를 위해서 투쟁해온 사람입니다. 우리의 이 두가지를 심각하게 위협하는 공산주의자들이 우리를 크레믈린의 노예로 만들려합니다. 미국과 모든 자유국가 대학들은 이들과 투쟁에 선봉에 나서야 합니다.....(중략)....여러분은 중립일 순 없으며 한가한 강의실에 앉아서 자유세계가 파멸하는 것을 방관해선 안됩니다. 후배들이어, 지금은 우리의 생존을 위해서 단결과 행동이 필요한 시간입니다."

▲ 모교 조지워싱턴 대학에서 명예법학박사 학위를 받다.

▶ '작심하고' 연설....기자들에게 '반공전쟁'의 당위성 홍보

외신기자클럽의 연설은 30일 스타틀러 호텔(Startler Hotel)에서 오찬을 겸해 진행되었다. "나는 작심하고 언론일들을 향하여 연설을 했다"고 이승만은 일기에 써놓았다.

특히 이틀전 행한 미국회연설에 대하여 '오해'하지 말도록 해명하며 또 한번 되풀이 주장한다. "....내가 작성한 최초의 연설 원고는 좀 길었습니다. 친구들이 줄이면 좋겠다해서 줄였습니다.

그러다보니 복잡한 문제를 몇 마디 단어로 요약하니 그 배경과 설명이 지워졌습니다.그 결과, 내 연설을 들은 몇사람들은 내가 미국에게 즉시 중공과 전쟁을 개시하라고 축구한 것으로 받아들였습니다. 이는 전혀 사실과 다릅니다. 나의 제안에 대해 일체의 오해가 없도록..."

이승만은 한달전 결렬된 제네바 회의를 비롯, 한반도 정세변화를 설명하고
'새로운 해결책'을 모색하러 아이젠하워를 찾아와 회담을 나눈 것이라고 말했다.

"문제는 어떻게 공산주의자들을 한반도에서 몰아내느냐는 것입니다....한국군은 제3차대전을 초래할 위험 없이도 중공군을 몰아낼수 있습니다.....(중략)......만약 중공군이 축출되지 않는다면 대한민국은 구출 될 수 없습니다. 중국이 공산화된채 북한과 아시아 지역이 공산당 손아귀에 놓이면 대한민국은 독립국가로, 민주국가로, 통일국가로 존립할 수 없는 것입니다.....(중략).....

나는 미국더러 지금 중공을 공격하라고 말하지 않았습니다. 나의 제안은 미국이 중국대륙을 구원하는데 필요한 결단을 지금 내려야한다는 것입니다. 즉 중국본토의 해방을 항구적인 미국 목표로 삼으라는 것, 그 정책을 지금 함께 강화하여 실천하자는 것입니다." 중국 대륙의 공산화과정에서 미국이 저지른 실수들과 한국 분단 현실을 열거한 이승만은 중국대륙의 자유회복 전략에 대하여 언급하고 기자들에게 간곡히 당부한다.

"언론인 여러분, 우리가 권고하는 정책은 중국을 구출하는 결단을 빨리 내리라는 것입니다. 여러분이 미국 정부와 위대한 힘의

원천인 미국 국민에게 호소해 주기 바랍니다. 자유롭게 살기 위하여, 미국의 자유를 보전하기 위하여 투쟁하고 있는 세계 도처의 국민들을 지원하자고 말입니다. 미국인들이 도와준다면 우리는 반드시 공산주의 불길을 진화하겠습니다."

미국회 연설에서나 기자클럽 연설에서나 이승만의 초점은 한곳으로 모아진다.
그것은 '한국군을 최대로 강화시켜라. 한국 경제를 키워달라.' 요컨대 원조 극대화이다. 뒷날 "미국회 연설이 실수였다"는 이승만의 말이 진정이라면 그것은 '전략적 실수'였을 것이다. 왜냐하면 워싱턴을 떠나 뉴욕 필라델피아 시카고 등을 돌면서도 그는 '반공 전쟁'의 시급성을 가는 곳마다 반복하여 강조하였다.

▶ "모두들 날 비난하라...하나님만 나를 책망하지 않으면 된다"
한국대사관에서 베푼 워싱턴 마지막 리셉션에는 망명시절 사귀고 도움받았던 많은 미국 친구들과 저명인사들이 몰려와 자유민주공화국 독립이란 목표를 이룬 이승만을 얼싸안고 눈물을 흘리는 것이었다. "나는 행복했다"고 이승만은 방미일기에 적었다.

1주일간의 워싱턴 방문을 마친 이승만 대통령 부부는 이튿날 7월31일 아침11시 뉴욕 라과디아 공항에 도착, 한국인 중국인 미국인들의 환영인파에 묻혔다. 장미 꽃다발과 눈물과 웃음소리로 서로서로 잡은 손을 놓을 줄 모르는 감격의 재회가 끝나자 월돌프 아스토리아 호텔로 달려갔다. 호텔 정면에는 대형 태극기가 펄럭이고 있었다. 저녁에는 뉴욕 총영사관이 개최한 리셉션에 더욱 많이 몰린 인파 속에서 이승만은 "해외 모든 동포들은 궁극적인 조국통일에 굳은 믿음을 가져달라"고 연설하였다.

▲ 유학시절부터 다닌 워싱턴의 펀드리 교회에서 특별예배. 이승만 옆에 평생동지 해리스 목사.

★ 다음날 8월1일은 일요일, 파운드리 감리교회(Foundry Methodist Church)가 이승만을 워싱턴으로 다시 불렀다. 대학시절 고학생 이승만의 영혼을 사랑해준 교회, 망명 막바지 10년간 워싱턴서 투쟁할 때 예배드리던 교회, 평생 친구인 프레데릭 브라운 해리스 목사(the Rev. Frederick Brown Harris)가 이승만 부부를 초청하여 특별예배를 베풀어주었다.

이승만은 즉흥연설을 하였다.

"한국이 자유공화국이 된 것은 하나님의 뜻입니다. 많은 사람들은 한국이 100만 중공군을 몰아내려 한다면 원자폭탄보다 무서운 수소폭탄이 순식간에 세계를 파괴할것이라고 겁냅니다. 그렇

습니다. 끔찍한 3차대전이 날지도 모릅니다. 그러나 나는 말하고
자 합니다.

우리에겐 수소폭탄보다 더 위력적인 무엇이 있다고 말입니다. 그
것은 하나님의 은총입니다. 하나님은 우리민족이 위기에 처했을
때마다 손을 잡아 인도해주셨습니다." 그리고 이승만은 신념과
성령에 떨리는 목소리로 강조하였다.

"I know God will not tell us what we are doing is wrong.
He is a God not only of love but a God of righteousness.
I am not afraid. Let them all criticize me. But as long as
God does not condemn me, that is all.

하나님은 우리가 잘못하고 있다고 말씀하지 않으리라는 것을 나
는 알고 있습냐. 그분은 사랑의 하나님이이자 정의의 하나님이
십니다. 나는 두렵지 않습니다. 모두들 나를 비난하라 하십시오.
그러나 하나님이 나를 책망하지 않는 한 그걸로 충분합니다."

▲ 필라델피아 '외국참전용사회' 연설, 역전의 용사들과 환담하는 이승만 대통령.

★ 저녁엔 필라델피아로 날아갔다.

외국참전용사회(the Veterans of Foreign Wars) 회장등 간부들과 주지사등 관리들이 공항에 나와 환영식을 열어주었다. 의장대를 사열한뒤 특별호위대의 인도를 받아 행사장으로 갔다.

일요일 저녁 컨벤션홀에는 역전의 용사들이 5000여명이나 운집해 있었다. "세계 인류의 자유와 민주주의와 평화를 지키는 숭고한 수호자들"에 대한 감사와 찬사와 특히 한국전 참전용사들을 치하한 뒤 이승만은 6. 25때 비화도 꺼냈다.

"그날 공산주의자들이 소련 탱크로 밀고 내려올 때 나는 단파방송국으로 달려가서 나의 고뇌를 호소했습니다. '적들이 우리 문 안으로 들어왔습니다. 친구들은 무엇을 하렵니가?'라고요. 나는 누가 들을지 신경 쓸지 기대 못했지만 워싱턴에서 미국 대통령 이 즉각 각의를 소집 파병을 결정해주었습니다."

이 자리에서도 이승만은 미국참전의 고마움과 함께 양보를 거듭 하는 유화노선을 비판하였다.
"미국은 자유세계의 주축입니다. 목표를 추구하는데 확고부동하 고 두려움이 없어야합니다. 그런데 보십시오. 곰처럼 덤비는 소 련 앞에서 공포감을 숨기지 못합니다. 여기서 찔끔 저기서 찔끔 계속 양보하며 우유부단한 행동과 정책으로 바꿔나갑니다....(중 략)....하루는 수백만불을 지원해주고 다음 날엔 그 돈을 회수하 려 합니다. 동맹국에게 무기를 사용말라고 애원합니다.

며칠전 의회연설에서 나는 중국본토 해방을 미국의 최우선순위 에 두라고 제안했습니다. 중국본토를 자유화 않고 아시아를 구출 할 길은 없습니다."
이승만은 아시아의 현실과 소련과 중공의 위협을 설명한 뒤에 평화론자들을 공격했다. 공산주의자들에게 무엇을 양보해서라도 어떻게든 전쟁을 피하자, 전쟁보다 나쁜 것은 없다는 주장들을 믿으면 안됩니다. 공산당이 요구하는 대가를 치르는 것은 평화가 아닙니다.

그것은 세계 정복입니다. 모든 자유와 모든 해방의 종말. 크레믈 린 전제주의 지배입니다......인간 신앙의 종말입니다. 그런 운명 은 전쟁보다 나쁜 것이며 죽음보다 나쁜 것이며.....(중략)....

미국이 정의와 자유의 힘으로 두 번씩이나 세계를 구원했던 바로 그 정신을 다시 점화시켜 주십시오. 대의에 대한 확신과 승리의 결심을 거머쥐고 다시 전투 준비를 합시다!"

▶ 뉴욕 브로드웨이 '영웅 행진'…민간원조단체 '한미재단'서 감동 연설

월요일 낮 12시 뉴욕에 돌아온 이승만은 월돌프 아스토리아 호텔에서 휴식을 취한뒤 로버트 와그너(Rovert F. Wagner) 뉴욕

시장의 안내로 브로드웨이(Broadway)로 나아갔다. 유명한 이 '영웅 행진'(Hero March)은 미국 역사상 영웅적인 공헌을 세운 사람을 찬양하기 위해 거행해왔는데 최초로 대서양을 비행 횡단한 린드버그를 비롯, 트루먼이 해임한 맥아더 장군의 귀환때 폭발적인 환영 기록을 누렸고 외국 원수로는 이승만이 처음이었다.

부슬비도 그친 거리, 미군 군악대를 선두로 고층 마천루와 연도의 1백만 시민들이 뿌리는 오색찬란한 종이꽃 세례를 맞으며 브로드웨이를 남쪽으로 행진하여 뉴욕 시청에 도달하였을 때 한복을 곱게 차려입은 프란체스카가 이승만의 머리에 덮인 종이가루를 털어주었다. 뉴욕시 의장대 사열을 받은뒤 화려한 환영식이 열리고 와그너 시장의 환영사가 인상적이었다.

"심장이 젊고 영혼이 젊은 청년 대통령님, 애국심과 자유와 민주의 상징인 귀하께 유엔의 고장 뉴욕은 귀하의 도시, 독립운동의 뉴욕은 귀하의 고향입니다. 국가가 존망위기에 처했을 때 홀로 유례없는 용기와 역동적인 리더십으로써 국민을 자유의 깃발아래 규합한 그 기막힌 기록을 역사는 영원히 새겨놓았습니다." 80세 노인을 젊은이라 격찬하며 감동을 이끌었다.

이승만은 답사에서 영웅 퍼레이드중에 기동대장으로부터 그의 아들이 2년전 바로 오늘 한국서 전사했다는 말을 들었다고 소개하고 자유를 생명보다 더 귀중하게 여기는 미국 애국자들을 존경하며 감사한다고 말했다.

이어서 월돌프 아스토리아 호텔에서 남자들만 참석한 오찬에서 또 한번 연설을 했다. 오후에는 개교 200주년을 맞은 컬럼비아 대학에서 명예법학박사 학위를 받았다.

★ "우리는 구걸하지 않는다"...한국 복구원조는 미국의 공동의무

한미재단(American-Korean Foundation)이 월폴프 아스토리아 호텔에서 베푼 만찬회는 이승만에게 '가장 즐거운 시간'의 하나였다는 메모를 남겼다. 양국 국가를 한국의 소프라노 김자경이 오르간 연주에 맞추어 불러 감회가 새로웠다고 한다.

TV와 라디오가 이승만의 연설을 생중계하였다. 이승만은 1500 여명 참석자들과 미전역 시청자에게 '한국을 원조하는 민간단체' 들의 노고에 대하여 깊은 감사의 메시지를 전하였다.

"미국의 원조계획에 따라 제공되는 재원, 상품, 식량은 무리 국민들을 살려주었고 공산주의자들과 싸우는데 큰 용기를 돋아줍니다. 어느 운전기사 한분은 부인과 두 딸까지 한국을 돕기위해 절약하여 기부하였으며 자신은 단 한벌인 신사복도 제공했다고 합니다."

또한 이승만은 미국 기자들로부터 "이번에 원조를 얼마나 받아냈느냐? 만족하느냐?"는 질문을 많이 받았다고 소개하면서 다음과 같이 결연하게 말을 이어갔다.

▲ 독립운동 시절 '한미 동지'들과 모임을 가졌던 월돌프 아스토리아 호텔에서 한미재단 만찬회 연설. 사진은 현재의 호텔 모습.(연합뉴스)

"This is my answer. I knew never be discouraged, because I did not expect too much at the officaial level. I am not here to ask for more aid, more funds, moe everything. Nor am I here to complain that we do not get enough, that we are starving to death, and all that.

나의 대답은 이것입니다. 공적차원에서 나는 많은 것을 기대하지 않기에 결코 낙담하지 않습니다. 내가 여기 온 것은 더 많은 원조나 더 많은 자금 또는 뭐든지 더 많이 요구하러 온게 아니란 것을 알아주기 바랍니다. 또 뭐가 부족하다든지 굶어 죽게 생겼다고 불평하러 온게 아니란 말입니다."

"It is true that we are in a difficult situation, but our people are not crying for help. They fight back their tears, and with quiet determination and brave smiles, they set about the difficut task of combating poverty and destruction. We don not beg and never shall. We have gratitude for wahtever our friends are able to give us, and we shall remain grateful.

우리가 힘든 상황에 처한건 사실입니다만, 그러나 우리 국민은 도와달라고 울지 않습니다. 눈물을 감추고 조용한 결의와 용감한 미소로 굶주림과 파괴를 이겨내는 싸움에 나섰습니다. 우리는 구걸하지 않으며 앞으로도 구걸하지 않을 것입니다. 친구들이 제공하는 것이면 뭐든지 감사하며 앞으로도 감사한 마음을 가질 것입니다."

'구걸하지 않는다. 주면 받는다. 감사한다'는 이 말이 가지는 의미는 참으로 의미심장하다. 이 연설을 두고 이승만 연구자들은 "역시 이승만은 다르다. 원조를 요구하면서도 국가자존심 구기지 않고 당당하게 받아냈다"고 평한다. 맞는 말이다. 그러나 그런 단정은 오해이다. 6.25 전쟁의 성격에 대한 인식체계의 오해, 이승만의 6.25 전쟁관을 간과한 성급한 결론이다.

6.25남침 그날로 돌아가 보자.
이승만은 도쿄 유엔군사령부에서 잠자는 맥아더를 깨워 호통을 친다.
"미국이 내 말을 안 듣더니 이 꼴이 났소. 빨리 달려와 이 나라를 구하시오."

이승만의 '내 말'이란 무슨 말인가. 1948년 건국 순간부터 미국에게 요구했던 말들이다. "미군이 이대로 철수하면 전쟁 난다. 한국군을 키우고 충분한 무기를 달라. 나토(NATO)와 같은 안보조약을 맺자. 그것도 안되면 한국을 지키겠다는 선언이라도 해달라"…등등이다. 들은 척도 않고 철군했던 트루먼 미국대통령에게 비장한 결심을 통고한다. "이 전쟁은 통일전쟁이다. 이 기회에 한반도가 자유통일 되지 않는다면 미국도 세계도 평화는 존재할 수 없다. 공산주의냐 민주주의냐, 자유세계가 결단해야 할 때를 놓치면 안된다."

그리하여 소련의 남침에 유엔군이 달려왔고 중공군 개입에 유엔군은 또 물러나고 말았다. 자유세계와 공산진영의 정면 승부, 안이한 미국의 거듭된 '실수'로 세기의 대결은 원점회귀! 이승만과 미국의 세계사적 역사관 차이, 결단에 필요한 신념의 격차가 비극의 뿌리이다. "한국을 복구해놓아라. 한국군을 무장만 시켜주면 미국의 도움 없이 통일은 내가 한다" 무지무능 탓에 자유세계의 보루 한국을 망쳐놓은 미국이 오롯이 책임져야 마땅한 일이다.

'실수의 댓가'나 억울한 피값 만이 아니다. 중공군 1백만이 북한에서 한국을 노리는 이 위기를 극복, 자유를 지켜내야 하는 자유수호 비용은 미국과 자유세계에 부여된 공동의무이다.

▲ 한국을 원조한 미국 민간단체 '한미재단' 이사장 러스크에게 훈장 수여.

이승만은 TV 조명을 받으며 제한시간도 잊은 듯 열변을 그칠 줄 몰랐다.

"지금까지 자유세계는 공산주의자들에 대항할 때마다 패배하는 전투를 계속합니다. 동유럽에서 그랬고 중국 대륙을 내주었고 한국과 인도차이나에서 밀려났습니다. 우리 동맹의 주역들은 싸울 의지가 없습니다. 서서히 죽음에 이르는 유화정책과 공존이라는 함정을 선호합니다. 우리는 갈수록 약해지고 적들은 갈수록 강해지고 있습니다.

이 사태를 시급히 반전시켜야 합니다. 우리는 무엇을 어떻게 하면 좋을까요?

다행히 자유세계는 '한국이라는 싸우는 동맹'을 가지고 있습니다. 한국 국민들은 싸우기 위한 수단과 기회만 달라고 요구합니다. 그 이상의 것은 아무것도 요구하지 않습니다. 우리는 다시 싸우지 않으면 안됩니다. 미국 고위 관계자들도 한국 휴전은 끔찍한 실수라 합니다. 승리하지 못한 전쟁은 처음부터 다시 싸워야 한다고 입을 모아 말합니다.

도와주십시오, 우리 한국의 150만 아들들이 적을 무찌르고 그들의 가정만이 아니라 미국 여러분들의 가정들도 방어할 수 있도록 무장시켜 주시기 바랍니다." TV 중계가 꺼졌는데도 이승만의 열정은 꺼질 줄 모르고 청중을 휘어잡는다.

"Thank you, thank you, thank you, all night. Thank you, all of you- all the American people, in government offices and the man in the street. We have so much to thank you for all this help, and we thank God for all these friends...

감사합니다. 감사합니다, 감사합니다, 이 밤이 새도록 감사합니다. 여러분 모두에게 정부 여러분에게 거리의 시민 모두에게 감사합니다. 여러분의 모든 도움에 감사합니다. 여러분 같은 친구들을 보내주신 하나님께 감사드립니다..."

이날밤 이승만이 행한 뜨거운 연설문 전체를 옮겨 적을 지면이 없다.

그는 아이젠하워와의 대화 내용도 소개하고 양국 대통령이 얼마나 친밀하고 의기투합한지를 되풀이 강조하면서 미국은 자유수

호의 천사임을, 반드시 한국을 지켜줄 것임을 믿는다고 말했다. 스미스 상원의원과 와그너 뉴욕시장의 연설이 이어졌고 마지막으로 이승만은 한미재단 이사장 러스크에게 서울서 가져간 '감사의 훈장'을 달아주었다.

▲ 은퇴한 트루먼 대통령(왼쪽)을 미주리 인디펜던스 자택으로 방문한 이승만 대통령이 감사 연설을 하고 있다.

*8월3일 유엔본부로 하마슐트 사무총장 방문. 뉴욕타임스 발행인 슐츠버거 주최 오찬 참설.
*8월4일 시카고 방문. 드레이크 호텔에서 상공인들과 오찬 연설.
*8월5일 미주리 인디펜던스 시로 트루먼 방문. 큰 외과수술후 용양중인 트루먼에게
　　　　6.25 참전결정을 내려준데 대해 한국대통령으로 처음 감사 인사.

*8월6일　로스앤젤레스　방문.　시청행사　연설.　세계정세협회 (World Affairs Council) 오찬 연설.
*8월7일 샌프란시스코 방문. 커먼웰스 클럽 오찬 연설.
*8월8일 총영사관에서 예배후 미본토를 출발. 하와이 도착.

▲ 하와이 진주만의 미태평양사령부를 방문한 이대통령.

★샌프란시스코에서 국빈방미 공식일정 2주일을 마친 이승만은 하와이에서 3일간 비공식일정을 보냈다. "내가 1913년부터 1938년까지 25년간 망명생활을 했던 이곳, 조국을 잃고 떠돌아다녔던 그 옛날 하와이와 워싱턴은 나의 제2의 고향이다. 정든 동포들의 손을 다시 잡으니 여러 남녀들이 소리내어 울었다."라고 이승만은 그날 일기에 감회를 적어 놓는다.

진주만 태평양 함대사령부를 찾아 감사와 격려를 보내고, 이올라니 궁전에 가서 주지사에게 이상범 화백의 '아침'이란 그림을 선물했다.

인천상륙작전 참모장이던 러프너 소장의 안내로 펀치볼 (Punchbowl) 국립묘지 참배하고. 자신이 설립한 한인기독교회, 한국 동지회, 한국기독교학원등 추억의 순례길을 순방하였다. [태평양 잡지]를 발간하면서 "하와이 8도를 조선8도로" 이민 동포들을 모아 '기독교 공화국'의 꿈을 실험했던 발자취를 더듬은 이승만은 총영사관에서 70세 이상의 한일들과 오찬을 나눈 다음 마지막 기자회견을 했다.

"하와이의 재회는 정말 행복했습니다"라고 토로한 그는 "미국 건국의 아버지들은 인간의 권리를 침해하는 적들에 대항하여 싸우는데 주저하지 않았습니다. 우리도 그렇게 해야만 합니다. 나는 한국만이 아니라 세계의 자유인들에게 말합니다. 미국더러 오늘 내일 선전포고하라는 게 아닙니다. 자유동맹을 구하는 성전을 한국에서 시작한다면 세계의 반공세력은 용기백배할 것입니다. 중국과 한국과 아시아를 포기하지 마십시오. 나의 절실한 기도입니다. 이것은 또한 바로 미국 자신을 위한 기도입니다."
(사진 알로하 레이 부부)

잠시후 히캄 공군기지를 이륙한 공군기는 태평양을 날아올라 위이크 섬과 유황도를 지나 쏜살같이 한반도로 향하였다. 한국시간 13일 아침11시 여의도 공항에 도착한 이승만 대통령은 방미과정을 국민들에게 설명하는 성명을 발표하였다. 지칠줄 모르는 건강한 노인, 연도에는 수십만 인파들이 환영해주었다.

▲ 제2의 고향 하와이 방문을 마치고 귀국길에 오르는 이대통령 부부.

▶ 마침내 '한미상호방위조약' 발효...서울 조인 1년3개월만에
이승만 대통령의 방미후 석 달이 지난 11월17일 한미상호방위조
약이 발효되었다. 1년전 서울에서 가조인(8월8일)된지 15개월만

이다.

'Agreed minute between the government of the Republic of Korea and thd United States of America based on the Conferences held between President Rhee and President Eisenhower and their Advisers in Washington July 27~30, 1954. subsequent Discussion between Representatives of the two Governments'

이 긴 이름이 '한미 의사 합의록'이란 문서 제목이다.
우리말로 '1954년 7월27~30일 사이 워싱턴에서 개최된 한국 이 대통령과 미국 아이젠하워 대통령 및 보좌관들 간의 회담과 그 후 한미 양국정부 대표자 간에 이루어진 협의에 입각한 한미정부간의 합의 의사록'이다.

서울에서 변영태 외무장관과 브릭스 주한미국대사가 서명하고 같은 날 워싱턴에서 '한미상호방위조약 비준서'가 교환되었다. 지난 1월 양국 국회에서 비준된 조약은 이로써 열달만에 발효절차를 매듭짓고 마침내 역사적인 한미동맹이 역사적인 첫 걸음을 내디디었다.

조약 비준 후만 따져도 열달 동안 제네바 정치회의등 진통을 거듭한 줄다리기의 핵심은 미국의 대한(對韓) 원조 문제다. 통일의 마지막 희망, 국가 부흥과 군사력이 평화통일의 힘이다. 손원일 국방장관과 백두진 경제조정관이 담당한 협상의 결과는 합의 의사록에 이렇게 적혀있다.

"미국은 1955년 회계연도에 한국에게 군사원조 4억2천만 달러, 경제원조 2억8천만 달러등 7억달러를 제공하고, 10개 예비사단

추가 신설과 군함 79척, 100대의 제트전투기를 제공한다.” 이 합의의사록 체결로 육군 66만1천명, 해군1만5천명, 해병대 2만7천5백명, 공군 1만6천5백명, 한국은 이제 상비군 72만명을 갖춘 군사강국의 면모를 강화하게 되었다.

워싱턴을 떠나기 전날 밤 이승만이 블레어 하우스로 손원일, 백두진 등을 불러 “국군증강과 10억불을 꼭 받아서 주머니에 넣고 오시오”라고 당부했지만 이만하면 괜찮은 거래다. 1년에 7억달러, 당초 한국정부가 미국측에 제시한 5년간 총액은 23억달러, 년평균 5억달러도 안되는 규모에 비하면 전무후무한 거액이다. 이승만이 받아낸 1년치 원조액이 박정희가 일본으로부터 받아낸 ‘일제 36년 노예값’ 6억달러보다 1억달러나 많다.

▲ 1년 7억불 원조 타결과 한미방위조약 발효를 보도한 조선일보 기사.ⓒ조선DB

이런 막대한 원조를 받으면서 이승만이 미국에 준 것은 문서 한 줄: ‘미국이 한국방위를 책임지는 동안 한국은 유엔군사령부에 이양한 작전지휘권을 계속 유지한다’는 것뿐이다.

지난해 '통일 없는 휴전 반대' 투쟁 속에 한미방위조약 체결의 합의를 얻어냈을 때 한국이 미국에 준 것도 한마디 약속뿐, '한국은 휴전을 반대한다. 단 휴전을 방해하지는 않는다'는 것. 세계 최강 강대국과 최빈 약소국의 거래, 누가 '갑'이고 누가 '을'인가?

한국나이 80세 대통령의 승리. 20세때 배재학당에서 다짐한 꿈을 60년 만에 실현시켰다. 러시아 품에 안긴 고종황제가 이승만 등 독립협회 애국청년들을 감옥에 쳐넣고 소일하다가 러일전쟁의 정복자 일본의 강압에 굴복 '을사 늑약'을 맺은 날이 11월17일. 그 49년뒤 이승만이 다시 찾은 자유나라에 안보의 만리장성을 준공(발효)시킨 날이 11월17일. 그로부터 다시 63년의 세월이 흘러가고 있다.

한미동맹은 그동안 미국에게 무엇을 주었고 한국에겐 무엇을 남겼는가.
지난 주 서울에 온 트럼프 미국대통령이 한국 국회연설에서 말했다.
"한국인들이 이룬 것은 한국의 승리 그 이상. 인류의 정신을 믿는 모든 국가의 승리다" 그것은 한미동맹이 이룩한 승리, 바로 이승만이 만들어낸 '평화체제의 승리'인 것이다. 누가 이 평화체제를 깨려하는가. 역대 한국 대통령들의 '무덤파기' 만행이 계속되고 있다.

한국인들은 오늘도 트럼프의 언행에 온신경을 쏟는다. "믿을 것은 한미동맹뿐!"
트럼프의 연설을 보면 그가 한국인보다 한국의 모든 것을 속속들이 알고 있는 것 같아서 "의지하고 싶은 마음이 절로 생긴다"고 사람들은 속삭인다. 한미동맹의 위기! 국민이 의지할 데 찾아 헤매는 나라로 되어가는가?

"미국 믿지 말라" 이승만의 말이다. "뭉치면 산다" 이것도 이승만의 말이다.

　<'한미동맹의 탄생' 연재>

[출처] 이승만史(2) 한미동맹의 탄생, 국빈 방미와 한미동맹 발효 |작성자 석응재 재균

방문 이틀째 진행된 아이젠하워 대통령과 한미 정상회담은 첫 의제가 한일국교수립 얘기가 거론되자 이승만은 거칠게 항의하며 회담장을 박차고 나온다. 미국 입장은 경제적 지원만이라도 일본이 일부분 책임을 져서 미일 공동으로 한국을 지원하는 것이 미국의 정치권과 국민 정서에도 맞다. 소련과 중궁을 북한에 맞대응하자면 한미일 3자가 공동대응하는 방식이 맞다고 판단하여 이의제를 첫 번째로 안으로 내놓았다.

하지만 이승만은 불같이 화를 내면서 일본과는 상종할 수가 없다고 단호히 대응한다. 이유는 구로다 특사의 '식민지배가 조선에 좋았다'라는 망언 때문이다. 결국 한일국교수립문제는 없든 일이됐다. 이후 일본과의 회담은 수면하로 내려 같다. 이승만은 집권내내 일본과 불편한 관계를 유지했다. 이승만을 친일했다고 연결하는 것은 좌파들이 이승만을 폄하하기 위한 시나리오 하나다.

1949년 대일배상청구서에 이승만은 20억 달러라는 천문학적인 금액을 요구했다. 반면 일본 요시다 정권은 오히려 역청구권을 주장했다. 일본이 2차 대전에 항복할 시점에 일본인들이 조선에

투자한 금액은 52억 달러 정도된다. 남한에 약 23억달러 북한에 29억 달러나 된다. 광산 철도 백화점 각종 상업시설과 등 적지 않은 금액을 투자했다. 그 관련 내용 일부를 여기에 소개한다.

-일본이 남기고 간 귀속재산

귀속재산이란 무엇인가

"우리가 반드시 알아야 할 그 진실을 들여다보자." 귀속재산 (Vested Property)이란 명칭은 미군정이 지은 것이다. 일제가 조선에 쌓아놓은 재산을 미국이 모두 빼앗아 대한민국 정부에 그 소유권을 넘겨준 재산이라는 뜻이다. 한국과 일본 사이에는 금전적, 비금전적 손익계산서가 존재한다. 그중에서 가장 으뜸가는 것입니다.

바로 《귀속재산》(Vested Property) 이다.

2015년 10월. 성균관대 이대근 명예교수는 귀속재산연구: 식민지 유산과 한국경제의 진로(이숲, 682쪽)의 저서를 냈다. 아래에서 그 내용 일부를 요약한다.

일본인들이 놓고 간 국내 기업들 두산그룹, OB맥주, 하이트맥주, 한화그룹, 해태제과, 동양시멘트, SK그룹, 삼호방직, 신세계백화점, 미도파백화점, LG화학, 쌍용그룹, 동국제강, 삼성화재, 제일제당, 대성그룹, 동양제과, 대한조선공사, 동양방직, 한국생사, 한국주택공사, 벽산그룹, 한국전력, 일신방직, 한진중공업, 대한통운, 한진그룹, 대한해운, 동양화재해상보험, 메리츠화재해상보험, 중외제약 등······

국민 중에서 이 금전적 항목이 존재했다는 사실을 아는 사람은 드물다. 이 귀속재산이 무엇인지 아는 순간, 사람들은 재산을 만든 일본인과 이를 빼앗아 우리에게 넘겨준 미국에 대해 감사하는 마음을 가질 것이다.

1945년 해방 직후, 일본은 그들이 36년 동안 선택의 여지가 없이 조선에서 태어난 조선인들을 고용하여 조선 땅에 건설해 놓은 수풍댐, 철도, 도로, 항만, 전기, 광공업, 제조업 등 여러 분야의 사회간접자본을 고스란히 남겨둔 채 강제로 추방됐다.

아울러 일본인들이 조선에서 운영하던 기업재산과 개인재산 모두를 그대로 두고 <몸>만 빠져나갔다. 북조선에는 29억 달러어치의 공공재산, 남한에는 23억 달러어치의 공공재산이 한순간 횡재로 조선에 굴러 들어왔다.

남한에 쌓인 23억 달러어치의 일본재산은 미군정이 이승만 정부에 이양했다. 당시 이 돈은 남한경제 규모의 80% 이상을 차지했다. 한마디로 이 귀속재산이 없었다면 당시 한국경제는 그 실체가 없었을 것이다. 이로부터 만 20년 후인 1965년, 박정희 정부가 일본으로부터 무상으로 공여 받은 액수는 3억 달러, 위의 23억 달러는 이 3억 달러의 약 8배였다.

이 엄청난 자산을 미국이 일본으로부터 빼앗아 한국에 주었다는 사실을 우리는 꼭 알아야 한다. 우리는 묻지 않을 수 없다. 이씨 조선 518년을 대대로 통치해온 27명의 조선시대 왕들이 이룩해 놓은 자산이 무엇이었는가를~

건설해 놓았는가?
기업이 생겨날 수 있는 여건을 만들어 놓았는가?
한글 단어장 하나 마련해 놓았는가?

그 27명의 조선 왕들은 길을 넓게 닦으면 오랑캐가 침입한다고
믿었다.

그래서 있던 길도 없도로를 닦아놓았는가?

철로를 앴다.

선조는 임진왜란 내내 중국으로 망명할 생각만 했다.

이 27명의 왕들은 조선의 백성, 노예들의 골만 빼 먹었다.

조선왕들이 518년 동안 쌓아올린 재산은 초가집, 도로 없는 서
울, 똥오줌으로 수놓은 소로, 민둥산, 미신, 거짓과 음모를 일삼
는 미개인들이 공존하는 가두리 땅에 불과했다. 급기야 고종과
민비 일족은 부정부패로 나라를 거덜냈고, 이권이 되는 것은 외
국에 마구잡이로 팔았으며, 결국 왕과 왕족, 고관대작, 지방 유
지들은 일제로부터 한 평생 호의호식할 수 있는 거금의 경제적
혜택과 높은 작위를 받고 묵묵부답으로 묵종하며, <총 한 번 못
쏘고> 나라를 넘겼다.

하지만 일본은 불과 36년 동안에 조선 땅에 52억 달러어치의 재
산을 쌓아 올렸다. 이 엄청난 재산 중 남한지역의 23억달러를
미국이 빼앗아 보관했다가 대한민국 건국자 이승만에게 선물처
럼 주었다. 미국은 스스로 지키지 못했던 땅도 빼앗아 주었고,
조선인들로서는 꿈조차 꾸지 못했던 천문학적 규모의 재산도 빼
앗아 주었다.

이 두 가지 구체적 선물에 대해 우리는 빼앗아 준 미국과 돈을
만들어 준 일본 모두에게 감사의 마음을 가져야 한다. 이 중요한
사실이 묻혀왔기 때문에 우리는 배은망덕한 국민이 되었고, 좌파
정권은 북중러의 지령에 따라 걸핏하면 반일 반미 감정에 불을
지피고 있고, 그 배은망덕의 소치는 순전히 빨갱이들의 역사 왜

곡에 있었다.

이런 자료들은 국사편찬위 전자사료관에 보관돼 있다. 역사의 진실이 밝혀지길
두려워하며 긴 잠을 자고 있는 것이다.

미군정은 처음, 사유재산을 압류대상에서 제외했다가 매우 다행하게도 곧이어 사유재산까지도 압류했다 (군정법령 제8호, '47.10.6. 제정).
공적-사적 재산 목록이 170,605건, 이승만 정부에 넘겨줄 때까지 3년 동안 미군정은 고생했다.

엄청난 관리 인력과 재정이 필요했기 때문이다. 미군정에 인수되지 않고 농림부 등에 등록되어 있던 또 다른 일본인 재산이 121,304건에 이른다. 이 모두를 합한 총 재산은 291,909 건이었다.

미국은 어느 정도로 일본인을 발가벗겨 보냈는가?
미군은 퇴각하는 일본인들의 주머니를 뒤져 지폐까지도 압수했다.귀국하는 일본인이 소지할 수 있는 돈의 액수를 극도로 제한했다.민간인은 1,000엔, 군장교는 500엔, 사병은 250엔 이상 소지할 수 없었다.미군은 부산항을 통해 귀국하는 일본인의 주머니를 검열했다.1945년 말까지 한반도에서 일본으로 돌아간 민간인은 47만 여 명이었다.

하지만 주한미군사령부 정보참모부가 1945년 11월 3일에 작성한 (G-2 Periodic Report) 54호에 의하면 일부의 일본인들이 150엔을 주고 밀항선을 이용하기도 했다고 한다. 하지만 밀항선

을 타고 탈출한 일본인 숫자가 과연 얼마나 되었겠는가? 우리가 기억해야 할 핵심은 미국이 일본인들을 무산계급으로 만들어 겨우 몸만 돌려보냈다는 사실이다.

조선반도에서 그렇게 빈손으로 본토로 돌아간 일본인들은 전후 일본의 큰 사회문제가 되었다. 일본인들이 남겨두고 간 그 많은 주식회사급 기업들은 그 후 어떻게 되었는가? 대부분 그 회사 직원이거나 관련이 있던 친일 조선인들에게 헐값으로 불하되어 오늘날 대한민국의 대기업들로 성장했다.

오늘의 우리 대기업들은 거의 예외 없이 일본기업들이었다. 조선 인들이 세운
업체는 작은 '상회'라는 이름을 단 개인 가게들이었다. 아래의 사례들은 현 우리나라 대기업들이 해방 이후 맨땅에 헤딩해서 창조한 것들이 아니라는 것을 웅변할 것이다.

'쇼와 기린맥주'는 당시 관리인 이었던 박두병에게 불하되어 두 산그룹의 계열사인 'OB맥주'가 되었다. '삿포로 맥주'는 명성황 후의 인척인 민덕기에게 불하되어 '조선맥주'가 되었다(1998년에 하이트맥주로 상호 변경).

'조선유지 인천공장 조선화약공판'은 당시 직원이었다가 관리인 이 된 김종희에게 불하되어 '한화그룹'의 모태가 되었다. 삼척의 '코레카와 제철소'가 해방 후 '삼화제철'로 상호 변경되어, 장경 호에게 불하되어 '동국제강'이 되었다.

'조선제련'이 구인회에게 불하되어 '락희화학(LG화학)'이 되었다. '오노다 시멘트 삼척공장'은 이양구에게 불하되어 '동양시멘트'가

되었다. '조선연료, 삼국석탄, 문경탄광'이 김수근에게 불하되어 '대성그룹'의 모태가 되었다. '아사노 시멘트 경성공장'이 김인득에게 불하되어 '벽산그룹'이 되었다.

'경성전기-남선전기-조선전업'이 해방 후 합병되어 '한국전력'이 되었다. '조선우선'이 직원이던 김용주에게 불하되어 '대한해운'이 되었다.

'선경직물'은 공장의 생산관리 책임자이던 최종건에게 불하되어 'SK그룹'의 모태가 되었다. SK그룹은 1939년 조선의 일본인 포목상이 만든 조선에서 만주로 직물매매 하던 선만주단(鮮滿紬緞)과 일본의 교토직물이 합작해 만든 선경직물로부터 시작됐다. '선경'이란 이름은 선만주단의 선(鮮)'과 교토직물의 경(京)을 따서 지은 것이다.

'경기직물과 조선방직'이 대구에서 비누공장을 운영하던 김성곤에게 불하되어 '쌍용그룹'의 모태가 되었다. '동양방직'은 관리인이던 서정익에게 불하되었다.
'아사히견직'은 부산공장장이었던 김지태에게 불하되어 '한국생사'가 되었다 '가네보방직 광주공장'이 김형남, 김용주에게 불하되어 '일신방직'이 되었다.

'동립산업'이 관리인이었던 함창희에게 불하되었고, 제일제당(현 CJ)이 이를 흡수했다. '쥬가이'제약은 서울사무소 관리인에게 불하되어 현 '중외제약'이 되었다. '조선주택영단'이 '한국주택공사'가 되었다. '조선미곡창고 주식회사'가 해방후 '한국미곡창고 주식회사'가 되고, 후에 '대한통운'이 되었다. '조선중공업주식회사'가 해방 후 '대한조선공사'가 되었고, 후에 한진그룹에 편입되어

'한진중공업'이 되었다.

'한국저축은행'은 정수장학회의 설립 멤버이기도 한 삼호방직의 정재호에게
불하되었다. '조선생명'이 이병철에게 불하되어 '삼성화재'가 되었다. '조선화재 해상보험'이 동양화재 해상보험'이 되었다가, 지금 '메리츠 화재해상보험'이 되었다.

'미쓰코시 백화점 경성점'은 이병철에게 불하되어 신세계 백화점'이 되었다. '조지아 백화점'이 '미도파 백화점'이 되었다. '나가오카제과(永岡製菓)'는 직원이던 박병규 등에게 불하되어 해태제과 합명회사가 되었다. '모리나가 제과와 모리나가 식품이 해방 후에 동립식품으로 상호 변경되어 운영되다가, 1985년에 '제일제당에 병합되었다..

'토요쿠니제과'가 해방 후에 '풍국제과'로 상호 변경되어 운영되어오다가 1956년에 동양제과(오리온)에 병합되었다. 이외에도 내로라하는 한국기업들은 거의가 다 일본인이 설립, 운영 하던 회사라고 생각하면 큰 무리가 없다. 조선인이 설립 운영하던 큰 기업은 김성수, 김연수 집안에서 설립한 '경성방직', '삼양사'정도를 제외하면 대부분 상회(商會)'라는 이름을 달고 있었다. 화신상회, 개성상회, 경성벽지 등이다.

일본이 팽개치고 나간 회사들을 조선인들이 이승만 정부로부터 '불하'란 명목으로 헐값에 인수했다. 그래서 이들 중 일부는 1961년 5.16군사혁명 후 정경유착에 의한 '부정축재자'로 몰렸다. 일본인들은 얼마나 속이 쓰렸겠는가? 반면 불하받은 사람들은 어떤 '횡재'를 했는가? 그래서 일본은 샌프란시스코 조약 체

결단계에서 남조선에 두고 간 23억 달러 어치의 재산에 대한 청구권을 요구했다.

해방 직후 북한을 선점한 소련은 군정을 통해 북한에 건설된 발전소, 공장 등을 계속 운영하기 위해 그것들을 건설하거나 운영해온 일본인 기술자들을 확보하는데 공을 들였다.

소련군정은 만주에 주재한 '일본 피난민 단장'과 협의하여 북조선에 있던 모든 기계, 설비를 계속 운영할 수 있도록 일본 기술자들을 북조선에 남게 해달라고 사정했고, 일부는 억류했다.

친일파가 남아 북의 재건을 도운 것이다. 그들이 건설하고 애지중지 운영해오던 기계, 설비들에 대한 엔지니어로서의 애착심에 호소했다고 한다. 그 결과 1946년 1월 현재 총 2,158 명의 기술자들을 일본으로의 즉시 귀국을 막고, 북조선에 잔류시키는데 성공했다.

스탈린은 당초 북조선에 있는 설비들을 소련으로 옮기라고 명령했고, 소련군정은 중요한 기계들을 분해하여 포장한 후 소련으로 반출하기 시작했다. 하지만 국경을 넘기 직전 다시 스탈린으로부터 반출을 중단하라는 긴급 지시가 떨어졌다고 한다. 세간에는 당시 소련이 북조선 기계들을 모두 뜯어 소련으로 가져간 것으로 알려져 있다.

그러나 이는 사실과 다르다. 그럼 스탈린은 왜 마음을 바꿨을까? 전문가의 말에 의하면 스탈린은 이 당시 이미 6. 25 전쟁을 염두에 두고 있었기 때문이었을 것이라고 한다. 6.25 전쟁을 치르려면 북조선에서 병기를 비롯한 군수물자를 자체 생산해야 하고,

그를 위해서는 기계, 설비들이 필요하다고 판단했을 것이란 해석이다.

산의 나무도 귀속재산이었다.
또한 조선의 산은 민둥산이었다.

여기에 일본은 과학의 힘으로 경제성 있는 나무들을 심었다. 지금도 일본에 가면 산마다 쭉쭉 뻗어 올라간 경제목들이 들어차 있다. 해방 당시 전국의 산에는 일본이 심은 나무들이 밀림을 이루고 있었다. 지금 광릉(수목원)에 보존된 나무들이 바로 일본의 작품이다.

그런데 이승만 정부가 들어서고, 전후방에 군부대들이 우후죽순식으로 들어서면서 '후생사업'이라는 것이 활기를 띄었다. 당시는 군대가 판을 치던 시대였다. 역대 사단장들이 너도나도 덤벼들어 군 후생을 빙자해 벌목을 했다. 거목들을 베어내 시장에 팔아 자금을 마련해 여러 가지 목적으로 사용했다.

대한민국 산이 다시 민둥산으로 변한 것이다. 이에 박정희 정부 농림장관인 장경순 씨가 대통령의 명을 받고 나무를 대대적으로 심었지만 그 나무들은 일정시대의 산림처럼 경제림이 아니었다.

포항제철 사례에서 보듯이 공업 분야에서는 일본으로부터 기술 지원을 대대적으로 받았지만, 나무를 심는 식수계획에서는 일본 기술의 지원을 받지 못했던 것이다. 장경순 씨의 이야기로는 수종선택은 토종기술에 의존했다고 한다.

그나마 푸른 산을 푸르게 계속 유지시키기 위해서는 나무를 대체할 수 있는 땔감의 개발이 필요했다. 1960년대, 19공탄이 산림훼손을 저지하기 시작했다.강원과 문경 등지의 탄광에서 서울과 대도시로 직행하는 열차에는 석탄이 실렸고, 그 후부터 산은 푸르게 우거지기 시작했다.

그런데 영국에서는 영조시대인 1750년대에 석탄이 나무를 대체했다. 영국이 한국을 210년 정도 앞서간 것이다. 이런 부끄러운 격차를 만들어 낸 주역은 조선의 왕들이었다. 일본이 가꾼 산림, 비록 금전적으로 환산은 될 수 없지만 어마어마한 자산이었음에 틀림이 없다.

그것도 귀속재산이라 할 것이다. 오늘의 대한민국은 일본과 미국의 덕분이다. 제대로 알고나 반일, 반미 시위를 하자. 그러나 국권을 빼앗고 전쟁의 일선에 총알받이로 우리의 젊은이들을 내세우고 위안부로 무고한 아녀자를 성놀이개로 만들고 우리의 글과 말과 성씨까지 말살하려했던 잔악함 또한 잊어서는 안 될 것이다.

23억 달러나 되는 엄청난 금액을 이 대통령은 손하나 대지 않고 민간에게 넘겨서 사업을 할 수 있게했다. 만약 동남아의 지도자들처럼 자신이 챙기려 했다면 얼마든지 가능한 했고, 전혀 문제가 되지 않던 시절이었다. 공기업을 만들어서 측근들에게 대리경영하게 할 수도 있다. 없는 돈도 만들어서 챙기고, 남에 돈도 강제로 빼어서 착복하는 지도자들도 많았지만 이승만 그렇게 하지 않았다.

4. 농지개혁과 의무교육

자유주의 문화가 사회 전번에 퍼져 나가게 된 계기는 농지개혁이 중요하게 작용을 했다. 자유주의 신봉자인 이승만 대통령은 농지를 분배받는 소작농이 지주에게 보상하는 유상몰수 유상분배의 원칙에 따른 농지개혁을 추진했다. 그러나 국회는 지주 세력 강했기 때문에 농지개혁법은 50년 3월에야 확정될 수 있었다. 이승만은 당시 주류세력인 지주계급 중심인 한민당을 배제하고 공산주의자인 조봉암을 농림부 장관에 임명하여 농지개혁의 실무를 담당케 했다.

그러나 그전부터 이승만은 행정명령으로 농지개혁을 준비하고 있었기 때문에 6.25 전쟁이 일어났을 때 농민들이 소유의식을 가질 정도로 진행되어 있었다.

이 때문에 남로당의 박헌영은 6.25 전쟁 발발 시에 "남침만 하면 남측의 농민들이 쌍수를 들어선 환영할 것"이라는 큰소리쳤던 예측이 보기 좋게 빗나갔다. 농민들에게 경작권만 주는 북한식 토지 개혁에 쏠리지 않고 대한민국에 충성할 수 있었다.

농지개혁은 지주들에게 자기 증권을 발행하여 담보로 주고 소작농에게는 향후 5년간 수확량에 30%를 매년 나누어 내는 조건으로 토지를 분배했다.

농지개혁은 지주 계급을 해체 시켜 자작농 사회를 형성하는 혁명적인 결과를 가져왔다. 또한, 농지개혁은 농민들이 농산물과 농지를 자유롭게 사고팔 수 있게 함으로써 자유시장 경제체제

구축, 경제를 발전시키는 촉매제 역할을 충실히 했다. 결과적으로 지주계급은 몰락하고 작은 부분이지만 중산층이라는 새로운 사회질서가 성립되는 계기가 되었다. 이는 한국 민주주의의 발전에 긍정적인 영향을 미쳤다.

지주계급 위주의 국회는 농지개혁에 소극적이어서 개혁법인 미루지고 법안 통과가 지연되자, 이승만의 토지 개혁은 전광석화와 같이 밀어부쳐 법안 통과를 이끌어 내었다.

소작농이었던 농민들이 실제로 토지를 소유하게 되었고 이는 6.25 전쟁 중에서도 자기의 토지를 지키기 위해 전쟁터에 나가 총 들고 싸웠다. 공산주의로 넘어가지 않고 북의 유혹에 빠지지 않은 계기가 되었다. 자기 땅에서의 생산과 판매, 곧 이익을 위해 열심히 일한 결과 국가 경제 발전에 세금으로 도움이 되었고 농민도 의식주 해결에 벗어나 생산과 매출을 통해 국가발전에 기여하는 다른 업종과 같은 경쟁하는 기회가 주어졌다.

이러한 남한의 농지개혁은 세계 어느 나라에서도 볼 수 없는 획기적인 개혁이었고 농민들에게 개인적으로도 富의 원천이 되었는데, 이에 반하여 북한에서의 토지 개혁은 '빛 좋은 개살구'처럼 토지의 주인이 지주에서 국가의 협동농장으로 바뀌었을 뿐, 정작 농민이 토지를 갖지 못하고 지주의 소작농이 아니라 국가의 소작농으로 변했다. 협동농장이라는 이름으로 농장으로 출퇴근하는 노동자가 된 것이다.

토지 개혁 이후 자작농의 비율을 보면 1945년 14%에서 1951년에는 72%로 바뀔 정도로 획기적인 개혁이었다.

소련군 치하의 북한에서는 1946년 3월 토지개혁이 전격 단행되어 지주제가 철폐됐다. 그해 2월 출범한 사실상의 북한 정권은 지주 소유지를 무상 몰수하여 농민에게 무상 분배했다. 지주는 살던 마을에서 쫓겨났다. 북한 정권은 "농민들이 공자, 맹자도 해결 못한 토지 문제를 김일성 장군이 해결한 것으로 받아들였다"고 대대적으로 선전했다. 남한에서도 농지개혁은 기정사실이 됐다. 우파에게는 공산주의 득세를 막는 반공주의 차원에서, 또 공업입국(工業立國) 차원에서도 농지개혁이 필요했다.

당초 농지개혁을 서두른 것은 미군정이었다. 미군정은 1947년 초 옛 일본인 소유 농지를 분배하자는 법안을 냈고, 한 해 뒤에는 5·10 선거를 앞두고 그를 실행에 옮겼다. 농지개혁을 드러내놓고 반대한 정파는 없었다. 어느 정파든 정부 수립 후 최우선 과제로 농지개혁을 꼽았다. 제헌헌법에 '농지는 농민에게 분배'한다고 명시됐다. 다만 각 정파는 자신에게 유리한 방식으로 농지개혁을 하고자 했다. 1948년 8월 15일 대한민국이 출범하자 농지개혁이 본격 추진됐다. '유상 몰수, 유상 분배'가 원칙이었다.

이승만은 정통 공산주의자였다가 전향한 무소속 의원 조봉암을 초대 농림부 장관에, 중도파 경제학자인 이순택을 기획처장에 각각 임명했다. 좌익 단체의 토지 문제 연구 총책을 맡았던 농업경제학자 강정택이 농림부 차관에, 중도파 강진국과 윤택중 등이 농지국에 자리 잡았다. 이처럼 이승만은 중도파로 농지개혁 담당 라인을 구축했다. 농지개혁에 적극적인 중도파로 지주의 이해관계를 대변하는 한민당을 제압하려는 일종의 '이이제이(以夷制夷)' 전략이었다.

1949년 공포된 농지개혁법.
조봉암의 농림부 팀은 지주가 평균 수확량의 150%를 보상받고 농민이 평균 수확량의 120%를 상환하며 차액 30%는 국고 부담으로 하는 개혁안을 내놓았다. 하지만 정부 재정 부담을 꺼린 이승만은 지주 보상액과 농민 상환액을 200%로 똑같이 맞춘 기획처 안을 택했다. 그 직전 조봉암은 한민당의 정치 공세 때문에 장관직에서 물러났다. 국회에서 한민당의 후신인 민국당과 무소속 소장파는 정부안 대신 수확량의 150% 지주 보상, 125% 농민 상환으로 절충한 법안을 통과시켰다. 정부가 거부권을 행사했지만 국회의 재의결로 1949년 6월에 이 법이 공포되었다.

미국 원조로 재정을 근근이 꾸려가는 처지에 정부가 지주 보상액과 농민 상환액의 차액을 떠안는 것은 사실상 불가능했다. 이승만은 정부 재정에 부담을 주는 인기영합주의(포퓰리즘)를 거부했다. 정부의 수정 요구에 따라, 결국 지주 보상액과 농민 상환액을 수확량의 150%로 맞춘 개정 농지개혁법이 통과되어 1950년 3월 공포됐다. 이후 시행령·시행세칙·세부규정이 6월까지 제정 공포됐다.

곧바로 6·25전쟁이 터졌지만 이미 농지는 분배된 뒤였다. 1949년부터 준비를 해온 정부는 1950년 3월 농가별 분배 농지 일람표를 만들어 공람하게 했다. 4월에는 '장차 자신의 농지가 된다는 전제하에 안심하고 파종(播種)'할 수 있도록 농지 분배 예정 통지서 발급을 마쳤다. 법규가 확정되기도 전에 시행부터 한 것이었다. 이승만이 '만난(萬難)을 배제하고 단행하라'는 유시를 내리며 독려한 결과였다.

1950년 당시 분배된 토지는 귀속 농지 26만8000정보, 농지개혁 31만7000정보였다. 그전에 70만4000정보가 농민에게 방매(放賣)됐다. 농지개혁에 비판적인 학자들은 이를 불철저한 면모로 보았지만, 최근 실증적 연구를 통해 '사전 방매가 농민에게 결코 불리하지 않았다'는 점이 밝혀졌다. 농지개혁을 통해 자작농 체제가 성립하였다. 사실상 소작권과 같은 경작권만 얻은 북한 농민과 달리, 남한 농민은 완전한 소유권을 얻었다.

북한의 토지개혁이 사유재산권 제도를 부정한 반면, 남한의 농지 개혁은 이를 인정했다. 이승만은 의도대로 농민을 '장악'했고, 농민은 '대한민국 국민'이 되었다. 이영훈 서울대 교수는 "농지의 신속한 분배는 곧이어 터진 6·25전쟁에서 대다수 농민이 대한민국에 충성을 바치는 국민으로 남게 함으로써 대한민국을 방어함에 크게 공헌했다"('대한민국 역사')고 평가했다.

농지개혁 이후 현실은 장밋빛 전망과는 달랐다. 곧이어 일어난 6·25전쟁과 전후 복구 과정에서 지주와 농민은 제각기 경제적 곤란에 처했다. 전시(戰時) 인플레이션은 지주 보상금을 쪼그라트렸다. 막대한 군비를 메우기 위해 지세와 호별세 등 각종 세금을 통합해 현물로 납부하도록 하는 임시 토지 수득세(收得稅)가 부과되면서 농가 경제는 피폐해졌다.

북한의 토지개혁이 일거에 지주를 절멸시키는 폭력적인 방식으로 진행된 반면, 남한의 농지개혁은 오랫동안 시일을 끌면서 우여곡절을 겪은 끝에야 완수됐다. 지주와 농민, 정부 등 여러 이해관계자가 이익과 손실을 절충하여 어느 한쪽의 일방적 승리가 아니라 다수가 공생할 길을 찾은 것이었다. 남한의 농지개혁은 지주와 농민, 여러 정파 간 절충과 타협이 낳은 빛나는 성과였다.

"韓, 필리핀·중남미와 달리 地主계급 일소하고 경제발전 성공"

북한의 '무상(無償) 몰수, 무상 분배'와 남한의 '유상(有償) 몰수, 유상 분배'. 유상과 무상이라는 차이 때문에 일부에서는 남한의 농지개혁이 불철저하다는 비판을 제기해왔다. 그러다 전환점이 된 '학문적 사건'이 1989년 한국농촌경제연구원의 '농지개혁사연구(農地改革史研究)' 발간이었다. (김성호 농촌경제연구원 고문, 허영구 전 민주노총 부위원장, 장상환 경상대 교수 등 훗날의 좌우파 중견 연구자들이 대거 참여했던 이 연구는 6년간의 자료 수집과 집필 기간을 거쳐 1260쪽 분량으로 발간됐다).

"농지개혁은 농민의 빈곤과 농업생산의 정체성을 온존(溫存)시키는 것이 되고 말았다"('해방전후사의 인식')는 비판적 학계 풍토에서 당시 연구서 결론은 충격적이었다. 이승만 정부의 농지개혁은 자작지(自作地) 비율이 최대 95.7%에 이르는 성과를 낳았다는 것이었다.

당시 '막내 연구원'으로 발간 작업에 참여했던 박석두 전농촌경제연구원 선임연구위원은 "필리핀과 중남미 등 제3세계 다른 국가들이 지주제와 대농장 척결에 성공하지 못했던 것과는 달리, 한국은 대만과 함께 농지개혁을 통해 지주 계급을 일소하고 경제발전을 이룩한 예외적 경우에 속한다"고 말했다.

1960년대 한국 정부는 농지개혁사 연구를 위해 세 차례나 위원회를 꾸렸다. 하지만 일부 내용만 보고서로 나왔을 뿐 체계적인 연구서 편찬 작업은 번번이 중단됐다. 자료 부족 등이 발목을 잡았던 것이다. 이 때문에 1984년 농촌경제연구원은 연구서 편찬에 착수하면서 심층 인터뷰와 자료 수집에만 1년 이상 공을 들였다. 박 연구위원은 "당시 연구에 참여했던 학자들에게는 최대한 실증적 자료와 사례 연구를 통해서 말한다는 공감대가 있었다"고 말했다.

- 의무교육

보통선거제도는 의무교육제로 연결되었다. 모든 개개인이 선거에서 올바른 판단을 해야 하므로 바른 국민이 있어야 한다. 거기에는 교육이 필수 과제였다. 1949년도에 6년제 의무교육을 도입하고 문맹 퇴치 운동을 전개했다. 그 결과 '45년에 국민의 78%였던 문맹자는 '59년도에 이르러서는 22.1%로 낮아졌고 학생 수도 중학생은 10배, 고등학생은 3.1배, 대학생 수도 12배나 늘어났다. 그렇게 키워진 인재들이 추후 박정희 대통령 시절 경제 5개년 계획 때 국가발전의 원동력으로 중추적인 역할을 담당했다.

고급인력 양성도 빠른 속도로 이뤄졌다. 그것은 해방직 후 19개 교에 불과하던 대학들이 '60년도에 63개로 많이 늘어나 10만 대학생 시대를 열었다. 가난했음에도 학업에 대한 의지가 강했고 나라에서 끌고 각 가정에서도 끼니 걱정을 하면서도 자식 공부 시키는 데 게을리하지 않았다.

이승만은 하와이에서 흩어져 살고 있던 사람들을 일일이 찾아가서 교육에 대한 중요성을 설명하고 흩어져서 살고 있어 교육받기 어려운 사람들을 위해 기숙사를 설립했다. 당시 여자들을 하대하며 공부를 시키지도 않고 심지어 "집에 도움이 안된다"며 내쫓기도 하고 교육은 아예 생각하지도 않았던 집도 많았다. 이런 사람들을 모아서 기숙사를 짓고 공부도 가르쳤다. 잘못된 성리학의 폐단을 지워버리고 교육에 집중하게 했다.

45일 동안 8개의 하와이 유인도 섬을 샅샅이 뒤져 교육을 하게 됩니다. 인신매매를 당하여 끌려간 여자를 직접 난투극을 벌이고 경찰관을 부르고 하면서 여자아이를 구한 일까지 있었다.

이승만은 교육이 필요성을 절감했고 본인이 교육을 통해서 성장한 사실이기에 남녀 성별의 차별없이 여성의 교육에도 절실했다. 투표권도 남녀 차별없이 줘기 때문에 공산당의 끊임없는 도전과 공세 속에서 유지하고 지탱할 수 있었다. 민주주의에 꽃을 피웠던 유럽에서도 관심이 없던 여성들에게 투표권을 준 것이다.

해방되고 여성한테 투표권을 준다는 생각을 할 수 있었던 것은 분명 선각자의 시각을 가졌기 때문이다. 실제로 스위스와 프랑스보다 빠른 여성의 참정권이었.다

독립운동도 양반과 상놈이 따로 하던 시절에 유일하게 신분의 차별 없이 함께했던 인물이 이승만이었다.

이승만이 미국에서 공부할 때 부러웠던 것은 유명 공과대학 MIT와 칼텍이 미국의 인재를 키워내는 산실을 것을 보고 한국에 도입해야 할 생각을 하고 전재산을 털어 인하공대를 설립한다.

그리고 원자력이라는 신생에너지 관한 정보를 접하고 석유 한방울 나지 않은 대한민국의 미래를 생각하며 신재생에너지 원자력 개발에 주력한다.

- 원자력 개발
이창건 박사는 서울대 전기공학과를 졸업했다. 1955년이었다.
"1950년대 초반 이공계 엘리뜨 중에는 공군 소속 기술 장교가 된 사람들이 많았다. 산업기반이 전무하던 시절 그나마 전공을 살릴 수 있었기 때문이다. 이 때 한 사람이 제대하면서 미군 장교로부터 "원자력 공학입문"이란 책을 선물받았는데, 이 교재를 가지고 물리학·공학 전공의 공군장교 출신 12명이 스터디 그룹을 만들고 매주 한 차례씩 문교부 창고 건물에서 세미나를 실시했다."

6·25 때 특수 공작부대인 KLO 부대 출신인 이 박사도 학과 선배의 권유로 이 모임에 가담했다. 그는 "전기공학과에서 배운 적이 없는 교재인데 1권 밖에 없으니 가장 막내인 내가 일일이 타자를 쳐 나눠줬다. 변변한 옷이 없어 미군이 버린 군복을 검정 염색을 해 입고 다닌 학생들도 많았다. 그 옷은 교복에 운동복에

잠옷에 애인을 만나러 갈 때도 언제나 단벌이었지만 만사형통이었다."

원자폭탄은 알지만 아무도 원자력 발전소는 생각도 못하던 시절, 스승도 없는 상태에서 언제 어떻게 써먹을 수 있을 지도 모르는 지식에 청춘들은 빨려 들어갔다. 우리 원자력 산업 평론가들은 1956년을 한국 원자력의 원년으로 삼는다. 이승만은 무엇인가를 간파해서 진수를 찾아내는 능력이 매우 뛰어났다. 원자력의 평화적 이용이란 개념에 눈을 뜬 이승만 정부가 이 해 문교부 산하에 원자력과를 만들었다. 일은 늘 사람과의 만남에서 이루어진다.

그 해 7월, 이 대통령은 워커 시슬러라는 미국 전력협회 회장을 만난다. 아이젠하워 미대통령의 과학고문으로 국내 화력발전소 건설에도 도움을 준 인물이다. 이대통령이 방한한 시슬러에게 전력난 해결방안을 묻자 그는 갖고 있던 나무상자 하나를 열었다. 그 속에 자그마한 막대기 하나와 석탄덩어리가 들어있었다.

"리 프레지던트! 이게 핵 연료봉이란 겁니다. 같은 무게 석탄에서 나오는 에너지의 300만 배를 생산할 수 있습니다." "시슬러 회장! 그걸 만들려면 어떻게 해야 합니까?" "에너지는 땅에서 캐는 게 아니라 머리로 개발하는 겁니다. 헌신적인 과학기술자를 훈련시켜야 합니다."

이승만이 원자력 엔지니어 양성을 결심한 순간이었다. 문교부 창고에서 땀을 뻘뻘 흘리며 공부하던 청춘들에게 희망의 전화가 한 통 걸려왔다. "당신들을 미국에 유학을 가게될지도 모르니 공부를 더욱 가열차게 하라!"는 전갈이었다.

국무회의에서 "우리도 원자력을 할 수 있을까?"라고 묻자 물리학 박사인 최규남 문교부 장관이 즉석에서 답변했다. "누가 시킨 것도 아닌데, 자발적으로 공부하는 젊은이들이 있습니다."고 보고한 것이다. "당장 데리고 오시오." 세상은 늘 순수하게 준비하는 자의 것이다.

이 대통령의 지시로 국비 유학생이 선발됐다. 10년간 236명의 엘리뜨(엘리뜨 교복이 아닌 군복 단벌을 Always 일상화한 이들)가 미국·영국·캐나다에서 원자력을 공부했다. 그 속에 스터디 멤버들도 포함됐다. 스터디 그룹의 좌장은 당시 서울대 물리학과 조교수였던 윤세원이었다.

"윤 선배는 문교부 원자력과 과장으로 옮겨갔는데 원자력 관련 법률 제정 등으로 국회를 포함 여기저기 신발 문수가 안보이게 뛰어다녔다. 예산이 부족하자 훗날 광주광역시청 물봉처럼 서대문 집과 용인 고향 땅까지 팔았다."

이창건 박사는 윤세원 선배가 그립다고 했다.
"이 대통령은 1인당 연간소득 40달러이던 시절, 1인당 6,000달러가 드는 해외연수에 10년간 236명을 보냈다. 시슬러는 20년이 지나야 그 혜택을 볼 수 있을 것이라고 이승만 대통령에게 말했다. 그 때 이대통령은 나이 80을 넘었다. 자기 당대에 덕을 보려한 게 아니라 미래를 내다보는 지혜가 있었기 때문이다."

유학생들이 외국으로 출발에 앞 서 이대통령에게 인사를 갔다. 이대통령은 나라를 구하기 위해 외국으로 싸우러가는 용사를 격려하듯 느릿느릿 말했다.

"여러분들의 몸은 여러분 가족이나 여러분의 것이 아닙니다. 여러분은 공부를 하여 원자력으로 국민의 밥을 만들어 주십시오. 내가 살 날이 얼마나 남았겠습니까? 한국을 살릴 여러분을 키우는 것이 저에게 주어진 책무로 생각하고 있습니다."

1956년 당시 한국의 1인당 국민소득이 41달러 정도로서 한국 국민의 대다수가 미국의 잉여농산물 원조를 받아 끼니를 때우는 시절이었다. 이런 상황에서 이승만 대통령은 문교부에 원자력과를 만들었고, 1959년에는 당시 한국으로서는 상상하기 어려울만큼 큰 돈인 35만 달러를 들여서 교육용 원자로를 만들었다. 외환기근으로 당시 한국으로서는 단 돈 10달러를 쓸 때도 대통령의 결재를 받던 시절이었다. 1956년 4월 이창건 학생을 비롯한 한국의 젊은 물리학자들이 국비 원자력 연구원으로 미국 아르곤 국립연구소에 파견되었다. 아르곤 연구소의 학비는 10개월 연수기간 동안 6천 달러로 비쌌다.

1956년에 보낸 1기 유학생 이후 4년 동안 8차에 걸쳐 200여명이 외국 유학을 마치고 돌아왔다. 이들이 한국 원자력원과 원자력 연구소를 세우고, 그 해 7월에는 원자력 연구소 내에 연구용 원자로 트리가마크 2 건설을 이끌며 한국의 원자력 시대를 열었다. 이 대통령은 직접 원자력 연구소 건설 부지를 제안하고 공사 현장을 수시로 둘러보며 연구자들을 격려했다.

이승만 대통령은 1875년 출생이므로 이 때 이미 80세를 넘긴 나이였다. 그럼에도 그는 자신의 생애를 초월한 이십년 뒤 한국을 부흥시키는 수단매체로 원자력을 선택하고 끈질기고도 적극적인 기다림을 펼친 것이다. 이승만 대통령은 1965년 90세로 생을 마감했다. 그러나 그가 육성한 원자력 인력들은 그의 사후 한국

형 원자로 모델까지 개발하여 한국을 세계 원자력 경쟁의 선두에 서게 했다.

미국과 캐나다로부터 눈물의 햄버거를 먹고 배워 'APR 1400'이라는 전 세계인이 부러워하는 원자로를 개발해냈다. 어떤 사고가 나더라도 사람을 죽일 수도 죽을 수도 없는 세계 최고 최강의 안전 기술이 탑재되어 있다.

이창건박사는 UAE 바라카 원전 입찰에서 우리에게 원자력 기술을 가르쳐 준 나라들을 꺾고 승리하던 날! 볼 위로 흐르는 뜨거운 눈물을 주체할 수가 없었다. 저는 젊은 시절에 이승만대통령을 미워하기도 했으나 나이를 먹어갈수록 이해할 수밖에 없었고 훌륭한 점이 너무 많이 보입니다.

자신의 정치 체제를 국민들이 반대하자 피를 흘리지 않고 하야한 점도 그렇고, 미국으로부터 선진 과학기술을 본격적으로 과감하게 도입한 점도 큰 업적입니다.

이것은 한국 사회를 자유화하는 역할을 했고, 실용주의와 합리주의를 강조하는 과학적 사고방식을 불러왔으며 불합리하고 인습적인 사고방식을 깨뜨리는 해방자 역할을 하였습니다.

- 문재인 전대통령 탈원전에 대해
원자력 산업에 관한한은 문재인 전 대통령에게 너무 할말이 많다. 같이 마주앉아 술한잔 기울일 기회가 평생 없겠지만 그래도 기회가 된다면 일단 술잔을 한번 업어 버리고 싶다. 그 이유가 탈 원전이다. 화풀이로 나의 객기를 표하는 것이지만 정말 많은 사람들의 '화'를 그렇게라도 분풀이 하고 싶다.

문재인은 집권초부터 일본 후쿠시마 원자력 발전소가 지진 피해를 입어서 방사능 유출문제가 초미의 관심사였고 독일이 탈원전을 선포하면서 세계가 탈원전 모드로 진입할 시기가 잠시 있었다.

유럽전체가 러시아의 천연액화가스(LNG) 빠져 탈원전을 시작하자 문 전대통령은 안전하고 싸고 친환경인 원전을, 위험하고 비싸고 반(反)환경이라고 했다. 멀쩡한 원전을 없애려고 조작까지 했다. 미국은 원전을 80년 사용하는데 40년 된 우리 원전을 '세월호'라고 했다. 세계에서 가장 과격한 탄소 감축을 한다면서, 탄소가 가장 적게 나오는 원전을 그 수단에서 빼버린 사람이 문 대통령이다. 청와대 내에서 문 대통령 앞에선 '원전' 얘기를 꺼내기도 힘들었다고 한다. 들으려고 하지 않고 화부터 냈다는 것이다.

그 때문에 애꾸은 산업자원부 국장과 장관이 재판에 불려다니면서 온갖 고생을 다하면서 변명하기에 급급했다. 일요일에 자기 사무실에 숨어 들어가 원전 경제성 조작 문건을 없애야 했던 산업부 공무원들도 피해자다. 그러나 누구보다 큰 피해자는 원전 산업에 종사하던 기업과 근로자들이다. 이들에게 '문재인'은 그야말로 마른하늘에 날벼락이었다. 탈원전 댓가는 엄청났다. 잘나가던 한전이 국민적 저항 때문에 전기료 인상은 못하고 혼자서 그 비용을 감내하느라 대규모 부채를 끌어안고 허덕였다.

우리는 우리 원전 산업이 얼마나 눈물겨운 기적의 역사인지 잘 모른다. 원자력의 아버지는 이승만 대통령이다. 1956년 이 대통령은 문교부에 원자력과를 설치하고 문교부 창고에 모여 원자력을 독학하던 물리학과와 공대 출신 수백 명을 국비로 미국에 유학 보냈다. 1인당 국민소득이 100달러도 안 될 때 한 사람에게 6000달러가 들었다고 한다.

박정희 대통령 때 고리 1호기가 첫 가동에 들어간 이후 우리 원자력 산업은 비약적으로 발전했다. 믿을 수 없게도 어느 분야에서는 미국을 능가하는 수준에 이르렀다. 우리가 개발한 APR 1400 원자로는 세계에서 가장 안전한 것으로 우리만 만들 수 있다. 대형 탄소강 원자로 압력 용기는 용접이 없는 하나의 일체형이라 단조 공법으로 제작해야 한다. 이 초대형 단조 공장도 미국엔 없다. 미국 기업이 수출 계약을 따내도 우리가 만들어줘야 한다. 문재인만 없었으면 세계시장에서 대활약을 펼쳤을 것이다.

이 APR 1400 원자로가 여기까지 오는 데는 말 못 할 고난이 있었다. 공무원들은 이 원자로를 못 믿겠다면서 공사 실적을 요구했다. 세계 최초인데 실적이 어디 있냐고 했더니 세계 유수 기업에서 보증을 받아오라고 했다. 보증을 받으려니 어쩔 수 없이 미국 경쟁 기업에 기술 자료를 다 넘겨줘야 했다. 황당하게도 보증료 2%까지 냈다. 이 일을 당하고 UAE에 수출하는 등 겨우 자리를 잡는데 문재인이 나타난 것이다. 기업은 신한울 3, 4호기에 이미 1조원을 썼지만 공사를 중단해야 했다. 5년 동안 이자만 3000억원이다. 그때까지 성사됐던 6조원짜리 수출 계약도 날아갔다고 한다.

원전엔 4대 기술이 있다. 대형 원자로 제조, 대형 터빈 제조, 150기압이 넘는 냉각 펌프 제조, 원전 제어 시스템이다. 중국엔 이 4대 기술이 부족하다. 근본적 한계다. 그런데 문재인 탈원전 이후 중국이 이 4대 분야 우리 기술자들을 빼 갔다. 원전에 관심을 가진 사우디도 400명을 빼 갔다. 속수무책이었다. 원전 제어 시스템을 이용한 원전 운영 용역도 큰 사업인데, UAE는 자신들이 하겠다며 한국에서 가져가 버렸다. UAE로도 많은 기술자가 넘어갔다. 모두 장인(匠人)급 인재다.

우리 후손까지 계속해서 이용할 수 있는 먹거리 시장을 한발에 걷어차고 임기내내 원전은 거론조차 못하게 하고 물러났다. 원전 산업을 선두에서 이끌었던 두산중공업이 한때 워크아웃이 거론될 정도로 힘들었는데 다시 시작할 수 있는 반전의 기회가 되기를 빈다.

러시아의 우크라이나 침공 이후 전 세계는 원자력 건설에 매달리고 있다. 우리에게 다시 기회가 오고 있다. 문재인 5년간을 허비하지 않고 계속 원전산업에 주력했다면 다른 나라에서 감히 범접할 수 없는 기술력으로 경쟁의 상대가 없었을 덴데 하는 아쉬움은 앞으로도 영원히 기억될 것 같다. 대통령은 정말 잘뽑아야 한다는 것을 문재인이 우리에게 확실하게 보여주고 떠났다.

이승만 대통령에게 처음으로 원자력발전을 소개한 미국인은 "에너지는 땅속만이 아니라 사람 머리에서도 나온다"고 했다. 머리에서 나오는 전기가 원자력이다. 무지와 무식으로 그 원자력을 짓밟고서 '그런 적 없다'고 딴청까지 부린다. 문재인 한국 원자력 역사가 피를 토할 일이다.

5. 독도영유권 확보

독도를 지킨 평화선포선은 이승만 대통령이 샌프란시스코 평화
조약 발효 일을 3개월 앞둔 1952년 1월 18일 구원 고시 14호
평화선 즉 '인접 해양에 대한 주권선언'을 발표했다.

평화선은 우리 인접 해안에 대한 주권을 처음으로 대외에 선포
한 것이며 어족자원을 확보하기 위한 자구책이었다. 미국은 일본
이 항복한 지 닷새 후인 1945년 8월 20일 일본의 어로수역을
연안으로부터 12마일 이내로 제한하는 조치를 발표했다.

이것이 소위 1차 맥아더 라인이다. 이 라인은 전쟁 전에 일본
선박이 세계 오대양 곳곳에서 분별없이 자행해온 남획을 사전에
규제하자는 것이 목적이었다. 근데 연합군 사령부는 어떤 인물인
지 맥아더 라인을 세 번에 걸쳐 연기해줘서 일본 어선들이 한국
근해와 마구잡이식 조업을 했다.

따라서 제주도와 흑산도를 중심으로 한 우리나라 남 서해 어장은 일본 어선으로 불야성을 이루고 있었다. 이렇게 되자 이승만 대통령은 손원일 해군 참모총장에게 "앞으로 맥아더 라인을 침범하는 외국 어선은 모조리 나포하라"라고 특명을 내렸다. 이를 기점으로 우리 해군은 일본 어선들을 잡아들이기 시작했다.

때마침 중남미 각국이 미국의 예에 따라 해양자원 보존 및 대륙붕에 관한 주권을 선언하고 나섰다. 이승만은 우리도 중남미처럼 하면 되지 않을까 판단하고 검토와 연구를 거친 끝에 평화선을 선포하게 되었다. 평화선에는 당연히 독도가 포함되었다. 일본의 반발과 충격은 컸다. 그들은 평화선을 이승만 라인이라 부르며 성명을 통해 공의 자유 원칙의 위배이자 독도를 라인에 놓은 것은 영토 침해라고 주장했다.

변영태 외무부 장관은 성명을 통해 한국의 태도를 분명히 밝혔다. "독도는 일본이 한국에 대한 침략의 최초 희생물이다. 해방과 함께 독도는 다시 우리 품으로 돌아왔다. 독도는 한국 독립의 상징이다. 이 섬에 손대는 자는 모든 한민족의 완강한 저항을 각오하라. 독도는 단 몇 개의 바윗덩어리가 아니라 우리 영해이다. 이것을 잃고서는 어찌 우리가 독립을 지킬 수 있겠는가? 일본이 독도를 탈취를 꾀하는 것은 한국에 대한 재침략을 의미하는 것이다."

이승만은 굳건하고 담대하게 독도에 대한 영유권을 확실히 해둠으로써 일본의 여러 차례 독도에 대한 도발에도 실효적 지배를 통해 우리 영토임을 분명히 했다.

독도는 동해에 있는 섬으로, 대한민국에서는 영유권상에 문제가 없다고 하고 있으나, 일본에서는 대한민국과 영유권 분쟁 중임을 주장하고 있다. 대한민국은 독도가 경상북도 울릉군에 속한다고 주장하며, 일본은 시마네(島根)현 오키(隱岐)군 고카(五箇)촌에 속한다고 주장하고 있다.

1952년 1월 18일 이승만 정부가 '인접 해양의 주권에 관한 대통령 선언'(평화선 선언)을 발표하면서 세칭 '평화선'안에 독도를 포함시킨 것을 계기로 독도가 한일간의 분쟁거리로 등장하게 되었다.

일본은 17세기에 자신들이 독도를 처음 발견하였고, 이후 그 주변수역을 실제로 전용함으로써 일본 영토로서의 원시적 권원(original title)을 가지게 되었으며, 1905년 2월에 시마네현 고시 제40호를 통하여 독도를 다케시마(竹島)로 명명하고 정식으로 영토편입 조처를 취함으로써 확정적 권원으로 대체했다고 주장하고 있다. 따라서 독도의 영토편입은 1905년에 완성된 것이며, 1910년에 합방된 한반도와는 무관한 별개의 대상이라고 주장하고 있다.

서양에서는 독도가 리앙쿠르(Liancourt)라고 알려져 있으나, 이는 1849년 프랑스 선박 리앙쿠르호가 독도를 발견하고 배의 이름을 따서 리앙쿠르, 리앙쿠르 록스(Liancourt Rocks)로 불리게 된 것에 연유한다.

1947년 8월 대한민국에서는 한국산악회 주최로 울릉도와 독도에 대한 1차 학술조사가 실시되었고, 1948년 8월 15일 대한민국 정부가 수립되면서 독도는 경상북도 울릉군 울릉읍 도동리 산 42

· 76번지로 행정구역이 정해졌다.

1951년 9월 일본과 연합국 사이에 체결된 샌프란시스코 강화조약 내용에서 일본이 권리를 포기해야할 한반도 소속의 섬으로 제주도, 거문도, 울릉도를 명시하고 있었으나, 독도는 다른 3167개의 도서와 함께 언급되지 않았다.

1952년 1월 18일 대한민국 정부는 '인접 해양 주권에 관한 대통령 선언'을 발표하면서 독도를 평화선 안에 포함시켜 보호하도록 하였다. 일본 정부는 이에 항의하면서 대한민국 정부에 독도에 대한 대한민국의 영유권을 부정하는 외교문서를 보냈다. 이때부터 독도는 국제사회에서 분쟁지역으로 보이기 시작했다.

1953년 1월 12일 한국정부는 평화선 안으로 출어한 외국 어선에 대한 나포를 지시하였고, 이후 일본 어선에 대한 총격과 나포가 잇따르게 되었다. 일본 정부는 한일 관계 정상화 이전까지 총 328척의 배가 포격 당하여 44명의 사상자를 냈으며, 일본인 3929명이 억류되었다고 주장하고 있다.

1953년 4월 울릉도 주민을 중심으로 독도 의용 수비대가 결성되었으며, 7월 대한민국 국회는 독도를 지킬 것을 결의 하였고, 1956년 12월부터는 대한민국 경찰이 경비 임무를 맡게 되었으며, 이후 독도에 대한 일반인의 출입이 금지되었다.

1953년 8월에는 독도 영토비가 건립되었고, 1954년 1월에는 영토 표지가, 8월에는 무인 등대가 설치되었다. 1954년 9월 25일 일본 정부는 국제사법재판소에 영유권 분쟁의 최종 결정을 위임하자고 대한민국 정부에 제안했으나, 대한민국 정부는 독도는 명백히 대한민국 영토이므로 이 문제를 국제사법재판소에 위임하는 것은 현명치 못하다고 판단하여 10월 28일 일본 정부의 제안을 거부하였다.

1965년 6월 대한민국 정부는 한일 국교정상화와 동시에 평화선에서 규정한 어업경계선을 대신하는 한일어업협정을 체결하였다. 여기에서 독도의 영유권 문제에 대하여는 한일 양국이 자신의 영토라고 서로 주장하여 이에 포함시키지 않았다.

1981년 8월 28일 새벽 5시 50분, 일본 해안보안청 소속 순시선 오키호가 한국 영해를 침범, 독도 등대 앞 동쪽 500m 해상까지 접근, 승무원 10여명이 10분간 쌍안경으로 독도 등대를 관찰하고 돌아갔다.

대한민국 정부는 1981년에 헬리콥터 이착륙 시설을 설치했고, 1993년에는 레이더 기지를, 1997년 11월에는 500t급 선박이 입출항 할 수 있는 접안시설과 어민숙소를 건설하였으며, 1998년 12월에는 유인등대를 설치하였다.

1998년 대한민국과 일본이 체결한 어업협정에서는 독도가 한일 배타적 경제수역 안에 위치하게 되었고, 이에 대해 독도의 영유권이 침해당했다며 헌법재판소에 헌법소원심판이 청구되었는데, 헌법재판소는 어업을 위해 양국이 정한 수역과 독도의 영유권 및 영해문제는 서로 관련이 없다고 이를 기각한바 있다.

2000년 3월 20일, 경상북도 울릉군 의회는 독도의 행정구역을 변경하는 내용의 조례를 통과시켜, 독도의 행적구역이 2000년 4월 1일부터 경상북도 울릉군 울릉읍 도동리 산 42 · 78번지에서

경상북도 울릉군 울릉읍 독도리 산 1 · 37번지로 변경되었다

2005년 1월 14일, 일본 시마네현 의회는 100년 전 독도를 일본 영토로 편입시키는 것을 고시했던 2월 22일을 '다케시마(竹島)의 날'로 정하는 조례안을 상정하였고, 3월 16일 이를 최종 통과시켰다. 대한민국 정부 이에 항의하였고, 2005년 6월 9일 경상북도 의회는 10월을 '독도의 달'로 하는 조례안을 가결시켰다.

대한민국은 1948년 정부 수립 이후부터 독도에 대한 실효적인 지배를 지속하고 있다. 대한민국 정부는 국제법상 평화적인 지배를 계속하는 것이 영토권을 주장할 수 있는 가장 확실한 근거라고 판단하여 독도에 대한 외교적 공론화를 피해 왔다.

대부분의 일본인은 독도 문제에 대하여 관심이 없었으나, 2000년대에 들어 한국으로부터의 독도 문제에 관련된 비판 등을 화제로 다루는 경우가 증가하였다. 일본의 여론조사에서는 '다케시마는 일본의 영토라고 생각한다'라는 의견이 다수를 차지하고 있으며, '다케시마의 날'에 대하여 일본 내에서 비판 의견은 소수이다.

일본의 언론도 2005년을 기점으로 독도 문제를 한일간의 현안만이 아닌 영토문제로 보도하고 있다. 2008년 2월 일본 외무성에서는 일본의 독도 영유권을 주장하는 책자를 발간하여 배포하였고, 이에 대해 대한민국의 동북아연구재단과 한국해양수산개발원에서는 반박 자료를 발표하였다.

2008년 7월에는 일본 정부가 중학교 사회 교과서의 학습지도요령 해설서에 독도를 일본 영토로 표기하였으며, 2012년부터 '다

케시마는 일본 고유의 영토'라는 내용을 교육시킬 것이라고 발표하여 대한민국 정부의 강한 항의를 받는 등 주권 침해의 논란이 되고 있다.

특히 좌파들이 이승만에게 유일하게 공로로 인정하는 것이 독도영유권 확보다. 참 많은 업적 중에서 그나마 독도영유권 마저 잘못된 선택으로 내몰기는 쉽지 않았던 모양이다.

(대마도 반환요구)

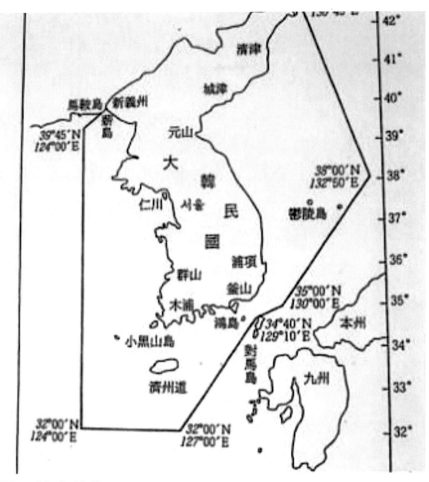

(독도영유권 선언)

6. 프랜체스카여사의 눈에 비친 이승만.

내 나이 어느덧 올해로 만 여든여덟, 나 자신 내세울만한 공덕도 없이 아들 인수 내외와 국민들의 보살핌 속에 이토록 행복한 여생을 보낼 수 있게 해주신 하나님께 감사를 드린다.

이제는 어서 동작동의 남편 곁으로 가야될텐데 염치없이 더 오래 살고 싶은 핑계가 생긴다. 남편의 소원이던 남북통일, 우리 손자들이 더 장성하여 장가가는 것, 그리고 남편의 사료 및 유품 전시관과 기념도서관이 건립되는 것 등을 지켜보고 싶은 욕심 때문이다.

사실을 그동안 많은 분들이 나에게 글을 써 달라고 부탁을 했었
지만 나는 늘 사양해 왔다. 그것은 내가 "여자란 말이 적어야한
다." (Woman should be seen not be heard)는 남편의 가르

침에 따라 살아 온 때문이다.

그러나 옆에서 며느리가 [건강장수 하셨던 아버님을 보필하시는 중에 그 생활이나 식사관리, 건강상의 비결같은 것을 이야기해 주실 수 있다면 우리 국민의 건강을 위해 여러가지로 도움이 될 듯 싶은데요]하고 조르는 바람에 나의 두서없는 말을 며느리가 받아 쓰기로 하여 이글을 시작한다.

생각해보면 지금으로 부터 55년전 1933년에 내가 리박사를 처음 만나게된 곳은 스위스 제네바의 레만호반에 있던 호텔 [드 라 뤼씨]의 식당이었다. 그 때 나는 어머님을 모시고 프랑스 빠리를 경유해서 스위스 여행을 하고 있었다.

그당시 리박사는 일본의 만주침략이 논의의 대상이 되고있던 국제연맹에서 일제의 학정을 또다시 받게된 만주의 한국동포들의 애절한 입장을 호소하고 국제연맹의 방송시설을 이용해서 [한국을 독립시켜야만 극동의 평화가 유지된다]고 역설하며 각국대표와 신문기자들을 만나는등 각방으로 활약중이었다.

우리가 이 호텔에 여장을 푼 이튿날 저녁식사를 하려고 4인용의 식탁에 어머니와 내가 단둘이 앉아 있을때 이미 만원이 된 식당에서 리박사도 식사를 하려고 앉을 자리를 찾고 있었다. 이때 지배인이 우리에게 와서 정중하게 [동양에서 오신 귀빈이 자리가 없으신데 함께 합석하셔도 되겠습니까?]하고 양해를 구해서 우리는 승락했다.

지배인의 안내를 받으며 우리가 앉아있는 식탁으로 온 리박사의 첫인상은 기품있고 고귀한 동양신사로 느껴졌다. 그는 프랑스어로 [좌성을 허락해 주셔서 감사합니다]하고 정중히 인사를 한뒤 앞자리에 앉았다. 그리고 곧 바로 메뉴를 가지고 온 웨이터에게 높은 신분으로 보였던 이 동양신사가 주문한 식단을 보고 나는 무척이나 놀랐다.

사워크라푸트라는 시큼하게 절인 배추와 조그만 소시지 하나와 감자 2개 그것이 주문한 메뉴의 전부였다. 당시 유럽을 방문하는 동양귀빈들의 호화판 식사와는 달리 값싼 음식만 골라 주문했기 때문이다.나는 왜 그런지 이 동양귀빈의 너무도 초라한 음식접시 에 은근히 신경이 쓰였다.

그리고 숙녀들에게 먼저 말을 걸어오는 서양신사들과는 달리 온

화한 표정으로 말없이 앉아서 웨이터가 음식을 가져오자 식사를 하기전에 불어로 "본 아뻬띠!맛있게 드세요!"하고 예의를 갖춘후 조용히 식사만 하고 있는 이 동양신사에게 사람을 끄는 어떤 신비한 힘이 있는 것 같이 느껴졌다.

무의식 중에 나는 이 분의 식사하는 모습을 바라보다가 그만 눈이 마주치게 되어 무안해서 미소를 마금고 "동양의 어느 나라에서 오셨느냐?"고 물어 보았다.

그분은 힘있게 [코리아]라고 대답했다.
나는 여행하기 직전에 우리 독서클럽에서 보내주어 읽어있던 [코리아]라는 책속의 [금강산]과 [양반]이라는 한국말이 생각났다.내가 [코리아에는 아름다운 금강산이 있고 양반이 산다지요?]하고 말했더니 그분은 무척이나 놀라면서 반가와했다.

그때만 해도 한국을 알아주는 외국인이 드물었고 또 알아도 일본의 악선전으로 잘못된 인식을 가졌기 때문에 내가 자기 조국 [코리아]를 그것도 아름다운 금강산을 알고 있다는 사실이 그분을 무척 기쁘게 한것 같았다.

그때 지배인이 베른에서 온 기자가 그를 찾아왔다고 전했다.
그러자 그 분은 [덕택에 즐거운 시간을 가졌습니다. 실례합니다.]하고 급히 자리를 떴다. 다음날 나는 신문에 실린 그분의 사진과 신문 한면을 온통 차지하고 있는 장문의 인터뷰 기사를 보았다. 그분은 [한국이 독립해야 아시아의 평화는 이룩될 수 있다]고 열렬히 주장하고 있었다. 별생각 없이 나는 그 기사를 오려 봉투에 담아서 내 이름은 쓰지 않은 채 그분에게 전해달라고 호텔 안내에게 맡겼다.

그런데 답장이 왔다.

[나에 관한 신문기사를 보내주신 친절에 감사드립니다. 리승만]
다음날 다른 신문에 한국독립에 관한 기사가 또 실려서 보내드
렸더니 답례로 차 대접을 하겠다고 했다. 처음에는 사양하다가
나는 그분과 함께 아름다운 호수를 바라보면서 담소를 나눌 기
회를 얻게 되었다.

그분은 어려운 여건 속에서 정식국적과 여권도 없이 동분서주하
며 잃어버린 조국의 독립을 회복하기 위해 밤낮을 가리지 않고
일하면서도 지칠 줄 몰랐다.

58세의 나이에 어울리지 않게 넘치는 정열과 젊음을 지닌 한국
의 독립투사와 얘기를 나누면서 나는 조금씩 마음이 끌려갔다.
나는 어머니의 따가운 눈총을 느끼면서도 외로운 한국 독립운동
가의 바쁜 일손을 돕기로 했다. 나는 이 당시 33세로 영어통역
관 국제자격증을 가지고 있었고 속기와 타자가 특기였다.

나는 어려서 의사가 되는 것이 꿈이었다. 그러나 아버지의 사업
을 물려받을 아들이 없었기 때문에 우리 부모님은 세 딸 중 막
내인 나를 남자처럼 강인하게 훈련하여 사업을 계승시키려고 나
를 상업전문학교에 보내고 언어 수업을 위해 스코틀랜드에 유학
까지 가게 했다. 그러나 나는 그동안 연마해온 나의 특기를 가
지고 자금과 일손이 한없이 필요했던 이 항일 독립투사를 위해
무료봉사를 자청한 것이었다.

한편, 나의 어머님은 무엇보다도 가난한 한국의 애국자에게 마음
을 쓰며 성심껏 봉사하는 딸이 못마땅하였다. 더욱이 시간과 경

비를 줄이기 위해 식사 대용으로 날달걀에다 식초를 타서 마셔 가며 독립운동을 하는 저명인사가 별로 달갑지 않은 것이었다.

나의 어머님은 예정을 앞당겨 곧바로 나를 데리고 [빈]의 집으로 돌아왔다. 일부러 그분과 작별할 시간도 주지 않았다. 그래도 나는 어머니 몰래 그분이 제일 좋아하는 김치 맛이 나는 사워크라우트 한 병을 그분에게 전해주도록 호텔 고용인에게 맡기고 떠났다.

그 후 나는 어머니의 감시를 피해 아메리칸 익스프레스회사를 수신처로 하여 제네바의 그분과 서신 연락을 했다. 바로 그 해 7월 초 모스크바로 가는 길에 비자를 받으러 [빈]에 왔던 리 박사와 나는 다시 만날 수 있었다.

그분은 한국의 독립문제로 만날 사람이 많아 늘 바빴고 나도 어머니의 감시 때문에 우리가 서로 만나기는 쉽지 않았다. 그렇지만 우리는 [빈]의 명소와 아름답고 시적인 숲속을 거닐기도 했다. 어린 소년처럼 순수하고 거짓 없는 그분의 성실한 인품은 나에게 힘든 선택을 하도록 용기를 돋우어 주었다.

나는 [사랑]이라는 아름답고 로맨틱한 한국말을 알게 되었고 조용한 아침의 나라를 동경하게 되었다. [나이가 지긋한 동양 신사라 아무 탈이 없을 줄 알고 합석을 했더니 내 귀한 막내딸을 그토록 멀리 시집을 보내게 된다니] 하며 회한 섞인 한숨을 지으시는 어머니와 가족들의 반대를 무릅쓰고 결국 나는 그분과의 결혼을 결심했다.

나는 수많은 고통의 나날과 어려움을 극복하고 다음 해인 1934년 10월 8일 하오 6시 30분 뉴욕의 몬트클레어 호텔 특별실에서

윤병구 목사님과 존. 헤이즈·홈스 목사의 합동 주례로 결혼식을 올렸다.

그런데 이번에는 그분의 동지들과 동포들이 외국 여성과 결혼했다고 해서 그에 대한 실망과 반발이 이루 말할 수 없이 컸다. 그때 우리들의 인간적 고뇌가 얼마나 깊고 컸는지 모른다….

사랑하는 가족과 동포들의 축복을 받지 못한 채 결혼했기 때문에 우리에게는 남다른 고충과 애로가 한둘이 아니었고 고생을 해보지 않은 나는 남몰래 눈물도 많이 흘렸다. 모든 것을 참고 이해와 믿음으로 극복하며 노력 함으로써 온갖 어려움을 이겨낼 수 있었다.

남편은 그간 해외에서 30여 년을 독신으로 독립운동을 하면서 사과 한 개로 하루를 견디며 끼니를 거를 때가 많았다. 심지어는 생일날 굶은 적도 있었다. 그러나 결혼 후에는 생일날만은 꼭 미역국과 쌀밥과 잡채와 물김치를 차려서 기쁘게 해 주었다.

무엇보다도 집에서 아내가 만들어주는 규칙적인 식사를 할 수 있게 된 것을 그분은 무척이나 기쁘게 생각하며 감사했다,

지금 와서 회상해보면 우리들의 신혼생활은 행복했지만 온 민족의 사랑과 기대를 한 몸에 받고 있던 독립투사의 국제결혼에는 남다른 어려움과 말 못 할 사연이 많았다.

특히 결혼 직후 나를 가장 서글프게 했던 일은 하와이 교포들이 나의 남편에게 [혼자만 오시라]고 초청 전보를 보내왔을 때였다.

그분을 보필했던 동지들이 [서양부인을 데리고 오시면 모든 동포가 돌아설 테니 꼭 혼자만 오시라]는 전보를 두 번씩이나 보내왔을 때 나는 수심 가득한 친정어머니의 얼굴을 생각하면서 남몰래 눈물도 많이 흘렸다.

그러나 자기 소신대로 행동하는 남편은 하와이 여행에 서양부인인 나를 동반해주었다. 남편은 하와이로 가는 배 안에서 몹시 마음을 죄고 있는 나에게 [이번에는 우리를 환영해 줄 동지가 아무도 없겠지만 다음 여행 때는 달라질 것]이라고 위로해 주었다.

그런데 [이 박사가 서양부인을 데리고 온다]는 소식을 듣고 수많은 동포 구경꾼들이 부두에서 우리를 맞아주었다. 그리고 이 박사가 데리고 온 서양부인에 대한 동포들의 호기심과 궁금증이 얼마나 대단했던지 그 당시 하와이에 있던 한국 동포 1천 명 이상이 모여 큰 잔치를 벌이게 되었다.

이 뜻밖의 모임에서 우리 부부에 대한 동포들의 노여움이 다소 풀린 것 같았다. 우리가 하와이에 머무는 동안 동포들은 자기 집으로 우리를 초대하거나 맛있는 한국 음식과 김치를 보내주기도 하였다. 나는 이때 처음으로 김치와 고추장을 먹어보고 그 매운 맛에 정말 혼났다. 김치도 매웠지만, 고추장은 입안에서 폭탄이 터지는듯한 느낌이었다. 그렇지만 김치와 고추장은 남편이 가장 좋아하는 한국 음식이기 때문에 만드는 법을 자세히 배워두었다가 집에 돌아오자 나는 곧 김치부터 담가보았다.

내가 담근 첫 번째 김치맛은 남편의 칭찬을 받을 정도로 성공작이었으나 고추장은 실패작이었다. 이후로도 내가 담근 김치는 남편은 물론 당시 장기영 씨와 임병직 씨를 위시한 한국 손님들의 인기를 독차지했었다. 지금의 유학생들과는 달리 김치를 담가 먹기 힘들었던 한표욱 씨 같은 동포 유학생들에게도 나는 김치를 담그면 가끔 나누어 주었다.

우리가 신혼생활을 시작할 무렵 남편은 나에게 [한국의 남자들은 부엌에 들어가서 아내를 도와주는 일은 하지 않는다]고 말해주었다. 나도 친정에서 [정숙한 부인은 남편으로부터 부엌일을 도움받아서는 안 된다]는 가르침을 받고 자랐다고 말했더니 그분은 무척 대견해 하였다.

그 당시 나의 친정이 있는 오스트리아 빈에서도 남편들은 미국 남자처럼 부엌에 들어가서 아내 일을 도와주는 일은 없었다. 그리고 한국에서는 남편이 아내를 칭찬하거나 아내가 남편을 칭찬해서는 안 된다고 그분은 여러 번 나에게 일러주었다. 아무튼, 남에게 남편에 관한 이야기는 일절 하지 않는 것이 좋고 그것이 현명한 아내의 도리라고 그분은 나에게 말해주었다.

신혼 초에 우리는 미국의 각 지방을 돌아다니며 동포들을 방문했다. 그때 윤치영씨 내외를 방문했었는데 윤치영씨 부인이 내게 예쁜 한복을 선사해서 입어보니 참으로 잘 어울렸다. 한복을 입은 내 모습을 보고 남편은 무척 흐뭇해하였고 나도 한복의 아름다움을 절실하게 느꼈다. 그 이후 내가 한복을 즐겨 입게 된 것은 물론이다.

그리고 그보다 앞서 우리의 결혼식 때 나에게 한복웨딩드레스를 지어 입도록 부탁한 남편의 뜻을 따라 남궁엽씨 부인과 내가 친정에서 가져온 하얀 천으로 한복을 만들다가 그만 실패해서 마음 아팠던 일도 잊히지 않는 추억이다.

다행히도 아들 인수가 결혼식을 올릴 때 신부가 아름다운 한복 웨딩드레스를 입은 사진을 보면서 나는 얼마나 돌아가신 남편 생각이 났는지 모른다. 나는 모든 한국의 아름다운 신부들이 서양식 웨딩드레스보다는 한복웨딩드레스를 입는다면 얼마나 더 사랑스러울까 하고 생각해 본다….

신혼 시절 남편과 내가 방문했던 미주의 우리 동포들은 대부분 생활이 어려웠다. 어떤 집에서는 먹을 것이 없어서 젖을 빨리고 있는 엄마와 아기가 다 영양실조에 걸린 것을 보게 되었다. 나는 그때 너무나 가슴 아파하던 남편의 모습을 지금도 잊을 수가 없다.

그리고 그토록 어려운 생활 속에서도 오직 나라의 독립을 찾겠다는 일념으로 독립운동 자금을 모아서 보내는 한국 동포의 뜨거운 애국심에 나는 절로 머리가 숙여졌다. 그리고 한국의 독립운동가로 유명한 남편이 왜 3등 열차나 3등 선실만을 골라서 타고 다니며 그토록 오랫동안 필사적인 독립투쟁을 계속하였는지 이해할 수 있게 되었다.

우리의 신혼살림도 어렵기는 마찬가지였지만 우리는 그런대로 행복했다. 남편은 가끔 나에게 [적게 먹고 재치있는 여자로 생각되어 아내로 맞았다]고 농담을 했다. 잠시도 쉬지 않는 부지런한 성격에다 건강하고 패기에 넘치는 59세의 신랑에 비해 34세밖에 안 된 나는 신경성 위병에다 변비로 신혼 초에 고생하였다.

그러나 결혼 후 매일 새벽 남편이 권하는 냉수를 마시고 하나님께 모든 것을 맡기는 신앙으로 마음의 안정을 얻고 보니 내 병은 완쾌되고 건강도 좋아졌다. 결혼 초부터 남편과 나는 매일 새벽 함께 성경을 읽고 하나님께 기도드리는 생활을 했다. 성경을 읽고 기도하는 생활은 남편이 독립운동을 할 때나 대통령직에 있을 때나 하와이 병실에서 돌아가실 때까지 한결같이 계속되었다. 지금은 남편과 함께 보던 성경을 우리 아들, 며느리와 손자들에게 가끔 읽어주곤 한다….

우리가 결혼하자 남편의 비공식 여권을 내줄 때마다 신경을 써야 했던 미국 국무부의 미시즈 시플리는 지겨운 나머지 나에게 남편을 설득하여 미국시민권을 받도록 하라고 말했으나 남편의 대답은 한결같았다. [한국이 독립할 것이니 기다려 주시오] 그리하여 나는 남편의 조국독립에 대한 집념과 그 누구도 범할 수 없는 한국인 특유의 위엄과 민족적 자부심에 언제나 압도당하는 것이었다.

지금은 아름다운 추억이 됐지만, 그분과 결혼하러 빈에서 미국으로 건너갈 때도 나는 입국비자를 얻기 위해 남다른 고충을 겪어야만 했다. 그분이 끝까지 미국시민권을 거부했기 때문이었다. 이 당당한 무국적인 남편과 내가 이로 인해 겪은 고초는 그분이 대한민국 건국을 이룰 때까지 계속되었다.

일본이 내건 30만 달러의 현상금이 목에 걸린 채 비공식 여권을 가지고 독립을 쟁취하기 위해 하와이와 상해, 제네바, 모스크바 등 오대양과 각 대륙을 종횡무진 나그네 생활을 하였었다. 그리고 중국인 시체를 운반하는 배 안에 누워서 태평양을 건넌 적도 있었다.

서른 살에 고국을 떠나 외국에서 30여 년을 줄곧 독신생활을 해온 남편은 신혼 시절 내가 마련한 규칙적인 식사시간을 지키는 일이 쉽지 않았다. 나는 모든 지혜를 총동원하여 남편의 비위를 건드리지 않고 그분이 규칙적인 식사를 할 수 있도록 최선을 다하였다. 남편이 가정의 규칙적인 식사시간을 엄수하게 되기까지는 오랜 시간과 인내가 필요했다는 것을 고백한다. 맨 처음 내가 한국에 왔을 때도 나는 남편이 규칙적인 식사시간을 지키려고 최선을 다했고 이 일로 인해 남의 빈축도 샀고 남편으로부터 여러 번 책망을 들었던 기억이 난다….

프린스턴대학에서 박사학위를 받았지만, 남편은 늘 학생처럼 열심히 단어를 외우며 꾸준히 공부했다. 나와 결혼한 후 80이 넘을 때까지도 남편은 계속 공부를 하며 틈나는 대로 붓글씨를 연습하는 성실한 노력가였다. 남편이 붓글씨를 연습할 때는 언제나 내가 곁에서 먹을 갈아드렸다. 초인적인 정신력과 함께 쉬지 않고 노력하며 일하는 남편은 아프거나 늙을 틈도 없는 것 같았다.

가난한 독립운동가

사업가 집안의 막내딸로 자란 나에게는 낯선 미국에서의 궁핍한 결혼생활이 힘들었지만 보람 있는 것이었다. 생활이 아무리 어려울 때라도 남편은 언제나 그분 특유의 유머로 사람들을 곧, 잘 웃기고 여유를 보이는 낙천가였다. [굶을 줄 알아야 훌륭한 선비이며 봉황은 아무리 배고파도 죽순 아니면 안 먹는다]는 한국의 엄격한 가정교육을 받았던 남편으로부터 나는 가난한 생활을 품위 있게 이겨내는 지혜와 절도를 배웠다.

한국독립지도자의 위신을 지키며 모든 면에서 남모르는 내핍생활을 지속했던 독립운동 시절에 우리는 하루 두 끼를 절식할 때도 있었다. 나와 단둘이 식사할 때는 남편은 늘 기도를 했다 [우리가 먹는 이 음식을 우리 동포 모두에게 골고루 허락해 주시옵

소서] 하루 한 끼의 식사에도 감사하며 머리 숙여 기도하는 남편이 측은하게 느껴져서 목이 멘 일이 이제는 먼 옛날얘기가 되었다.

신혼 시절의 내 꿈은 하루속히 한국이 독립되어 고달픈 독립운동가의 떠돌이 생활을 청산하고 안정된 생활을 할 수 있도록 아담한 내 집을 갖는 것이었다.

지금도 겨울에 눈이 많이 내릴 때면 워싱턴에 살던 시절 남편과 함께 눈을 치우던 일이 생각난다. 우리는 이웃집 고용인들의 눈에 띄지 않게 새벽 3시에 일어나서 집 앞의 눈을 치웠다. 그 당시 주인이 직접 눈을 치우는 집은 우리 집 단 하나뿐이었다. 아무리 고된 일이라도 남편과 같이했던 일은 내 가슴속에 즐거운 추억으로 되살아난다….

독립운동하느라 밤낮없이 넓은 미국 땅을 누비고 다닐 때였다. 남편은 이곳저곳의 강연시간과 방송이나 신문기자와의 약속 시각에 대느라고 운전대만 잡으면 과속으로 차를 몰아 태풍처럼 질주했다.

그의 과속운전은 먼 거리를 짧은 시간에 가야 하는 바쁜 일정 때문이기도 했지만, 마음껏 달려야만 직성이 풀리는 혁명가적 기질 탓으로 보였다.
워싱턴의 프레스클럽에서 연설하기 위해 남편이 차를 몰고 뉴욕에서 워싱턴으로 달리던 때의 일이다. 시간이 매우 급했기 때문에 남편은 그 격렬한 과속운전 솜씨를 발휘하기 시작했다.

나는 조심스러워서 과속을 제지했지만, 남편은 아랑곳없이 대낮에 헤드라이트를 켠 채 신호를 무시하고 논스톱으로 마구 달렸다.

곧 두 대의 기동경찰 오토바이가 사이렌을 울리며 우리 차의 뒤를 따라왔다. 남편은 더욱 무섭게 속력을 내며 달렸다. 나는 간이 콩알만 해지고 등과 손에 땀이 나다 못해 새파랗게 질렸으나 남편은 태연하고 의기양양했다.

뉴욕에서 워싱턴으로 끝까지 따라왔던 두 대나 되는 기동경찰의 오토바이에 붙잡히지 않은 채 남편의 차는 정시에 프레스클럽 강연장에 도착했다.

남편이 연단에 올라서서 열변을 토하며 청중들을 웃기기도 하고 울리기도 하며 수십 번 박수갈채를 받았다. 강연장 입구에서 남편이 나오기를 기다리며 벼르고 있던 두 대의 기동경찰도 어느새 열렬히 박수를 보내고 있었다. 아마 그들도 남편의 연설에 무척 감동된 모양이었다. 연설을 끝내고 나오는 남편을 붙잡을 생각도 않고 나에게 다가와서 한마디 충고를 해주었다.

[기동경찰 20년에 우리가 따라잡지 못한 유일한 교통위반자는 당신 남편 한사람뿐이오. 더 일찍 천당 가지 않으려면 부인이 단단히 조심시키시오] 하고 그들이 남편을 향해 승리의 신호를 보내고 웃고 돌아가자 나는 그제야 정신이 들었다.

이때부터 자동차운전만은 꼭 내가 해야 하겠다고 나는 마음속으로 결심했다. 그리하여 나는 남편으로부터 자동차운전을 배웠다. 목적지에 도착해서야 겨우 [살았구나] 하고 정신이 드는 남편의 차에는 나 이외엔 누구나 타기를 꺼렸다. 그러나 내가 운전할 때는 비단결처럼 곱게 몬다고 남편은 나를 [실키 드라이버]라고 불렀다.

운전대를 잡으면 폭풍처럼 격렬하게 달리지만, 붓글씨를 쓰거나 시를 지을 때는 남편은 잔잔한 물결처럼 조용했다. 늘 젊고 건강했던 남편의 특이한 성품은 무엇에나 열중하면 그 일에 완전히 빠져 버렸다. 책을 보거나 붓글씨를 쓸 때 한번 정신을 집중하면 옆에서 창문이 깨져도 몰랐다.

일평생을 온갖 풍상 다 겪으며 해외에서 독립투쟁을 해온 남편이 그토록 건강했던 것은 늘 자연을 벗 삼아 자유롭게 지내는 어릴 적부터의 생활습관과 편안하고 욕심 없는 마음가짐 때문이 아니었나 생각된다….

낚시질 할 때는 고기를 낚아서는 도로 놓아주고 오직 낚시질만을 즐겼다.
남편이 항상 낚은 고기를 도로 물에 놓아주는 것을 이상하게 여긴 사람들은 [왜 애써 잡은 고기를 놓아주느냐??]고 묻기도 했다. 그러면 남편은 [나는 고기를 잡으려고 낚시질을 하는 것이 아니라 낚시를 즐기려고 낚시질을 한다]고 설명해주었다.

항상 바쁜 일정을 나누어 주말이면 남편은 한국 학생이나 동지들과 낚시하러 포토맥강 변이나 호숫가로 나갔다. 미국에서 낚시할 때면 남편은 가끔 한강 변의 광나루 낚시터 이야기를 해 주었다. 나와 함께 미국 각지를 돌아다닐 때도 남편은 늘 자기고향의 아름다운 풍경과 정겨운 이야기를 들려주었다.

어려서 연날리기하며 뛰어놀던 남산과 복숭아꽃이 만발하던 고향 집과 동네 과수원에서 친구들과 함께 따먹던 복숭아와 사과 얘기를 할 때는 마치 소년 같았다. 어디 가나 남편은 철 따라 나무와 꽃 가꾸는 일을 열심히 하였다. 남편이 어찌나 나무와 꽃을 사랑하고 잘 가꾸는지 일류 정원사들이 감탄할 정도였다. 남편을 아는 수목 전문가들은 자기들이 모르는 일을 남편에게 물어오기도 했다.

남편은 늘 한국의 어린이들에게 [사람은 흙을 밟으며 흙냄새를 맡아야 건강하게 오래 산다]고 하면서 [항상 우리나라의 나무와 흙을 사랑하고 자연을 벗하라]고 일러주었다. 남편은 미국이나 하와이의 동포 어린이들과 함께 <아리랑>과 <도라지타령>을 잘 불렀고 노래를 가르쳐주기도 했다.

[삼천리 반도 금수강산 하나님 주신 동산/ 이동 산에 할 일 많아 사방에 일꾼을 부르네/ 곧 이날에 일 가려고 누가 대답을 할까/ 일하러 가세 일하러 가 삼천리강산을 위해/ 하나님 명령받았으니 반도 강산에 일하러 가세.]

남편은 늘 [욕심내고 화내고 남을 미워하는 것이 건강에 제일 해롭고, 항상 기뻐하고 감사하며 남을 먼저 생각하는 사람은 늙지 않는다]고 말했다. 건강을 유지하는 최선의 비결은 언제나 마음을 편안히 갖고 잠을 잘 자는 것이라고 남편은 말해주었다. 미국에서 남편은 많은 사교모임에 나갔지만, 술과 담배는 일체 입에 대지 않았다.

청년 시절 집안 어른들로부터 술 마시는 법을 배웠다는데 구국운동할 때부터 술과 담배를 끊어버렸다고 했다. 그러나 해방 후 귀국해서 가끔 윤석오씨와 이기붕 씨 집에서 정성껏 담가 보낸 막걸리를 [불로장수 주]라고 남편은 나에게도 조금씩 권하며 즐긴 적은 있었다.

그러나 6·25전쟁 후 [굶는 국민이 있는데 어찌 쌀로 만든 막걸리를 마실 수가 있겠는가]고 막걸리는 물론 다른 술도 입에 대지 않았다. 언젠가 어느 애주가 친척이 와서 나에게 [만일 대통령이 술을 좀 마셨더라면 한국의 역사가 더 나은 방향으로 발전되지 않았겠느냐??]고 말한 적이 있었다. 그러나 나는 술과 담배가 건강에 좋다고 생각하지 않으므로 우리 역사에도 보탬이 됐으리라고는 생각지 않는다.

남편은 가슴에 울분이 쌓이면 장작을 열심히 팼다. 장작 패는 일은 남편이 젊었을 때부터 해왔다고 했다. 약소민족의 지도자로서 나라 없는 설움과 냉대를 받으며 강대국의 횡포에 시달려 온 남편에겐 장작 패는 습관이야말로 쌓인 스트레스를 풀어주고 건강을 지켜준 비결이 아니었나 여겨진다. 화나 울분은 참는 것보다 빨리 풀어야 건강에 좋다고 한다. 독립운동하던 시절이나 대통령 재임 시나 남편은 틈나는 대로 나와 함께 맨손체조를 하거나 산책을 했고 정구를 즐겼다. (이승만 대통령 부인 프란체스카 여사의 회고록 중 일부)

2부 -過(과)의 부분

1. 남북분단의 책임자

이승만은 '46년 6월 3일 전라북도 정읍에서 열린 자신의 환영강연회에서 남한만의 '단독정부 수립론'을 공식으로 제기했다. 남북한 정치지도자 중에서 나온 최초의 분단 정권 수립론이다.

이승만의 정읍 발언은 가히 폭탄선언이었다. 비록 신탁통치 문제로 좌우가 분열되고 미소 공동위원회가 성과 없이 결렬 상태에 놓였으나 아직 누구도 분단 정권을 세우자고 나서지 못하는 상황이었다. 영구 분단으로 갈지도 모르는 일이었기 때문이다.

실제로 이승만은 그 측근들과 정읍 발언 이전에도 몇 차례 단독정부 수립론을 언급했다. 이승만은 5월 10일 미소 공동위원회가 휴회 상태에 들어가자 "자율적인 정부 수립에 대한 원성이 높은 모양이라며 하루빨리 정부가 수립되기를 갈망한다."라고 발언했다.

이승만은 '46년 초반부터 미소 협력은 불가를 내세워 단독정부 노선, 북진통일 노선을 측근들에게 공언했다. 미국 언론계와 정계에 있는 지인들은 물론 자신의 로비활동 단체들을 동원하여 미국 정부와 여론을 움직였다. 보다 강력한 대소련 정책과 반공주의 남한 단독정부 수립 여론을 고양 시키는 것이었다.

이승만은 미 국무성에 6개월 이내, 남한의 단독정부 수립 안을 제시했다. 첫째 그 안에는 양분된 한국이 통일되어 그 후 총선거가 시행될 때까지 남한의 임시정부가 수립되어야 한다.

둘째 한국에 대한 미소 양국 간의 협상이 결렬됨에 따라 임시정부는 유엔의 승인을 받아야 하며 미 정부는 한국의 점령 및 기타 현실문제에 관하여 미국 및 소련과 직접 협상할 수 있도록 한국의 주장이 검토되어야 한다….

세 번째 남한의 경제재건을 원조하기 위해 일본에 대해 배상을 요구하는 한국의 주장이 검토되어야 한다.

넷째 한국 통화는 국제적인 교환 원칙에 따라 안정되고 확립되어야 한다..
다섯 번째 미국과 타국에 동등한 원칙에 따라 또 어떤 국가에 대하여 편중 없이 완전한 통상 권한이 한국에 허용되어야 한다.

여섯 번째 미군은 미소 양국의 점령군이 동시에 철수할 때까지 남한에 주둔해야 한다.

1947년 9월 미국은 한반도 신탁통치안을 포기하고 한국 문제를 유엔에 이관했다. 이것은 이승만 에게는 대단히 유리한 국면이었다. 그는 이 기회를 놓치지 않았다.

선거를 위해 유엔 임시위원단이 1월 7일 입국하고 북한은 남북한 총선거를 받아들이지 않는다면서 이승만은 이 자리에서 유엔과 협의 하에 "먼저 남한의 총선거를 실시함이 옳다"는 주장을 했다.

이승만의 한민당은 남한만의 단독정부 수립을 주장하고 김구의 한독당은 양군철수 뒤 남북한 총선거로 맞섰다. 김구는 이를 위해 3월 8일 남북협상론을 재개했다.

이런 가운데 김구는 '3천만 동포에게 읍고 함'이라는 장문에 성명을 발표 "통일된 조국을 건설하려다 38선을 베고 쓰러질지언정 일신의 구차한 안위를 위해 단독정부를 세우는데 협력하지 않겠다.". 고 단호히 선언하고 이어서 "한민당은 미 군정 하에서 육성된 미 군정의 앞잡이이며 매국매족의 일진회식 선각자"라고 신랄하게 비판했다.

나는 통일된 조국을 건설하려다가
38도선을 베고 쓰러질지언정……

삼천만 동포에게 읍고함
1948년 2월 10일. 백범 김구

김구와 김규식은 분단 정권 수립을 막기 위한 마지막 수단으로
북한의 김일성과 김두봉에게 '남북요인회담'을 제의했다. 4월 27
일부터 30일 사이에 평양에서 남북정당 사회단체 대표자 합동회
의가 열렸다.

삼천만 동포에게 읍고함

친애하는 3천만 자매형제여!

......

한국이 있어 한국사람도 있고, 한국사람이 있고야
민주주의도 공산주의도 무슨 단체도 있을 수 있는 것이다.
그러면 우리의 자주독립적 통일정부를 수립하려 하는 이
때에 어찌 개인이나 자기집단의 사리사욕에 탐하여 국가
민족의 백년대계를 그르칠 자가 있으랴.

......

마음속의 38선이 무너져야 땅위의 38선도 철폐될 수 있다.

......

나는 통일된 조국을 건설하려다가 38선을 베고 쓰러질지언정
일신의 구차한 안일을 위하여 단독정부를 세우는 데는
협력하지 아니하겠다.

......

나의 애달픈 고충을 명찰하고 명일의 건전한 조국을 위하여
한 번 더 심사하라

남측에서는 김구 김규식 조소앙 조완구 홍명희 김봉준 엄항섭
북측에서는 김일성 김두봉 최용근 박헌영 주영아 허은 백남훈
등이 참석했다.

이날 남북요인회담은 해방 뒤 좌, 우익과 중도파 인사들이 한 자리에 모여 외국군을 철수시키고 통일 민족국가를 수립하고자 하는 최초이자 최후의 모임이었다. 남북협상에 비판적인 이승만과 소련군에 감금된 조만식은 불참했으나 15명의 요인으로 구성된 그야말로 남북지도자들이 한자리에 모이게 된 행사였다. 그러나 남측은 미 군정과 이승만, 북측은 소련군의 반대로 회담은 무산되었다.

그리고 남한의 선거가 이루어 지기 전 김일성은 남한의 김구에게 '통일 대통령으로 모시겠다'라고 하며 '남북 제정당 사회단체 연석회의'를 개최하여 남한 내에 남·남 갈등을 일으키는 데 김구를 이용하였고 국제정세와 공산주의자들에 대한 전략에 미숙했던 김구를 비롯한 '남북협상파'는 결국 김일성에게 이용만 당하고 돌아왔는데 장개석이 비밀 파견한 '유어만'과 나눈 대화에는 김구가 북에서 보고 돌아온 상황이 나와 있었는데 북한의 군대가 내려오면 남한은 막을 수가 없다는 대화 내용이다.

이것은 김구가 북한이 내려오는 것을 예측하였고 대한민국이 이승만 주도로 남한 단독 정부수립 되는 것을 반대 한다는 의미이고 남한이 북한의 침략에 진다는 것을 알고 북한이 내려오는 것을 속으로는 환영한다는 뜻이다. 그것은 김일성이 '통일 대통령은 형님이 맡아야'라는 말에 완전히 넘어간 것이다. 김구의 민낯이 들어난 셈이다

북한을 다녀온 '남북협상파'는 대한민국의 건국을 반대하고 '조선 정치 정세에 관한 결정서' 문서에 사인한다. 북한에 참석했던 모든 정당 사회단체가 사인했는데 내용이 무엇일까?

북한을 민주기지로 삼아서 남한도 같은 민주개혁을 추진해야 한다고 하는 내용의 성명서다. '남한도 북한과 같이 소비에트화 시키겠다' '공산화 하겠다'라고 하는 문서에 사인한 거다

그러면서 5/30일에 돌아오면서 "UN 군대가 철수해도 북한은 절대 남침하지 않는다"라고 공개적으로 발언을 한다. 공개적으로 한 발언은 북한이 침략하지 않는다는 것이고, 중국 장제스의 대리대사 유어만과 비밀회담은 북한이 내려온다고 얘기하고 있다.

완전히 김구는 이중적이고 위선자였다.

과연 대한민국을 위해 노력했던 진짜 지도자는 누구였을까요? 지난 70년은 대한민국에서 거짓이 진실이 되어버린 역사였다. 우리의 역사를 정직하게 평가하역사적 인물에 대한 확실한 검증과 분석을 통해 바로 세워야 한다.

가장 중요한 것은 문서의 기록과 자료에 기초한 평가다. 객관적인 분석을 위해서는 중요한 역사적 자료를 찾아내고 복구하는 노력이 필요하다.

1950년대의 수준 높은 자료는 여전히 부족하고 2차대전 이후 신생 국가 중에서 민주주의를 바로 도입해서 성공한 사례는 없다. 민주주의를 하기 위해서는 기본적인 준비 과정이 필요한데 먼저는 교육을 받아야 하고 사회적 경제적 제도 완비가 되어야 한다. 그런 면에서 50년대 혼란은 너무나 당연하다.

-김구에 대해서 좀 자세하게 알아보자

김구는 김자점의 손자. 김자점은 능지처참의 효시• 김자점은 인조반정에 공을 세워 영의정이 되었고, 왕을 제치고 독재를 했다. 효종과의 관계가 껄끄러워지자 효종의 북벌계획을 청나라에 밀고해 능지처참을 당했다. 김자점이 능지처참의 효시가 된 것이다. 그의 손자 김구 역시 김일성이 가장 아끼던 간첩 성시백에 포섭돼 북으로 밀행하여 1948년 4월 22일 김일성 정부 수립 행사에서 남쪽은 거지이고, 북쪽은 풍요로운 곳이라며 김일성을 위한 찬조 연설을 했고, 이후 이승만이 하는 일에 사사건건 시비를 걸었다. 건국 후에도 건국을 부정하다가 안두희 총을 맞았다.

김창수, 김구의 본명이다. 김창수 역시 '국가를 배신하고, 적장에 충성했던 김자점'처럼 똑같이 반역했다. 김자점은 능지 처참당했지만 김구는 청년 장교 안두희의 총에 맞아 사망했다.

- 백범일지는 왜곡된 설화
 많은 사람이 백범일지를 읽고 속는다. 백범일지는 춘원 이광수 작이다.
이광수의 글재주는 생쥐를 '백두산 호랑이'로 만드는 능력이 있다. 백범일지의 대표적 거짓말은 일본인 '쓰치다 조스케'에 대한 것이다. 백범일지에는 '쓰치다 조스케' 일본군 중위가 국모 민비를 살해했기 때문에 김구가 애국심이 동해 일본군 중위를 살해한 것으로 묘사돼 있다.
하지만 이는 완전 거짓말이다. '쓰치다 조스케'는 일본인 젊은 행상이었다. 이 상인이 황해도 치악포라는 포구에 짐과 돈을 실은 배를 정박시켜 놓고 주막집에서 자고 식사를 하고 있는 것을 김구가 끌어내 돌과 몽둥이로 때려죽이고 배에 있는 돈을 갈취한 것이. 이로 인해 김창수는 해주 감옥에 수감돼 있다가 인천

감리서로 이송되었고 간신히 사형 선고를 면한 다음 수감돼 있다가 1898년 3월 19일 탈옥했다.

백범일지는 임금님이 인천에 전화를 걸어 그를 사면했다고 기재돼 있지만, 이 모두 거짓말이다. 이에 대한 증명을 필자가 2019년 발행한 <조선과 일본> 제62~64쪽에 전개돼 있다. 김창수(김구)는 왜 황해도로 갔나? 3족을 멸망당한 김자점 가문, 그 손자 김창수(김구)는 어떻게 한양에서 황해도로 갔는가.

강보에 싸인 김창수를 누군가가 황해도로 안고 갔기 때문이다. 김구는 곰보여서 동네 아이들의 놀림을 많이 받았고 놀림당하면 심지어 부엌에서 식칼을 들고 나가 아이들을 협박했다고 한다. 놀림을 많이 받았으니 열등의식도 자랐을 수 있을 것이고 기질이 공격적, 폭력적으로 가꾸어졌을 수도 있을 것이다. 그가 이승만에 사사건건 발을 건 과정을 보면 그의 이런 기질이 잘 나타나 있다.

그는 이승만에 대한 극도의 질투심으로 김일성을 도왔을 수도 있을 것이다.
　주사파가 위조한 영웅 김구, 우파가 왜 빠나? 복거일의 '이승만 오디세이' 제3의 기재에 의하면 이승만은 소련으로 날아가는 조선이라는 풍선을 기적적으로 중간에서 가로챘다. 미국 행정부 핵심에 침투한 소련 간첩 히스에 놀아난 루스벨트의 결심을 극적으로 돌려놓은 사람이 이승만이었다.

반면 이승만을 짓밟는 5.18과 민주당 패거리들은 이런 '이승만을 쓰러뜨려서 위에서 깔고 앉기를 일삼는 김구'를 사실상의 건국 대통령으로 선전해왔다. 이번 8.15 행사 플랫폼은 이승만이 아니라 김구였다.

김구의 주특기는 주먹과 폭력과 살인과 살인 교사다. 폭력으로 빼앗긴 조선이 찾아진다면 애초에 빼앗기질 않았어야 했다. 이러한 살인마를 대한민국의 영웅이라 하고 김일성에 놀아나 김일성의 건국(?)을 도운 반역자를 건국자라고 칭송하면? 일본에서 어린애들을 안고 남편이 돈 벌어서 돌아오기만을 학수고대했던 '쓰치다 조스케' 부인의 마음은 어떠했을까. 창피하기 이를 데 없다.

필자의 눈에는 김창수는 장래가 구만리 같은 의협심 있는 두 젊은이에게 살인을 교사한 것으로 보인다. 이승만이 미국의 정계를 움직이면서 고군분투하고 있을 때 겨우 김구가 한 일은 일본인 행상을 돌로 때려 살해하여 돈을 훔치고 살인 교사를 하고 있었다. 박정희 대통령은 이런 김구를 이순신 장군과 함께 영웅으로 선정했다. 이 부분에 대해 필자는 박정희 대통령이

김구의 아들을 중용하면서 속은 것 같다는 생각을 한다. 이념전쟁! 하려면 철저히 성역 없이 해야 할 것이다. (2023.08.30. 지만원) *

▶김일성의 술회
김구는 해방 전 상해임시정부에 있으면서 다수의 공산주의자를 살해한 유명한 반공 분자였다. 당시 공산주의자들은 김구라면 이를 갈 정도였다. 해방 후 남조선으로 돌아온 김구는 자신의 비서를 통해 나에게 만나고 싶다는 내용의 편지를 보내왔다. 나는 김구 비서에게 그와 만나는 것은 환영한다는 뜻을 전하였다.

김구는 나를 만나기 위해 여 북조선에 오기 전에 재차 자기 비서를 보내와 과거의 자기 죄과에 대한 나의 견해를 물어왔다. 그리하여 나는 "과거의 일은 모두 백지로 돌리자"라고 하였다.

이리하여 김구는 1948년 4월 38선을 넘어 북조선에 들어와 우리가 소집한 남북연석회의에 참여하였다. 남북연석회의에는 이승만계의 정당을 제외한 남조선 대부분의 정당, 대중단체의 대표가 참석하였다. 그때 나는 김구와 수차례 만나 담합하였다. 그는 나에게 과거 자신들이 중국의 상해에서 공론으로 밤낮을 보내고 있을 때 장군은 무기를 손에 들고 싸웠으며 승리하여 나라의 독립을 찾았다. 자신은 공산주의자에 대한 이해가 부족했기 때문에 반대하였지만 용서하여 주시 바란다고 말했다.

그는 "북조선의 공산주의자는 이전에 자기가 보아온 공산주의자와는 다르다. 당신 같은 공산주의자라면 손을 맞잡고 조국의 통일을 위하여 함께 싸울 수 있다"라고 말하였다.

김구는 남북연석회의에서도 훌륭한 연설을 하였다. 김구는 남북연석회의에 참여하고 남조선으로 돌아갈 무렵, "자신은 북조선에 체류하고 싶지만 오래 있으면 북조선에서 자신을 억류하였다"라고 "반동분자들이 데모를 확대할 두려움이 있으니 돌아가지 않으면 안 된다. 남조선으로 돌아가 민족의 대단결을 도모하기 위해 싸울 작정이다"라고 말했다.

그는 나에게 몇 가지 부탁이 있노라고 말하고 "남조선에 돌아가 투쟁을 일으켜 아무리 해도 활동을 못 하게 되면 다시 올 생각이니 여생을 보낼 수 있게 과수원이나 하나 주기 바란다." 그는 또한 "나이를 먹으니 공부는 하고 싶으니 용지와 붓을 선물로 가지고 싶다"라고 했고, "남조선의 황해도 연백 평야(38도선 이남)의 농민을 위해 관개용수의 공급을 재개해 주시기 바란다."라는 뜻을 얘기하였다.

나는 그의 요구 조건을 전부 해결하여 줄 것을 약속하였다. 나는 그에게 "남조선으로 돌아가 싸우다 다시 북조선으로 온다면 과수원 농사라도 하며 여생을 편히 보낼 수 있게 하겠다. 그리고 공부한다는 것은 조국과 민족을 위해 양심적으로 일한다"는 의미로 해석하여 용지와 붓을 증여했다. 또한, 연백평야 농민의 요구인 관개용수도 다시 공급하는 것으로 하겠다고 말하였다.

(김일성과 김구)

▶김일성이란 인물

소련군을 따라 1945년 9월 21일 원산에 상륙, 한 달 후인 10월 14일 평양 시민환영대회에서 명실상부한 집권자로 부상할 때까지 김일성은 주로 소련 점령군 고위층과 긴밀히 협력, 때로는 향연을 베풀면서 눈도장을 확실하게 찍어 나갔다. 반면 복잡한 정치 상황 속에서 남로당 박헌영, 연안파 김두봉, 소련파 허가이 등도 암중모색을 하면서 상황에 준비하고 있었다. 김일성은 소련군 군대의 전우들과 소련 점령군에 최대한 협조를 하면서 충성 서약을 한다.

따라서 보다 통제하기 쉬운 김일성을 소련 점령군 사령부는 대권 주자로 점찍어 스탈린의 오른팔인 즈다노브 정치국원에게 직접 연결해 어렵지 않게 북한 지도자로 옹립한 것이다.

만주 항일빨치산과 하바롭스크 88여 단에서 같이 근무한 25명 정도의 김일성 직계 빨치산은 김일성이 소련군 비호 속에 정권을 장악할 수 있게 한 전위 세력이었다. 이들은 안길 서철 임춘추 이동화를 제외하고는 거의 무학, 국민학교 중퇴 정도로 김일성과는 이념적 갈등이 있을 수 없고 도전세력이 될 수 없으며 흩어지면 생존 불가능한 인물들이었기 때문에 자연히 김일성의 수족처럼 움직이는 행동집단이 됐다. 그들은 정권장악 후에도 당, 안전기관, 군대에서 반대파를 암살하는 폭력집단으로 행세했다. 결국, 김일성 정권은 소련군의 지원과 그의 소수 빨치산 부하의 테러와 감시, 그리고 적시에 반대파를 제거하는 기민한 술책 발휘로 이루어진 원천적 군사정부 성격이었다.

김일성은 소련군의 방조 속에 이들 빨치산 요원을 동원, 전쟁 전에는 조만식 전쟁 중에는 박헌영, 전쟁 후 50년대 중반기에는 연안파, 60년대 초에는 소련파를 상호이간, 개인별로는 파격적 승진과 보직으로 환심을 사고 방심하는 순간 전격적으로 숙청, 제거하는 기민한 정치 술수를 과시했다.

러시아인으로 해방정국 당시 '김일성 연구'로 유명한 안드레아 란코프는 김일성 정권은 소련이 만들어 낸 가상 인물이다. 소련군 대위였던 김성주(김일성의 본명)를 북한의 주둔 러시아 장군 스티코프가 임명하여 꼭두각시로 세운 인물이었다. 항일운동의 전설이었던 김일성으로 개명하여 북한을 대리 통치하게 하였다.

김일성이 나의 방문을 나서는 순간 극동사령부의 스티코프 중장(후에 대장)으로부터 암호 전문이 날아왔다. 김일성을 당분간 인민들에게 노출시키지 말고 물밑에서 은밀히 정치훈련을 시키라는 내용이었다. 나의 감은 적중했다. 김일성을 '민족의 영웅'으로 만드는 작전에 들어갔다. 특수선동부장 코비첸코에게 김일성의 군복을 사복으로 갈아입히고 가슴에 달고 다니는 적기 훈장도 떼어 내라고 지시했다. 일부 북조선 인민들의 반소감정을 부추기지 않기 위해서였다. 박정애와 김용범은 두 벌의 신사복을 구해 오는 등 붉은 군대 사령부 사업에 적극 협력했다.

사령부 첩보국과 특수선동부는 김일성의 출생지에서부터 가족사항, 학력, 성분, 중국공산당 입당과 활동사항, 빨치산 운동 등 그에 대한 일체의 신상조사를 끝냈다. 우리는 그의 본명이 김성주였고, 만주지방에서 항일 빨치산 운동을 벌인 것은 사실이지만 대규모로 혁혁한 공을 세웠는지에 대해서는 정확한 근거를 찾지 못했다. 그리고 진짜 항일 빨치산 운동에 공을 세운 또 다른 '김일성 장군'이 있다는 '풍문'이 조선 인민들에게 널리 퍼진 가운데 조선 인민들은 해방된 조국에 그 장군이 개선하기를 기다리고 있음을 알고 있었다. 두뇌 회전이 빠른 정치사령부의 젊은 장교들은 바로 여기서 '미래의 수령'만들기 작전을 찾아야 한다고 지도부에 건의했다.

이 아이디어는 핵심지도부를 놀라게 했다. 훗날 북조선 민주기지 건설의 총 지휘자 스티코프 장군도 이 아이디어는 '조선의 민주기지 깃발'이라고 칭찬을 아끼지 않았다. 이렇게 하여 우리 붉은 군대는 김일성을 조선인민들 속에서 '전설의 영웅'으로 불리던 김일성 장군으로 둔갑시켜 북조선의 '위대한 수령'의 계단에 오르게 했다.

그를 수령으로 올려 놓기까지 붉은 군대는 많은 우여곡절을 겪었고 이를 잘 알고 있는 김일성도 소련군이 평양에서 철수할 때까지 소련과 소련공산당, 그리고 소련군에 대해 최대의 존경과 감사함을 갖고 행동했다.

만약, 위의 내용이 실려진 『김일성 외교비사』가 충분히 신뢰성이 높은 서적으로 인정된다면, 북한에 존재한 김일성은 1920년대의 김일성이 아니라는 사실은 명백해 보인다.

광복 직후 북한의 정치는 어떠했을까?

광복 직후 38도선 이북 지역에 진주한 소련군은 좌우익이 함께 참여하여 조직한 인민 위원회에 행정권을 이양하였고, 각 지역의 인민 위원회는 관공서를 접수하고 치안을 유지하였다. 그러나 1945년 말 소련 군정은 모스크바 3국 외상 회의의 결정에 반대하는 조만식(일제 강점기 독립운동가로 조선 물산 장려 운동과 조선 민립 대학 운동을 주도함. 광복 이후 평양에서 평안

남도 건국 준비 위원회를 결성하였으나, 반공과 반탁 노선을 고수하다 소련군에 의해 축출되었음) 등의 우익세력을 축출하였다. 소련 군정은 각지의 인민 위원회를 통한 간접통치를 하였으나, 사실상 우익세력을 탄압하고 공산주의자들의 활동을 지원하였다.

북조선 인민 위원회 출범

1946년 2월 각 지역의 인민 위원회를 총괄하는 중앙 권력 기구인 **북조선 임시 인민 위원회**가 출범하고 **김일성**이 위원장이 되었다. 김일성은 1930~1940년대 만주와 연해주 등지에서 항일 유격대 활동을 하였고, 광복 직후 소련군과 같이 입북하여 사회주의 세력 강화를 주도하였다. 북조선 임시 인민 위원회와 북조선 인민 위원회의 위원장으로 선출되어 사회주의 개혁을 주도하였던 인물이기도 했다. 이 기구는 사실상 정부 역할을 담당하였으며 사회주의 정권 수립을 추진하였다.

토지개혁의 추진

북조선 임시 인민 위원회는 1946년 3월 토지개혁을 하여 사회주의자들이 세력을 확장할 수 있는 토대가 되었으며, 친일 민족반역자 및 지주의 5정보 초과 토지를 **무상 몰수**하여 농민에게 **무상 분배**하였다. 분배받은 토지는 매매·소작·저당을 금지하여 소유권의 제한을 두었다.

사회주의 개혁의 추진

북조선 임시 인민 위원회는 8시간 노동제, 출산 휴가의 보장,

노동자에 대한 사회 보장 제도 적용을 주요 내용으로 하는 노동법과 여성에 대한 부당한 착취 등을 금지하는 남녀평등권법을 시행하였습니다. 한편 공장, 철도 등 중요 산업과 지하자원, 산림 등을 국유화하였다.

북한의 정부 수립 과정

1947년 북조선 임시 인민 위원회를 **북조선 인민 위원회**로 개편하고 헌법 초안을 마련하였으며, 1948년 2월 조선인민군을 창설하고 정부 수립을 위한 준비를 진행하였다. 북한은 남한의 단독정부 수립을 비판하며 남북협상에 참여했지만, 남한에 대한민국 정부가 세워지자 곧바로 최고 인민 회의(북한에서 법을 제정하는 최고 입법 기관으로, 남한의 국회에 해당함. 총선거에서 선출된 대의원으로 구성되며 정기 회의와 임시 회의가 있음) 대의원 선거하였다(1948.8.). 이후 제1차 최고 인민 회의가 개최되어 헌법이 제정되고 김일성이 수상으로 선출되었으며, **조선 민주주의 인민 공화국** 수립이 선포되었다(1948.9.9.)

북한의 토지 개혁 파악하기

1. 일제의 소유지 및 일제의 정권 기관에 적극적으로 협력한 자 또는 해방될 때 자기 거주지에서 도주한 자의 소유지는 몰수되어 농민 소유지로 전용된다.
2. 5정보 이상을 소유하는 지주 및 성당, 사찰, 기타 종교 단체의 소유지와 스스로 경작하지 않고 소작시키는 모든 토지는 몰수하여 농민의 소유로 분여한다.

3. 몰수한 토지의 전부는 농민에게 무상으로 영원히 그 소유로 분여한다.

북한의 토지 개혁은 농지와 함께 산림, 임야까지 개혁 대상에 포함했다. 북조선 임시 인민 위원회는 사회주의 제도 도입을 위한 토대를 마련하고 사회주의에 대한 농민들의 지지를 얻기 위해 토지개혁을 하였습니다. 북한의 토지개혁은 무상 몰수, 무상 분배 방식으로 이루어졌으며 분배된 토지는 매매 · 소작 · 저당이 금지되었습니다. 이후 1958년에는 집단 농장화가 이루어졌습니다.

북한 정부의 수립 과정 이해하기

북조선 임시 인민 위원회 수립 경축 대회(1946.2.)

북한 정부 제1차 내각 요인들
(위의 사진은 북한에서도 1948년 정부 수립 이전까지는 남한
과 같은 태극기)

위의 사진으로 초기 북한 정권은 김일성 중심의 항일 빨치산
파, 김두봉 중심의 연안파, 박헌영 중심의 남로당파, 허가이 중
심의 소련파 등의 정치 세력이 연합한 연립 정권의 성격이었음
을 알 수 있습니다. 이처럼 북한에서는 소련군의 지원 아래
1946년부터 임시 인민 위원회를 중심으로 사회주의 정권 수립
이 추진되었으며, 대한민국 정부 수립 직후 조선 민주주의 인
민 공화국 수립이 선포되었습니다. 이로써 남과 북에 체제를
달리하는 두 개의 정부가 수립되었고, 남북 간의 대립과 갈등
은 더욱 깊어지게 되었습니다.

▶남북분단의 주역은 스탈린

소련의 대일 전쟁 참전 조건, 미 국무장관 스테티니우스는 중국 주재 미 대사 패트릭 헐리에게 그동안 숨기고 있었던 얄타회담의 밀약, 즉 "소련의 대일 참전의 조건에 관한 협정"을 장제스에게 통보하라고 지시하였다. 또 한 여기에 대하여 장제스의 동의와 협조를 얻어야 한다는 것도 덧붙였다. 협정의 주된 내용은 다음과 같았다.

1. 중국은 외몽골(몽골인민공화국)의 독립을 보장한다….
2. 제정 러시아 시절 누렸으나 1905년 포츠머스 회담에 의하여 상실한 다음의 권익을 회복한다….
  1) 쿠릴열도와 주변 도서는 소련에 반환한다.
  2) 다롄 항은 국제항으로 하되 소련은 다롄 항을 이용할 권익을 보장받는다.
  3) 소련은 뤼순항을 조차하여 해군 항으로 사용한다….
  4) 중동철도(만주를 관통하여 시베리아 횡단 철도와 연결되는 철도)는 중소가 공동으로 관리한다..
  5) 사할린 남부는 소련에 반환한다..
3. 만주의 주권은 중국이 가진다….
4. 소련은 중국과 협력하여 중국을 일본으로부터 해방시킨다.

대일 참전을 대가로 흥정을 하려는 소련의 태도에 미 군부 일각에서는 "과연 소련의 도움이 필요한가"라는 회의론이 제기되었다. 특히 킹 제독을 비롯한 해공군은 일본에 굳이 상륙하지 않아도 해상 봉쇄와 전략 폭격만으로도 일본을 항복시킬 수 있다고 주장하였다. 그러나 육군은 일본 본토에 상륙하지 않는 한 일본이 항복하지 않을 것이라는 주장을 굽히지 않았다.

또한, 1945년 초까지도 원자폭탄은 등장하지 않았고 미국의 수뇌부는 대부분 일본의 전력을 지나치게 과대평가하고 있었다. 사이판, 타라와, 이오시마 등 태평양의 고립된 작은 섬을 공격하는 데도 매번 엄청난 희생을 감수해야 하는 상황에서 만약 본토에 상륙한다면 과연 얼마나 많은 병사가 죽어 나갈 것인가. 합참은 미국의 사상자가 적어도 50~100만 명에 달할 것이라고 예측하였다. 따라서 회의론은 그저 일부의 견해일 뿐 루즈벨트를 비롯한 대다수는 소련의 참전이 불가피하며 미국에도 이익이라고 굳게 믿었다. 칼자루를 쥔 쪽은 미국이 아니라 스탈린이었다. 그는 그저 느긋하게 굴면서 미국을 스스로 안달복달하게 만들면서 흥정에 나설 수 있었다.

합참의장이었던 마셜은 소련의 참전이 반드시 필요 하지는 않다고 인정하면서도 그 자체가 일본의 항복을 촉진할 수 있다는 점, 그리고 어차피 미국이 요구하건 말건 소련은 자신의 이해관계에 따라 참전 여부를 결정할 것이므로 미국이 관여할 수 있는 부분이 아니라고 여겼다. 그러나 소련이 군대를 동쪽으로 이동하는데 필요한 차량과 연료, 기차를 미국이 부담하고 있다는 점에서 마셜의 견해는 어폐가 있었다. 또한, 마셜의 말대로 소련이 그들의 의지에 따라 참전을 결정할 수는 있지만, 그에 대한 대가나 조건을 미국이 수락하는가는 엄연히 별개의 얘기였다.

실제로 이든 영국 외상은 "소련이 대일 전에 참전하는 것은 우리를 위해서가 아니라 그들을 위해서이므로 우리가 그들의 막대한 요구에 굴복할 이유는 없다"라고 주장하였다. 영국은 미국보다 소련을 훨씬 경계하고 있었고 소련의 팽창주의를 우려하였다.

그러나 미, 소의 관계에서 영국은 한낱 주변 세력이 지나지 않았고 미국은 영국의 충고를 귀담아듣지 않았다. 오히려 루즈벨트는 얄타회담에서 스탈린에게 대일 참전을 더욱 종용하면서 스탈린의 요구를 거의 모두 수락하여 그를 기쁘게 해 주었다. 테헤란 회담에서의 밀실 야합에도 불구하고 문서화된 것은 아니었기에 스탈린은 루즈벨트에 대하여 마음을 바꿀지도 모른다는 의구심이 여전히 남아 있었기 때문이었다. 비로소 스탈린은 대일 전의 참전을 최종적으로 결정하였다. 루즈벨트 사후 승계한 트루먼 역시 대소 유화정책을 바꾸지 않았고 그대로 승계하였다. 이런 태도는 7월 중순까지도 변함이 없었다.

일본이 쉽사리 항복하지는 않으리라 판단하고 소련의 참전에 애달 복달하던 미국과 달리, 스탈린은 겉으로는 느긋하게 굴면서도 일본의 심상치 않은 동태에 촉각을 세우고 있었다. 어쩌면 소련이 참전하기 전에 일본이 조기 항복할 수 있다고 판단한 것이다. 일본이 소련에 미국과의 강화를 중재해 달라고 먼저 요청했기 때문이었다. 이는 일본 내부의 상황이 매우 심각하다는 것을 보여주는 것이었다. 여기다 7월 중순에 오면 또 하나의 중요한 사건이 일어났다. 이른바 오퍼레이션 트리니티(Operation Trinity), 미국이 첫 번째 핵실험에 성공한 것이다. 원자폭탄을 가진 미국은 소련더러 참전은 필요 없으며 기존의 합의 사항을 모두 없었던 것으로 되돌릴 수도 있었다. 스탈린의 마음은 타들어 가기 시작하였다.

스탈린의 우려대로, 번스 미 국무장관과 처칠 역시 소련이 참전하기 전에 원자폭탄을 떨어뜨려 일본을 항복시켜야 한다고 주장하였다. 그러나 트루먼의 입장은 여전히 모호하였다. 여태껏 한 번도 쓰인 적이 없고 파괴력도 불확실한 신무기로 전쟁을 조기에 끝낼 수 있을 것인가. 게다가 소련 참전은 이미 얄타에서 합의된 사항이었고 인제 와서 번복하는 것은 트루먼에게는 부담스러운 일이었다. 그는 마셜과 스팀슨(번스의 전임자)에게 의견을 물었다. 이들 역시 소련의 참전은 필요하지 않다고 대답하였다.

참모들이 하나같이 입을 모아서 "소련의 참전은 필요 없다"라고 하자 트루먼은 처칠과 의논하여 포츠담 회담에서 스탈린에게 전달하기로 하였다. 그러나 막상 트루먼은 그저 스탈린에게 "우리는 상상을 초월하는 신무기를 개발했다"라고 만 했을 뿐 이를 무기 삼아서 소련의 참전을 거부하거나 동북아에 대한 구상을 다시 정해보자고 요구하지는 않았다. 오히려 그 자리에서 "소련군은 당초 합의대로 참전할 것"이라는 소련의 원칙을 확인했을 뿐이었다. 또한, 모스크바에서 중국과 소련이 첨예하게 협상하고 있는 상황에서 스팀슨이 중국을 지원해야 한다고 건의했지만, 트루먼은 무시하였다. 스탈린의 양보를 요구하지도, 소련군의 참전을 지연시키거나 막겠다는 시도는 전혀 없었다. 소련군에 대한 정보도, 관동군에 대한 정보도 없었다. 한마디로 트루먼은 이 문제에 아무런 관심이 없었던 것이다.

(스탈린)

오히려 다급한 쪽은 스탈린이었다. 그는 일본 패망이 코앞에 왔
다고 여기고 극동군 사령관 바실레프스키에게 7월 말까지는 모

든 준비를 완료하여 늦어도 8월 중순에 공격을 시작할 것을 지시하였다. 게다가 8월 6일 히로시마에 첫 번째 원자폭탄이 떨어지자 스탈린은 즉각 공격을 지시하였다. 하지만 소련군의 준비는 여전히 불충분하였고 많은 중화기가 시베리아 횡단 철도 위에 있었다. 그만큼 급박한 상황에서 스탈린의 닦달에 못 이겨 소련군의 침공이 시작되었다. 스탈린은 결과가 어떻든 일단 발이라도 담가야 한다고 여긴 것이다. 그러나 그 사실을 미국은 알지 못했고 굳이 알려고도 하지 않았다. 스탈린의 바람대로 일본이 항복하기까지 겨우 일주일을 남기고 소련은 발을 담갔고 대일 강화회담에도 전승국으로서 당당히 참여할 수 있었다.

한편, 미-소의 협상 과정에서 한반도는 제외되었다. 이들은 일본과 사할린, 만주, 외몽골에 대해서만 서로의 세력권을 합의했을 뿐 정작 그 가운데에 있는 한반도는 없었다. 미국과 소련 모두 한반도에 대해서는 별다른 이해관계나 역사적인 관련성도 없었기 때문이었다. 따라서 그저 일본에 부속된 식민지의 하나로 취급받았다. 루즈벨트는 "한반도는 어떻게 할 것인가?" 묻는 스탈린에게 "40년쯤 신탁 통치하자"라고 대수롭지 않은 일인 양 대답했을 뿐이었다. 그에게 "40년"이라는 기한이 어떠한 근거에서 나온 것인지, 한반도의 상황이나 한국인들의 독립 의지는 관심 밖이었다. 한반도는 힘의 공백 지대였고 어느 쪽이 먼저 차지하는가의 문제였다.

(미소 공동위원회 회의)

막상 소련군이 파죽지세로 남하하여 만주는 물론이고 한반도 전역을 석권할 것처럼 보이자 미국은 그제야 발등에 불 떨어진 꼴이었다. 부랴부랴 한반도의 반쪽이라도 차지하겠다는 요량으로 38선을 그었다. 39도 선이나 40도 선으로 하자는 의견도 있었지만 "스탈린이 거부할 것"이라는 이유로 제외되었다. 그저 38선이남이라도 확보하면 다행이라는 식이었다. 태평양전쟁 내내 막대한 희생을 치르며 싸웠던 미국이 인제 와서 한 뼘의 땅을 놓고 스탈린의 선처에 매달리는 꼴이었다.

미국은 마음만 먹으면 한반도를 몽땅 차지할 수 있는 스탈린이 과연 38선을 받아들일까 전전긍긍했지만 의외로 스탈린은 "흔쾌히" 받아들였다. 스탈린은 왜 양보했는가. 사실은 양보한 것이 아니었다. 미 합참의 군인들이 허둥지둥 지도 위에 38선을 긋고 있을 때 소련군의 주력은 여전히 만소 국경지대에서 고전을 면치 못하고 있었기 때문이었다. 주력과는 별도로 한반도를 맡아서 두만강을 건넌 소련군 제25군 역시 함경북도 청진에서 일본군의 거센 저항에 부딪혔다. 이들이 38선까지 내려온 것은 일본이 항복한 뒤인 8월 23일이었다. 미국인들은 그저 소련의 선전 매체에 속아서 지레 겁을 먹었을 뿐이었다.

한반도의 운명은 그렇게 결정되었다. 우리가 우리 힘으로 맞이한 해방이 아니었음으로 우리 민족의 의사와는 전혀 상관없이 미소 양국의 편의대로 남북이 무슨 장난감처럼 3. 8선으로 팔다리가 잘린 상황이 됐다.

만주에서 특권을 획득한 소련 입장에서 볼 때 한반도의 북반부는 남반부에 비해 훨씬 중요했다. 소련군은 8.28까지 북한지역에 대한 군사적 진주 마무리
신속하게 38선 일대를 장악 후 남북으로 이어진 교통과 통신 차단 (8.24 전곡~동두천 경원선 8.25 금교~신막 경의선 열차 운행 차단에 이어 38선을 경계로 한 모든 도로도 차단. 9.6 서울~해주 전화를 마지막으로 남한으로 연결되는 모든 전화 통신 우편 등 끊어. 금천, 연천, 평강, 양양 등지에 경비부대 배치하고 남북교류 통제했다. 스탈린은 북한 통제하고 김일성을 내세워 간접통치하면서 일본이 남겨놓은 유산들을 접수하기 시작했다.

지금도 우크라이나의 운명은 어떻게 결정될지 아무도 모른다. 여전히 세계질서는 힘의 논리로 움직인다. 우리나라의 운명을 우리의 손으로 우리의 힘으로 결정하기 위해서는 힘을 한참 길러야

한다. 그래야만 지난 세기 동안 우리가 겪었던 설움과 한을 보상
받을 때가 온다.

2. 친일세력의 등용

국회 내 반민족행위 특별조사위원회, 반민특위가 구성되었다. 일
제 강점기에
자신의 부귀를 위해 민족을 팔아먹고 일제에 아부하며 협력한
인물, 반민족행위자와 친일파를 응징하기 위한 대한민국 국회에
서 1948년 9월 9일 만장일치로 반민족행위 처벌법 반민법을 제
정하고 반민족행위자를 예비조사할 특별조사위원회가 설치되었
다.

국회는 독립운동 경력이 있거나 덕망 있는 10여 명의 국회의원
으로 구성을 하고 중앙과 각 도의 사무국을 설치하였으며 김병
도 대법원장을 재판장으로 하는 특별재판부와 감찰부를 설치하
였다.

반민족행위처벌법의 주요 내용을 보면 ▲한일합방에 적극적으로
협력하거나 한국의 주권을 침해하는 조약과 문서에 서명한 자
▲일본 정부로부터 직위를 받거나 독립운동가와 그 가족들을 박
해한 자 ▲일제에 협력하면서 일제 식민통치에 협력한 친일 관
료 ▲한국 식민화라는 일제 통화 정책에 협조한 자 ▲청년들을
징용, 징병에 자원하도록 선동한 친일 지식인들 위 사람들은 감
옥 보내고 재산은 몰수한다.

반민특위의 주요 활동으로서는 친일 자본가 박흥식 체포, 일제
경찰 김태석, 이성근 체포, 만주국 명예총영사 김현수, 악질 노

덕술과 최남선 체포, 학생들에게 일본군 입대를 선동한 춘원 이광수 등 대표적인 친일행위자들을 잡아들였다.

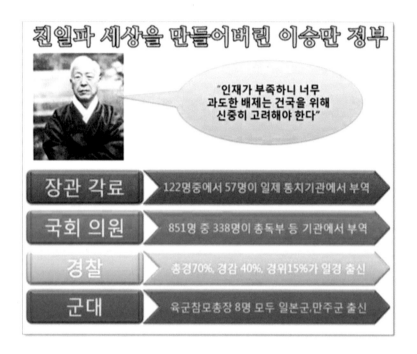

그런데 '49년 6월 6일 아침 서울 중부경찰서장 윤기병은 부하 40여 명을 끌고 반민특위 특별조사위원회 사무실을 점령하고 출근하는 특위 위원과 직원들을 하나씩 붙잡아 경찰서 유치장으로 데려갔다.

그들은 반민특위 사무실을 온통 난장판으로 만들고 서류를 강탈하였으며 특위 직원들을 폭행하였다. 겨우 1년 남짓 활동하던 반민특위는 해산할 수밖에 없는 안타까운 일이었다. 이일은 이승만 정권을 비롯 그 이후에도 한국 정치에 큰 상처로 남았다.

반민특위 내에도 문제가 좀 있었다. 반민특위원장인 김상돈 의원이 일제 강점기 친일행위자로 밝혀졌고 당시에 사람을 치어 죽게 한 자동차 사고를 은폐한 사실이 알려져 충격을 주었다. 게다가 반민특위를 지지하는 김약수 이문원 노유란 의원 등 10여 명의 의원이 간첩 혐의로 체포되는 국회 '프락치 사건'이 발생했다. 그러자 국회는 서둘러 반민특위 활동을 끝내고 말았다. 그런데도 친일혐의로 체포된 사람은 682명 이르고 그 가운데 221명이 기소되었다. 재판에서 단지 7명 만이 유죄판결을 받았다.

친일인사 기용은 결과적으로 이승만 정권의 아킬레스건이다. 늘 비판의 중심에는 친일했던 사람들을 응징함으로써 민족정기를 바르게 세워야 함에도 친일인사를 중용해 정치해서 나라 근간을 잘못 세웠다는 비판을 받는다.

한미동맹 70주년을 맞이해서 '이승만 대통령의 재조명' 대한 세미나가 미국에서 열렸을 때, 조지아대 그렉 브레딘스키 교수는 "프랑스 드골 대통령도 1945년 구성한 임시정부에서 나치 비시정부에서 일하던 인사를 포함했다"며 "나치 협력자를 다 추출할 경우 나라를 운영하기가 불가능했기 때문이다"이라며 "불과 나치 점령이 4년이라는 짧은 시간이었는데도 그렇게 했다" 논점이다. 반면 "한국은 36년간 일제의 지배를 받았다. 친일파를 제대로 처벌한다면 국민이 반은 되지 않을까 싶다"고 말했다.

같은 이유로 미 군정은 친일인사를 많이 기용했고 이들의 도움을 받아 국가를 이끌었다. 이승만보다 더 많은 이들을 활용했고 행정체계를 구축했다. 이들은 이미 정치적인 영향력을 갖고 있었다. 친일문제는 비단 이승만의 문제만은 아니었다고 얘기했다.

일본은 조선총독부를 만들어서 조선을 통치했다. 총독부 직원이 약 8만여명이 전국적인 조직으로 산재해 있있다. 중학교 이상의 학업을 가진 사람은 약 3만여명이고 일본어가 가능하면 총독부 직원이 되었든 시절이다.

▶(건국전쟁) 영화감독 김덕영의 외침을 옮겨본다.
'세상을 바꾸는 영화 한 편' 영화 '건국 전쟁' 개봉 다이어리

아주 가끔이지만 다큐멘터리 영화 한 편이 세상을 바꿔놓기도 한다. 프랑스 68혁명의 여파가 채 가시지 않은 1969년 9월, 슬픔과 동정(Le chagrin et la pitie)이라는 제목을 달고 등장한 프랑스 다큐멘터리 영화 한 편이 프랑스 사회를 흔들어 놓았다.

CHRONICLE OF A FRENCH CITY
UNDER THE OCCUPATION

THE SORROW AND THE PITY

a film by MARCEL OPHULS

슬픔과 동정

2DISCS DVD

원래 TV 방송을 목적으로 제작된 것이지만, 당시 얼마나 내용이 충격적이었는지 방송사는 방송을 취소했다. '나치 부역'에 관한 감독의 새로운 시선이 프랑스 국민이 받아들이기엔 시기상조라 판단했던 것이다.

어쩔 수 없이 감독인 마르셀 오필스가 선택한 곳은 극장이었다. '점령하 어느 프랑스 도시의 이야기'라는 부제에서 느껴지듯이 이 영화는 나치 점령 아래 프랑스의 도시에서 벌어졌던 저항과 부역이라는 민감한 소재를 들고 나왔다.

감독은 영화를 통해 아주 솔직하게 '나치 부역'의 진실에 대해 증언한다. 당시 프랑스 국민 대다수가 나치에 부역하거나 심정적으로 동조했다는 불편한 사실을 여과 없이 등장시킨다.

영화 속에서 봤던 레지스탕스 신화는 지나치게 부풀려졌다는 결론이다. 위안부, 독립군 무장투쟁 등으로 상징되는 '반일' 레지스탕스 신화에 열광하는 대한민국 사회와 묘하게 대조를 이루는 부분이다.

감독은 영화를 통해 비시정부에 환호하던 나치 부역자들의 얼굴들이 얼마 후 반나치, 애국주의로 상징되는 드골에 환호하는 같은 인물임을 그대로 여과 없이 드러낸다. 부역자나 저항자나 특별히 다른 존재들이 아니라는 솔직한 고백이다.

그런 현상은 일제 강점기와 해방을 겪는 과정에서 실제로 대한민국 사회에서도 일어났다. 친일파와 독립운동이라는 이분법적 틀을 벗어나 인간의 본성으로 이해하려는 점에서 우리의 현실과 다르다.

그래서 역사 청산이란 관점이 아니라, 그 역사 청산을 명목으로 프랑스 사회가 보여준 잔인함과 무모함을 고발한다. 역사 청산이라는 구호가 정치권에 흘러 들어가 정치적으로 이용되는 것을 거부한다.

여전히 '친일파 청산'을 부르짖고 '반일'의 구호가 난무하는 대한민국의 현실 속에서 의미심장하게 되돌아보게 되는 지점이다.

적어도 프랑스에선 영화 <슬픔과 동정> 이후에 '반나치 청산'의 구호는 사라졌다. 우리처럼 일본을 정부가 나서서 반국가적 개념으로 형상화한 무모함도 없다.

그 변화의 시작에 마르셀 오필스 감독의 <슬픔과 동정>이란 작품이 자리 잡고 있었다. 그렇게 사실에 기초한 다큐멘터리 영화 한 편이 세상을 바꾼다….

'이승만을 죽여야 살 수 있었던 자들'
대한민국 건국 이후 지금까지 온갖 비난과 왜곡의 중심에 섰던 이승만에 관한 영화를 만들면서 한 가지 결심한 것은 '사실'에 대한 겸허한 반성이었다.

그것이 무엇이든 '사실'이 아니면 받아들이지 않겠노라 다짐했다. 만약 내가 믿고 있던 신념이 사실과 부딪칠 경우, 선택해야 할 것은 신념이 아니라 사실이었다는 뜻이기도 하다.

그런 관점에서 3년 반의 시간 동안 이승만을 중심으로 벌어졌던 대한민국의 역사를 되돌아봤다. 그 과정에서 수많은 반전이 일어났다. 우리 역사에 대한 무지에 통렬히 반성해야 했다.

그리고 사실을 왜곡시키고 거짓이 진실이 되게 만드는 과정에서 수많은 친북적 사고방식에 빠진 역사학자들이 존재했었다는 것을 발견했다. 그들에게 이념의 고향은 남한이 아니라 북에 있었고, 역사의 정통성을 건 싸움에서 승자는 북한이었다.

무엇보다 그들이 저지른 가장 심각한 잘못은 바로 '사실'을 부정하고 왜곡시킨 것에 있다. 거짓을 사실로 둔갑시킨 역사의 반역자들이다….

북한 처지에서만 놓고 본다면, 이승만 정권은 한반도 소비에트 공산화 프로젝트의 마지막에 모든 계획을 파탄시킨 장본인이다. 남과 북의 이념 대결에서 자신들에게 치명타를 안긴 용서할 수 없는 존재였다. 그들에게 '이승만'은 철천지 원수였다. 남한의 경제적 번영과 한미동맹이라는 토대를 닦은 눈엣가시 같은 존재일 수밖에 없었다.

오죽했으면 1995년 북한을 방문한 한 목사의 눈에 평양 거리 한복판에 '이승만 괴뢰 도당 타도'라는 구호가 적힌 플래카드가 들어왔을까. 아직도 북한은 '이승만 타도'의 구호 아래 통일 정책을 집행하고 있다는 뜻이다.

슬픈 것은 이런 북한의 주장에 여과 없이 동조한 대한민국의 역사학자들이 권력과 손을 잡은 것에 있다. 권력화된 거짓 이론은 대한민국 사회를 송두리째 거짓의 공화국으로 몰고 갔다. 그들이

퍼붓는 비난과 왜곡의 화살이 집중된 곳 역시 '이승만'이란 과녁이었다.

그들은 소위 '우리민족끼리', 화해와 통일을 부르짖지만, 실제로는 북의 이데올로기를 강화하는 보조수단에 불과했다.

'이승만'이란 존재를 악마화시키고, '이승만'이란 개념을 더럽히는 것이야말로 북의 입장에선 어느 시기에나 절실한 이념적 과제였다. 그것 없이 자신들이 늘 한반도 역사에서 우위에 있다는 것을 입증할 수 없기 때문이다.

그것이 70여 년 동안 '이승만'이 철저하게 대한민국 역사에서 비난과 왜곡의 중심이 되어야 했던 비극의 시작이기도 했다. 그리고 대한민국의 수많은 지식인이 그 거짓의 역사를 알면서도 침묵했다.

'사실만이 진실로 나아가는 길을 인도한다.'
이승만의 복원은 그래서 대한민국 사회에 많은 의미를 갖는다.

대립과 갈등의 역사를 뛰어넘어 진정 선진화된 사회로 나아가는 길목에서 이승만에 대한 저주는 반드시 풀고 가야 할 숙제 같은 것이다. 여기서 중요한 것은 '사실'의 복원이다.

영화 '건국 전쟁'에서 비중 있는 발언을 했던 미국 조지워싱턴대학 그렉 브레진스키 교수는 한국인들을 위해 뼈 있는 충고를 한마디 한다.

그는 한국이 더욱 성숙한 사회로 발전하기 위해서 '1950, 60년 대 사실에 대한 철저한 원인 조사와 연구에 집중해야 한다.'라고 조언하고 있다.

한국과 같이 여전히 이데올로기적인 대립이 치열하게 전개되고 있는 사회에서 진정한 해결책은 오로지 '사실'로 복귀하는 것에 있다고 강조한다.

사실이 무엇이었는지 정확하게 파악하고, 그걸 통해서 무엇이 옳은 것인지를 판단하라는 주문이었다. 그의 주문은 결국 친북 좌파 역사학자들, 이론가들에 대한 날 선 비판을 담고 있다.

'한강 다리를 끊고 자기 혼자 살겠다고 도망친 **대통령, 이승만**',
'한강 다리 폭파로 800명을 숨지게 한 죄인',
'친일파 이승만 정권',
'미국의 꼭두각시 이승만',
심지어 하와이 갱단 두목이라는 말까지 등장했다.

사실에 대한 검증도 없는 온갖 거짓말들이 난무했다. 주로 인기를 끄는 유튜브 학원 강사들이 이런 거짓의 나팔수가 되었다.

민족문제연구소에선 이승만을 젊은 여성 편력에 빠진 플레이보이라고까지 칭했다. 심지어 이승만이 그 일 때문에 기소까지 당했다고 주장했다.

하지만 그들이 근거로 내세운 '하와이 이민국 조서' 2페이지에 수사 담당관이 이승만을 보호해야 할 인물로 주장하고 있는 부분은 왜 이야기하지 않고 있는가?

'이승만은 미국이 보호해야 할 중요한 인물'이라면서 수사를 담당한 검사가 이승만의 보증인이 되었다는 사실에는 왜 침묵하고 있는가?

그걸 몰랐다면, 그들은 무능한 역사학자들이다. 그걸 알고도 침묵했다면, 그들은 역사의 범죄자들이다. '이승만이 수백만 달러를 스위스 비밀계좌에 넣고 하와이로 망명했다'라고 경향신문은 보도했다. 비록 오랜 세월이 지났지만, 경향은 그 보도가 오보였음을 스스로 인정할 용기는 없는가?

'똥은 비단보에 싸서 하와이로 보냈다'라며 조롱했던 시인 구상과 동아일보 역시 그 비난이 지나쳤음을 사과할 용기는 없는가?

이승만의 역사를 복원하기 위해선 프랑스 사회처럼 우리 사회에서도 겸허한 반성과 성찰이 필요하다. 그렇게 다큐멘터리 영화 <건국 전쟁>이 드디어 오늘 개봉을 한다. 전국 140여 개 극장이다.

누구나 어디에 있든 쉽게 영화관에 가서 진실이 담긴 영화를 볼 수 있다. 사람도 나이를 먹으면 키가 커져 새 옷을 입어야 하듯, 국가나 사회 역시 발전할수록 새로운 가치로 변화해야 한다. 그런 노력 없이 사회 공동체의 진정한 발전은 있을 수 없다.

영화 <건국 전쟁>이 그 작은 출발이 되길 희망한다. 때론 그렇게 다큐멘터리 영화 한 편이 세상을 바꾸는 역할을 하기도 한다. 나는 그걸 믿는다.

(영화감독 김덕영)

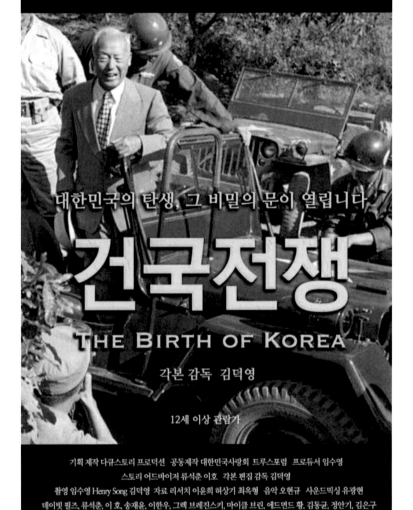

3. 김구 암살의 배후

불감청이언정 고소원이라(不敢請 固所願) 이보다 정확한 표현이 어디 있을까 싶다. '같은 하늘에 두 개의 태양이 존재하지 못한 다'라는 격언처럼 해방정국의 두 거두는 서로 잠재적 경쟁 관계 에 있으면서도 형님 동생으로 지내왔다.

1949년 6월 26일 낮 12시 45분경 김구의 거처인 경교장에서 때 아닌 총소리가 울려 퍼졌다. 포병 소위 안두희는 주일 예배에 참 석할 예정이었으나 차가 없어서 자택에서 책을 읽고 있던 김구 를 총으로 쏴 죽였다. 김구는 남북협상이 좌절되고 단독정부 수 립되어 이승만 대통령의 시간이었으므로 특별히 할 일이 없었다.

김구 암살사건에 대한 정부의 첫 공식 발표는 사건 발생 1시간 24분 만인 그날 오후 2시였다. 전봉덕 헌병사령관 명의의 발표 문 내용은 "한독당 위원장 김구가 정체불명의 괴한에게 저격을 당해 절명했는데 범인은 현장에서 즉시 체포, 구속 중이며 범인 이 현장에서 상처를 입었기 때문에 의식이 회복을 기다리며 그 배후를 엄중히 조사하겠으나 단독 범행인 것 같다"는 것이었다.

정부가 공식 발표를 이처럼 서둘러 발표한 배경도 의문이지만 현역군인, 육군 장교인 범인을 두고 정체불명의 괴한이라는 표현 이나 단독 범행인 것 같다는 주장은 발표문 문안의 의도성을 짐 작게 한다. 근데 더더욱 의혹을 가중하는 것은 6월 28일 국방부 에서 내놓은 수사 중간발표 내용이다. 안두희는 한독당 당원으로 김구의 가장 신뢰하는 측근자로서 때때로 김구를 만나 직접지도 를 받던 자다. 사건 당일은 문안 인사차 김구를 만나러 갔다가 언쟁 끝에 격분한 나머지 범행을 한 것으로 이 문안을 자세히 살펴보면 당국의 의도성을 엿볼 수 있다.

총탄은 일흔 셋 노인의 가슴에 꽂혔다

그는 대한민국 임시정부를 이끌었던

독립운동가
백범 김구

범인은 안두희가 한독당 당원이며 김구의 신뢰하는 측근자로 추가했는가 하면 노 혁명가와 새파란 육군 소위가 언쟁을 벌였다는 것도 사례에 맞지 않는다···. 격분한 나머지라는 표현도 우발성을 강조하기 위해 골라낸 용어임을 짐작게 한다.

이에 대해 한독당은 8월 초 이승만 대통령에게 "군사 재판이 안두희의 일방적인 진술에 따라 사건 심리를 종결했다"면서 다음과 같은 의문점을 제시한 요청서를 보내 진상을 철저히 규명해 달라고 요청했다.

1. 김구 선생 저격 당시 범인과 응대 시간은 불과 3분이다.
2. 김구 선생이 한 청년과 정치논쟁 운운은 근본적으로 상식이 허용하지 않는다.
3. 범인의 심리를 보아 일시적 흥분이었다면 한발로 족할 것이다.
4. 총격 후 8발의 탄흔이 남아 있음. 애임에도 불구하고 권총을 던지고 체포를 당한 것은 개인적인 행동으로 간주할 수 없다.
5. 경교장, 경비경찰관의 손에 체포되는 즉시 난데없이 헌병대가 나타나 범인을 인도하여 데리고 간 것도 의문이다.

이상의 여러 조건으로 봐 우리는 이 흉계를 결코 단순한 것으로 해석할 수 없고, 또 김구 선생에서 그는 민족적 역사적 대손실인 중대 사건이므로 진상을 철저하게 규명하여 자손만대의 의혹을 풀어줌과 동시에 그 흉모의 근거를 전멸시키기 위하여 본당 상무위원회의 결의를 정부 당국에 이와 같이 요청한다.

6.25 전쟁 반발 직후인 28일 육군 형무소에서 복역 중이던 안두희는 형무소에 까지 직접 찾아온 육군 특무대장 김창룡 소령에 의해 집행정지 처분을 받고 부산으로 내려갔다. 이에 앞서 안두희는 무기징역에서 15년 감형으로 감형되었는데, 이는 채병덕 참모총장과 내무부 장관 윤치영 등의 노력으로 이루어진 특혜 조치였다. 안두희는 49년 6월 26일 포병소위 신분으로 김구를 암살한 뒤 수감생활을 하던 중 풀려나 2계급 특진 특혜를 받았다.

당시 장교 승진 및 전보는 국방부 장관 결재 사항이어서 이 같은 안두희의 특진은 당시 신성모 국방부 장관 채병덕 육군참모총장 등 고위층의 승인 없이는 불가한 사항이다. 형 집행 처분을 받고 풀려난 안두희는 50년 7월 10일 다시 육군소위로 복직하다. 51년 2월 국방부령 제56호에 의해 형 면제 처분을 받게 되며 그해 12월 25일 특명 제22호에 따라 소령으로 진급했다.

민족의 지도자 살해범에 대한 이 같은 초고속 특진은 훈련 개통의 비호만으로 불가능하고 군 통수권자인 대통령의 영향력이라는 그것이 더욱 정확한 부분일 것이다.

4. 발췌개헌과 사사오입 3선 개헌

발췌개헌 사건과 사사오입 사건을 개헌에 적용하여 무리한 3선 개헌은 결과적으로 이승만 대통령의 하야로 치닫는다. 전쟁이 소용돌이 속에서 실시된 1952년 제2대 대통령 선거의 해다. 국회 구성분포로 볼 때 이승만이 국회에서 대통령으로 다시 선출되기는 쉽지 않아 보인다. 미국의 무초 대사도 미국 말을 잘 듣지 않은 이승만보다는 성품이 온건한 장면 의원이 훨씬 만만한 상대였다.

이에 이승만은 대통령 선거방식을 국회 간접 선거에서 국민이 뽑는 직선제로 개헌을 추진했다. 그러나 국회는 그해 1월 이승만 대통령이 제출한 직선제 개헌안을 국회에서 부결시키고 내각 책임제로 바꾸려는 개헌작업을 했다. 불리한 상황에 놓인 이승만은 국민의 지지를 끌어내기 위한 극단적인 방법으로 5월 26일 공비가 나타났다는 이유로 임시수도인 부산과 경남 전북 지방 일원에 비상계엄을 선포했다.

그것에 대해 미국은 반대했다. 육군참모총장 이종찬도 군대의 정치적 중립을 이유로 계엄사령관 취임을 거부했다. 이승만 대통령은 개인적으로 신뢰하는 원용덕 헌병총사령관에게 계엄 업무를 맡겼다.

원용덕 헌병 대장은 국회로 출근하는 의원들의 버스를 헌병사령부로 끌고 가 10여 명의 의원을 간첩 혐의로 구속했다. 이른바 부산정치파동이 일어난 것이다. 이승만은 내외의 언론으로부터 혹독한 비판을 받았다. 하지만 이승만은 국민에게 대통령 선거권을 직접 돌려주려는데 국회가 반대하고 언론이 반대한다며 정면 승부를 걸었다.

1952년 7월 7일 제 1공화국

1차 개헌(발췌개헌)

이승만 대통령 재선을 위한 개헌

한국전쟁 중 부산 피난국회에서 통과된 첫 헌법개정

대통령 직선제, 국회 양원제안과

국회의 국무원 불신임권을 발췌한 내용을 개헌안으로 상정

마침내 장택상 국무총리 주재로 타협안이 마련됐다. 그 안에 따르면 정부 측의 개헌안에서 대통령 직선제를 고르고 국회 측의 개헌안에서 국무위원 불신임안을 국회가 행사하는 안을 골라서 만들어져 이른바 '발췌개헌안'이 7월 국회를 통과했다.

결국, 이승만은 대통령 직선제의 목표를 달성했다. 이처럼 국회가 이승만의 초강수에 밀린 것이다. 이승만의 강수가 통했던 이유는 대통령 직선제라는 명분 앞에 간선제는 직선제보다 명분이 약했다. 미국도 전시 상황인데 이승만을 대신할 강력한 리더십을 찾을 수가 없었다. 또 전선의 대부분 장성도 이승만을 지지했다. 이승만은 미국으로부터 재집권을 쉽게 받을 수가 있었다. 전시 상황임을 감안하면 선거를 건너뛸 수도 있었는데 선거를 치렀다는 것도 크게 눈여겨볼 대목이다.

러시아의 우크라이나 침공으로 전쟁 중이다. 두 나라 모두 전쟁 중에 대통령 선거가 다가온다. 침략국인 러시아는 푸틴 대통령의 종신형 대통령으로 가고 있다. 그러기에 선거 명분이 필요했다. 우크라이나를 침공해서 옛 소련의 영화를 다시 찾는다는 명분이 가슴을 달궜다. 먼저 크림반도는 일주일만 점령해서 국민적 명분과 실리를 찾았고 이어서 EU 가입으로 돌린 우크라이나 본토를 병합함으로써 옛 러시아 차르 공화국으로 귀환을 꿈꿨다. 우크라이나 국민의 애국심으로 뭉쳐진 단합과 저항으로 러시아는 고전을 면치 못하고 있다.

2024년 우크라이나도 대통령 선거를 해야 하지만 혼란 상황에서 선거 자체가 쉽지 않고 투표를 할 처지도 아니다. 하지만 이승만 전 대통령은 전쟁 중에 대통령 직선제를 단행해서 정국을 돌파했다. 미국도 대안이 없어서 이승만체제를 인정할 수밖에 었다.

'56년 세 번째 대통령 선거가 다가오면서 자유당을 불안했다. 두 번의 임기를 마친 이승만 대통령이 3선 제한조항에 걸려 출마하지 못하게 되면 민주당에 정권을 넘겨줘야 한다는 불안감이 엄습했다. 그래서 이승만 대통령에 한해서 출마횟수 제한을 철폐하는 개헌안을 국회에 제출했다. 개헌안은 국회의원 198명에 삼분에 이 선인 136명이 찬성해야 하지만 1표가 모자란 135표가 나왔다.

그러나 자유당은 사사오입의 원리를 적용해서 표결결과를 뒤집었다. 3분 2선은 정확히 135.333이지만 사람을 세는 데는 소수점이 있을 수 없으므로 135명이 맞는다는 해석을 내놨다. (0.333 반올림의 원칙에 봤을 때 무시하는 것이 맞다). 민주당과 여론은 거세게 반항을 했지만, 여당은 일방적으로 밀어붙여서 개정된 헌법으로 이승만 대통령은 제3대 대통령에 손쉽게 당선되었다. 야당의 후보인 신익희 후보가 유세 도중에 심장마비로 사망했기 때문이다.

문제는 부통령 선거였다. 자유당의 이기붕 부통령 후보와 민주당의 장면 후보가 맞붙은 선거에서 장면 후보가 당선되었다. 그것은 자유당으로서는 참 난감한 상황이었다. 81세의 노 대통령이 재임 중에 잘못되기라도 한다면 민주당으로 정권이 넘어가는 상황이다. 그러나 이승만 대통령은 선천적으로 타고난 건강 덕분에 임기를 무사히 마쳤다. 또 다른 문제가 발생했다. 무소속의 조봉암 후보가 23.5%라는 득표를 얻은 것이 자유당으로서는 암 덩어리 하나를 안고 가는 기분이었다.

개헌 역사

1
△1차 개헌(발췌 개헌) **1952년 7월 7일**
- 이승만 대통령의 재선을 위해 대통령 선출 방식을 국회의원 간선제에서 국민 직선제로 변경
- 이승만 대통령은 이 개헌에 따라 1952년 8월 실시된 첫 직선제 대선에서 재선에 성공

2
△2차 개헌(사사오입 개헌) **1954년 11월 29일**
- 이승만 정권의 연장을 위해 초대 대통령에 한해 중임제한을 철폐
- 이승만 대통령은 이 개헌에 따라 1956년 5월 대선에서 3대 대통령에 당선

3
△3차 개헌(내각책임제 개헌) **1960년 6월 15일**
- 내각책임제와 양원제 국회를 필두로 지방자치제도 실시와 헌법상 기본권의 확대 및 강화
- 이른바 '3.15 부정선거'로 4.19가 일어나고 이승만 정권이 물러난 이후
  우리나라 역사상 처음으로 합법적 절차에 의해 헌법 개정이 이뤄짐

4
△4차 개헌(소급입법 개헌) **1960년 11월 29일**
- 3.15 부정선거 관련자 및 부정축재자들을 소급해 처벌할 수 있도록 한 헌법 개정
- 대한민국 개헌 역사상 유일하게 대통령 및 국무총리 등 최고지도자의 선출 방식과
  관련없는 내용으로 헌법 개정이 이뤄짐

5
△5차 개헌 **1962년 12월 26일(1963년 12월 17일 시행)**
- 대통령 중심제 및 국회 단원제로 복귀, 대통령 직선제와 헌법 개정에 대한 국민투표제 채택
- 1961년 5.16 군사쿠데타로 설치된 국가재건최고회의에서 개헌을 주도

6
△6차 개헌(3선 개헌) **1969년 10월 21일**
- 1967년 5월 재선에 성공한 박정희 대통령의 3선을 위해
  대통령의 임기를 4년 중임에서 3기 연임이 가능하도록 개헌
- 공화당 정권이 개헌 저지 농성을 벌이던 야당 의원들을 피해
  일요일 새벽 2시 국회 별관에 모여 2분만에 개헌안 변칙 통과

7
△7차 개헌(유신 개헌) **1972년 12월 27일**
- 통일주체국민회의에 의해 대통령 간선제를 실시하고 중임 제한을 폐지한 뒤 6년 임기 실시
- 박정희 대통령이 1972년 10월 '한국적 민주주의 실현'을 명목으로 국회를 해산하고
  각종 정치활동을 금지시키는 '유신'을 단행한 뒤 대통령의 권한을 대폭 강화한 유신 헌법 제정

8
△8차 개헌 **1980년 10월 27일**
- 선거인단에 의한 대통령 간선제 및 7년 단임제 도입, 국회의원 비례대표제 채택,
  환경권·행복추구권 신설
- 박정희 대통령이 살해된 1979년 10.26 사건 이후 12.12 사태와 1980년 5월 17일
  비상계엄 확대로 정권을 차지한 신군부 세력이 주도

9
△9차 개헌(직선제 개헌) **1987년 10월 29일(1988년 2월 25일 시행)**
- 대통령 직선제 및 5년 단임제 도입, 국회 국정감사권 부활, 기본권 확대
- '10월 유신' 이후 최초로 치러진 국민들의 직접선거에 의한
  1987년 12월 대선에서 12.12 군사반란의 주역 중 하나인 노태우가 13대 대통령으로 당선

282

5.3 15 부정선거와 4. 19혁명

1957년부터 미국 경제원조가 줄어들면서 경제성장률이 급격하게 떨어지기 시작했다. '59년 4.8%에서 '60년 2.5%로 떨어졌다. 그에 따라 높은 실업률이 나타나기 시작했는데 특히 대학생들의 취업이 쉽지 않았다. 경제위기 상황에서 '60년 3월 15일 제4대 대통령 선거가 다가왔다. 자유당은 대통령 이승만, 부통령 이기붕대 민주당은 대통령 조병옥, 부통령 장면의 카드로 나왔다.

그러나 민주당 대통령 후보 조병옥이 미국에서 신병치료차 갔다가 사망하는 사건이 발생해 관심은 온통 부통령 선거에 쏠렸다. 85세의 이승만 나이로 감안하면 임기를 채울 수가 없다는 산술적인 계산이 나온 터에 자유당은 이기붕에 당선에 올인 했다. 그에 따라 선거전략도 무리하게 진행됐다. 결과적으로 이기붕이 당선결과 발표가 나왔을 때, 민심은 선거결과를 인정하지 않고 들끓기 시작하면서 반정부 시위가 벌어졌다.

선거 당일 3월 15일 마산에서 부정선거를 규탄하는 대규모 시위가 일어났고 그것을 진압하는 과정에서 7명이 사망했다. 4월 11일 마산에서는 앞서 시위 때 행방불명 되었던 중학생 고 김주열 군의 시신이 마산 앞바다에 떠올라 시위에 불을 지폈다. 정부는 시위 배후에 공산주의자의 조정이 있다고 발표했지만 성난 민심을 정부의 발표를 믿지 않았다.

군대가 출동했지만, 계엄사령관 송요찬은 시위대에 동정적인 모습이었다. 그 때문에 시위대는 군대 차량을 타고 시위하는 모습도 보였다. 4월 19일 대학생들과 고등학생도 시위에 참여했고 대학교수들도 시위 나섰다. 이승만은 하야를 발표했다. "부정을 보고 일어서지 않는다면 그 나라 백성은 죽은 것"이라며 부상 학생을 찾아서 병문안했다.

4월 27일 이기붕 일가족은 권총 자살로 생을 마감했다. 구심점을 잃은 자유당은 정권의 핵심에서 사라져 당 간판을 내렸다. 이승만은 경무대를 떠나 이화장으로 향하면서 연도에 많은 환영 인파들의 축복을 받으며 집으로 향했다. 이화장에서 한 달 정도 몸을 추스른 뒤 프란체스카 여사와 함께 하와이로 떠났다.

그러면 이승만은 당시에 왜 4선에 도전한 것일까?

한·일 국교 정상화 작업에 열쇠가 있었다. 당시 미국은 1950년대 이후에 국제 상황은 미·소 냉전 시대였다. 미국은 일본을 중심으로 반공 안보 체제를 구축하려고 했다

그러나 반일주의자 이승만은 걸림돌일 수밖에 없었다. 그런데 갑자기 식민지 시절 일본에 살고 있던 재일 한인들의 북송 문제가 대두되었고 이승만은 북송을 한국에 대한 선전포고로 받아들이고 북송 결사반대 집회가 매일 같이 열렸다. 북송 저지 결사대가 일본에 가지 파견되는 상황이었음에도 1959년 12월 14일 975명의 제일 한인을 태운 북송선이 니가타 항구를 출발하여 북으로 갔다.

변화하는 국제질서 속에서 한국을 지켜내는 일은 그가 4.19가 일어나기 전에 4선에 도전하는 이유였다

그러나 측근들의 권력욕에 이용당한 이승만은 3.15부정선거로 인해 독재자의 이미지로 주목받은 것이었는데 여기서 이승만이 독재자의 조건에 해당하였는지 살펴볼 필요가 있다.

독재자라면 우선 의회가 마비되어야 하고 언론이 장악되어야 하는데 당시는 의회가 마비된 것도 아니고 언론이 탄압받던 시대도 아니었다.

오히려 언론과 의회의 자유가 만개했던 시기였습니다
그리고 4·19혁명을 일으킨 시민들에게 이승만은 모든 요구 조건은 들어줄 것이라고 말했으며 4월 23일 시위에 참여하여 다친 학생을 서울대학 병원에 방문하여 위로하며 "내가 맞을 총을 네가 맞았다고 하며 눈물을 흘렸던 그것이 사실이다."

4. 19혁명 당시 경찰이 시위대를 향해 총을 발사하여 시위대를 격앙시켰던 것이고 총을 쏜 경찰의 성분도 밝혀져야 했지만 흥분한 시위대에 의해 시위는 더욱 격앙될 수밖에 없었다. 그리고 하야 선언했다.

.

●좌파역사학자들이 주장하는 이승만의 25가지 비리

1. 이승만은 돈에 혈안이 되어 살았다.
아래는 하와이 동포 로버타 장씨가 밝힌 이승만 행적
한인사회 모금액 2400 달러로 부동산 구입 -> 재테크?
그 부동산을 담보로 1400달러를 대출 받은 뒤 상환 책임을 국민
회에게 넘김 -> 돌려막기? 국민회 자산인 여학교를 단 1달러에
매입 -> 다운계약?
국민회 여학생 기숙사, 남학교 등을 담보로 대출받은 뒤 상환 책
임을 국민회에 넘김 -> 돌려막기 2탄?

▶이승만 전 대통령의 청렴 결백한 것은 역사가 증명한다. 운명

하실 때 까지 재산이라고는 이화장 집 한 채가 전부다. 그마저도 하와이에서 여생을 보낼 때 생활비가 없어서 도와준 분에게 이화장 집을 넘겨주겠다고 서약까지 했다. 생전에 모은 돈은 인하공대를 설립하고, 미국의 캘텍, MIT 공과대학처럼 대한민국의 인재를 양성하기 위한 대학, 세계와 경쟁할 수 있는 대학으로 성장하기를 원한다며 전 재산을 사회에 환원했다. 만약에 이승만 전 대통령이 동남아의 몇몇 나라의 독재자들처럼 치부했다면 얼마든지 가능했겠지만, 누구보다 대한민국의 발전 원했고 국민들을 위했고 일편단심 나라를 위해서 살아온 일생이었다.

학교 등 기숙사를 만들고 자금을 모두 공적으로 사용했고 이승만 개인 이름으로 부동산을 소유하거나 빌딩을 구매한 적이 없다. 마치 엄청난 저택을 구입하고 건물을 소유한 것처럼 거짓 주장을 하고 있다.

특히 CIA 기밀문서 운운하면서 이승만이 사적인 권력욕을 위해 독립운동을 이용 했다고 왜곡한다. 임시정부에서도 인정한 이승만의 독립운동을 CIA 문서를 들먹이며 비하한다. 그 문서를 꼭 한번 봤으면 좋겠다. 이렇게까지 비열하게 비난하는 이유가 무엇인지 묻고 싶다. 분노가 치민다.

2. 이승만은 장인환과 전명운의 변호를 거부했다. 전명운, 그리고 이토 히로부미를 저격한 안중근은 국가의 명예를 더럽힌 범죄적인 암살자에 불과하다. -> 본인은 하와이에서 조직을 구성해서 갱스터 대장 노릇

▶나는 아직까지 박사학위를 가진 갱스터를 본적이 없다. 갱스터 대장 노릇 하려면 최소한 칼잡이 총잡이 정도는 돼야 그래도 똘

마니들이 따르고 본인이 그 바닥에서 경력을 쌓고 소위 별도 좀 달아야 대접도 받고 조직이 이끌 수가 있다. 이승만은 끌어 내리기 위한 좌파들이 수준이 딱 갱스터 수준이다. 장인환과 전명운의 변호를 거부 했다고 했는데, 이승만에게 통역을 요청했는데 '살인범은 통역할 수 없다'가 아니고 "내가 통역해도 상황이 달라지지 않으니 좋은 변호사를 선임해서 거사의 정당성을 법정에서 밝혀라"라고 조언했다. 이는 스티븐슨 사건 이틀 뒤인 1908년 3월 23일 샌프란시스코 한인연합단체 상향공동회에 이승만이 보낸 편지다. 현재는 독립기념관에 소장되어 있다.

더 중요한 것은 이승만은 독립운동방법에서 차이가 난다. 약소국일수록 선진국들을 설득하고 이해를 할 수 있는 합리적인 방법이어야 한다고 주장한다. 그래서 외교를 통한 운동과 합법적인 공간에서 활동이어야 한다. 임시정부에서 그동안 자행되어온 폭탄투척이나 무장터테러 행위에 대해서는 동의하지 않고 결을 달리했다.

3. 이승만의 친일 발언
(1910년으로부터) 3년이 지나기 전에 한국은 낡은 전통이 지배하는 후진국에서 활기 넘치고 떠들썩한 산업 경제의 한 중심지로 변모했다.

▶맞는 얘기다. 조선조 사회는 농업이 전부였고 산업활동이나 경제적인 생산활동이 거의 없었다. 일본이 들어오면서부터 공장이 들어서고 백화점 같은 상업활동이 시작됐다. 그러면서 도시가 활기를 띠고 시장통이 생기가 넘쳤다. 있는 사실은 그대로 인정하고 가는 것이 맞는다. 그 것마저 부정한다면 한 발짝도 앞으로 나아갈 수 없다. 친일 발언이라기보다는 현실을 직시하고 앞길을

나아가고자 하는 의미다.

1915년 6월17일 스타플랜틴 신문 기고에서 "자신은 반일을 가르친 적은 없다 . 다만 일본 제국주의에는 반대 하지만 일본 사람을 증오하지 않는다"고 했다.

 4. 이승만은 하와이 갱스타 였다.
박용만을 몰아내고 이권을 장악하기 위해 폭력을 행사했다.

[출처]이승만을 알려주는 25가지 - 황현필 한국사|작성자스크랩

▶2번 문항의 답을 대신한다.

5. 이승만은 독립운동가 박용만을 고발했다.
하와이에 들어온 이즈모함을 폭파하려는 박용만을 고발한다….
"이들은 박용만 패당이며 미국 영토에 한국 군대를 만들었습니다. 그리고 위험한 반일행동을 하며 일본 이즈모함이 호놀룰루에 도착하면 파괴하려는 음모까지 꾸민 무리입니다. 이것은 미국과 일본 사이에 중대한 사건을 일으켜 평화를 방해하려는 것입니다.
판사님 저들을 조처해 주십시오" -> 독립군인가 일본인인가.

▶앞서 언급한 독립을 위한 투쟁방법에서 이승만의 박용만 일파
와는 노선이 달랐다. 당시의 일본과 미국은 상당이 밀착되어 있
는 상황에서 이 거사가 성공했다면 어쩌면 미국은 영원히 한국
을 도와줄 수 없는 지경에 이르렀을 것이다.

일본의 이즈모함

박용만이 1913년 국민군단을 창설했고 군사력을 양성코자 하였
으나 이승만은 무장투쟁에 반기를 들었다. 이승만은 교육을 통한
인재양성 통해 힘을 길러야 한다고 주장했다. 국민군단을 만들고
운용하는 비용은 또 어떻게 감당하나 무기를 구매하고 병참을

운영하려면 천문학적인 비용이 들어간다. 이승만은 이런 무장투쟁을 미국내에서 한다는 것이 이해가 되지 않았다. 그 비용으로 사람을 키우고 힘을 길러야 한다고 판단했다. 그래서 학교를 설립하고 오갈데 없는 학생들을 위해 기숙사를 만들고 교육에 전념했다.

상해 광복군의 실체를 안다면 쉽게 이해가 된다. 광복군은 장개석군이 이끄는 국민군 소속이었다. 장비를 구입할 능력도 군대를 운용할 자금도 없어서 장개석 군대의 지휘를 받았다. 군인의 월급도 조금 받았다.

결국 자신도 교육을 통해서 힘을 길렀고 사회의 리더가 됐다. 교육의 힘 을 알았기에 무장투쟁 보다도 교육이 우선이었다.

그리고 더욱 중요한 사실은 박용만의 죽음과 관련된 것이다. 박용만은 상해에서 임정 산하의 의열단 박인식 이해명 단원의 총에 암살당했다. 김구는 박용만의 죽음에 대해 이승만에게 편지를 써 박용만이 조선총독부의 '밀정'이어서 죽일 수밖에 없었다며 이해를 구한다. 하지만 이승만은 이해를 할 수 없다며 그 부분은 인정하지 않았다. 박용만과 이승만은 하와이에서 똑같이 독립운동을 했다. 방법은 달랐지만 각자 애국의 길을 찾아 열심히 노력했다. 그리고 그들은 동지였다. 임시정부에서 일본의 밀정으로 간주해서 암살했지만 이승만은 함부러 사람을 살인하고 쉽게 판단해서 죽여버리는 행위에 대해 이해할 수가 없었다.

6. 이승만은 임시정부 대통령의 신분으로 미국에서 방탕하게 살았다.
독립군이 모은 자본금을 가지고 호화스러운 생활을 했다.

그리고 어린 여성과. 그러다 잡히고 기소된다.

"우리는 아빠와 딸 같은 관계입니다."

1920년 6월 샌프란시스코에서
미국수사관에 체포
이승만(46세), 노디김(22세)

MANN ACT(맨 법률) 위반
부도덕한 성관계를 목적으로 여자를 데리고
주경계선을 넘으면 불법이다.
수사도중 이승만이 백인여성에게 접근
재벌 2세를 사칭 데이트.
- 기소 -
이후 하와이에서 재판

▶백년전쟁은 민족문제연구소가 2012년 대선을 앞두고 제작한 본편 4부, 번외편 2부로 구성한 동영상이다. 그해 11월 유튜브에 공개되면서부터 논란에 휘말렸다. 이승만 전 대통령을 '악질 친일파', 'A급 민족반역자', '하와이 깡패' 등에 빗대 부정적으로 표현했다.

그러나 이날 재판의 핵심 쟁점은 이 전 대통령이 '맨법(Mann Act) 위반'으로 재판을 받았는지 여부였다. 백년전쟁은 "이승만 전 대통령이 1920년 6월에서 20대 여성 노디 김과 '맨법' 위반으로 체포돼 기소를 당했다"는 내용을 담고 있다. 맨법은 1900년대 초반 성매매 등을 목적으로 배우자가 아닌 여성과 주(州) 경계를 넘으면 처벌하도록 규정한 미국 법률이다.

이승만 전 대통령의 유족은 2013년 5월 백년전쟁 제작진을 사자 명예훼손 혐의로 고소했다. 이 전 대통령 양자 이인수 박사는 당시 고소장을 접수하며 "허위사실과 날조된 자료를 바탕으로 이 전 대통령의 인격을 살인했다. 건국 대통령에 대한 인격살인은 대한민국의 위상을 짓밟는 행위"라고 했다.

이후 4년 6개월 가까이 수사를 이어온 검찰은 지난해 11월 백년전쟁 제작진을 재판에 넘겼다. 이 전 대통령이 맨법 위반으로 체포돼 기소됐다는 부분이 허위사실이라고 판단했다. 다만 동영상 내 다른 표현들에 대해서는 "형사처벌 영역이 아니다"며 기소하지 않았다.

이승만은 미국에 체류하는 동안 영주권이나 시민권 등을 취득한 사실이 없다. 오직 한국 사람으로 조국으로 귀국해서 역사적 과업을 이루어야 한다는 일생의 다짐으로 미국에 체류했다. 미국에서 삶이 극히 제한적일 수밖에 없다. 자기 이름으로 부동산을 소유했다든지 건물을 구입한 사실이 전혀없다. 호의호식 운운하는 것은 비방을 위한 날조다.

하와이에서이 생활은 이승만이 혼자서 자금을 착복하고 임의로 자금을 사용할 수 없는 구조다. 회계를 책임지는 사람이 있고 자금을 관리하고 집행하는 사람들도 엄연히 존재하는 조직이었다.

7. 임시정부 대통령직을 탄핵당했다.
대한민국 최초로 탄핵당한 첫 번째 대통령

> 우리 형편상 전쟁준비는 국민들에게 맡기는 것이 옳다.
> 국내외 일반 국민들은 각자 직업에 종사하면서
> 여가시간에 병법을 연마하라. 무기도 각자 구하라.
> 그러다 좋은 시기가 오면 일제히 나서 싸우자.
> - 이승만 연두교서, 1921. 2. 28

▶이승만은 1919년 4월 10일 임시정부가 수립되자 초대 대통령으로 취임했다. 1925년 3월끼지 대통령직을 유지했다. 대통령취임 후 정부 소재지인 상해에 머문 기간이 6개월에 불과할 정도로 직무 수행이 짧았다. 이승만은 상해보는 자신의 홈그라운드 미국으로 건너가 구미위원부를 조직하고 독립운동 자금을 모으는데 주력했다. 그것이 독립운동을 위해 본인이 가장 잘할 수 있는 일이었다.

당시 일본군은 이승만의 목에 30,000엔 김구는 500엔 이라는 거액의 현상금을 내걸고 쫓고 있었다. 이승만은 중국이 일본군의 지배하에 있어서 운신의 폭이 좁았다. 그러다 보니 상해에서 활동은 제한적이고 조심스러울 수밖에 없다, 임시정부의 내각 구성과 정책 결정에 적극적으로 참여할 수 없었다. 1925년 3월까지 대통령직을 거쳐 33년 6월 무임소 국무위원 보궐선거에 당선됐다. 34년 4월 외교위원회 위원장에 선임되었다. 이승만은 대통령직에 탄핵당했지만 여전히 임정의 주요보직 맡아서 활발하게 역할을 수행했다.

특히 이승만은 정부체제를 자본주의에 의한 시장경제 체제를 주장하는데 반하여 이동휘 여윤형 등은 사회주의 체제를 옹호하면서 임시정부내에서 체제 경쟁으로 인한 불협화음이 컸다.

1921년 임시의정원은 구미위원부 활동을 중단시킬 것을 결의했지만 이승만은 이를 무시하고 구미위원부 활동을 계속했고 임시의정원 승인 없이 러시아 정부와 독립운동 자금지원 협정 체결을 하기도 했다.

이승만은 1919년 미국 윌슨 대통령에게 국제연맹의 한국 위임통치를 청원했다. 이는 당시 국내외 독립운동 세력의 주류였던 무장투쟁 노선과 배치되는 것이었다. 결국 이 사건으로 임시의정원 대통령직에서 탄핵당했다.

- 이승만의 한시
상해임시정부 초대 대통령으로 취임하기 위해 하와이에서 상해로 가는 길, 이승만에 목에 현상금이 붙은 상황이라 일본군의 눈을 피해 상해에서 화물선 선박의 집칸 그것도 죽은 사람들 시체 운반하는 관속에 죽은 사람처럼 위장을 하고 임시정부로 떠나는 중에 한시를 지은 것으로 영어 뿐만아니라 한학에도 출중했음을 짐작할 수가 있다.

왜정(倭政) 때 우남 이승만(雩南 李承晚)님은 왜경(倭警)이 현상금(懸賞金)이 3,000엔, 김구선생(金九 先生)님은 500엔이 걸었다.

사변(事變)을 겪은 세대(世代)는 몸소 체험(體驗)해 봤기에 잘 알고 있지만, 그 이후 탄생하신 분들은 잘 모르시고 있었는데 이제야 우리 건국사(建國史)가 제대로 밝혀지고 김일성 주의자들에 의해 역사적 사실(歷史的 事實)이 왜곡(歪曲)된 것을 바로 잡게 됨을 뜻 깊게 생각하면서 雩南 李承晚 초대 대통령께서 상해임시정부(上海臨時政府)에 대통령(大統領)으로 취임(就任)하시느라 상해(上海)에 가시면서 화물선(貨物船)에서 겪으셨던 일들을 시(詩)로 남겨 놓으신 걸 옮겨 봅니다.

1.

遠客暗登船去太平洋[원객암등선거태평양]

멀리 가는 객 몰래 배를 타고 태평양을 떠나다[?]

民國二年至月天[민국이년지월천]

민국 2년 동짓달 [열 엿세 날]

布哇遠客暗登船[포와원객암등선]]

하와이에서 멀리 가는 손님 남몰래 배를 탔다

板門重鎖洪爐煖[판문중쇄홍로난]

겹겹의 판자 문 속에 난롯불은 따뜻했고

鐵壁四圍漆室玄[철벽사위칠실현]

사면이 철벽이라 실내는 캄캄했다

山川渺漠明朝後[산천묘막명조후]

내일 아침 후면 산천도 아득하겠지만

歲月支離此夜前[세월지리차야전]

이 밤이 지나기 전에 세월은 얼마나 지루할까

太平洋上飄然去[태평양상표연거]

태평양 바다 위를 표연히 떠서 가니
誰識此中有九泉[수식차중유구천]
이 배 안에 황천이 있는 걸 누가 알 수 있으랴?[?]
[時有華人尸體入棺在側]<시유화인시체입관재측>
이 때 입관한 중국인 시체가 옆에 있었음.

2.

贈桂園盧伯麟晩湖金奎植 [증계원노백린 만호김규식]
계원 노백린과 만호 김규식에게 주는 시

 時二友在 Kawela Beach
이 때 계원 노백린과 만호 김규식은 Kawela Beach에 있었음
君猶湖港客[군유호항객]
그대들은 아직도 호항에 있으나
我獨滬州船[아독호주선]
내 홀로 上海 가는 배를 탔소 이다
寄書曾有約[기서증유약]
일찍이 편지를 부치기를 약속 했으나
借便奈無緣[차편나무연]
인편[人便]을 아무런 연고도 없이 어찌 찾겠소
藏名非避世[장명비둔세]
이름을 감춘 것이 세상을 피하려고 한 게 아니듯
絶食豈求仙[절식기구선]
굶는 것이 어찌 신선이 되려고 그리하겠소
灣外滄波濶[만외창파활]
부두 밖은 확 트인 푸른 물결이 이니
明朝思渺然[명조사묘연]
내일 아침 생각만 해도 묘연하오[?]
*湖港은 호놀룰루 이고 滬州[호주]는 上海의 別稱입니다.

3.

298

舟中即事[주중즉사]

배 안에서 있었던 일들

가.

淸曉塵衣客[청효진의객]

맑은 새벽에 꾀제제한 옷을 입은 승객이

北風掛帆時[북풍괘범시]

북풍이 불어오자 돛을 올릴 때

終夜歸藏密[종야귀장밀]

밤 새도록 꼭꼭 숨어 있다가

平明步出遲[평명보출지]

날이 밝자 천천히 걸어 나온다

行色支那子[행색지나자]

행색은 중국 사람인데

姓名約翰兒[성명약한아]

이름은 요한[John]이라 하였다

辛酸何足道[신산하족도]

밤새도록 한 고생[苦生] 어찌 다 말 할 수 있으랴만

猶喜少人知[유희소인지]

알아 보는 이 없어 오히려 기쁘다.

나.

凌風破浪大洋船[능풍파랑대양선]

바람과 물결을 헤치며 나아가는 대양선[貨物船]

暮過檀山己六天[모과단산이육천]

저녁에 호놀룰루 떠나 온 것이 벌써 엿세 째

夕氣送寒知北上[석기송한지북상]

저녁 공기 차가운 걸 느끼니 배가 북상하고 있는 걸 알겠고

朝陽披霧指東邊[조양피무지동변]

아침 해가 안개를 헤치고 떠오르니 동쪽을 지향하고 있네

頭上有天星月照[두상유천성월조]

머리 위엔 하늘의 별과 달이 비치고

眼前無地水雲連[안전무지수운연]

눈 앞엔 육지[陸地]는 보이지 않고 바닷물과 구름이 이어져 있으며

一萬五千餘里路[일만오천여리로]

일만 오천여리의 여정[旅程]이니

三分之二尙茫然[삼분지이상망연]

아직도 2/3 이상 아득히 남아 있구나

*檀山[단산]은 호놀룰루 [火奴魯魯 화노노노] 입니다.
다.

舟人問我是何人[주인문아시하인]

선원이 내게 누구냐고 묻기에

故道中華去國臣[고도중화거국신]

예전에 고국[중국]을 떠나 사는 중국인이라고 대답하면서

揚江雲樹靑春別[양강운수청춘별]

양자강가에 살던 친구와 젊었을 때 헤어져

檀島風霜白髮新[단도풍상백발신]

화와이 섬에서 온갖 풍상 겪다보니 백발이 되었다고

黃金世界生涯淡[황금세계생애담]

돈이 제일인 세상에서 가난하게 살다 보니

綠水鄕園夢想頻[녹수향원몽상빈]

푸른 물로 이름난 내 고향 동산 꿈을 자주 꾸었다 하니

聞此悽然相顧語[문차처연상고어]

이런 얘기 듣고는 처연해져 서로 돌아보며

斯翁身世正堪憐[사옹신세정감련]

이 어르신 신세 정말로 가련하십니다. 라고 하네[?]

*故道는 짐 짓 말하는 것이고, 檀島는 하와이,雲樹는 친구와 멀

리 헤여져 있음을 말합니다[雲樹之思의 준말]
라.

太平洋水共天長[태평양수공천장]
태평양의 물과 하늘 길기만 한데
縹渺檀山在彼央[표묘단산재피앙]
아득히 멀리 하와이 섬이 있다
衆嶂層巒無地起[중장층만무지기]
많은 산 봉우리들 층층이 연이어 땅도 없는 곳에 솟아있고
奇花異草四時香[기화이초사시향]
기이한 꽃과 풀들 사시사철 향기롭다
三州舸艦交叉路[삼주가함교차로]
삼주[아시아 주, 아메리카 주 그리고 대양주,<호주>]의 큰 전
함들이 교차하는 길목
萬國衣冠互市場[만국의관호시장]
만국의 사람들이 모여들어 서로 교차하는 곳
海上蓬萊何處在[해상봉래하처재]
바다 위 봉래산은 어디에 있는고
旋風琅月是仙鄉[선풍랑월시선향]
明淨之風과 珠玉 같은 달이 있으니 이곳이 仙鄉이겠지[?]
마.

風風雨雨大洋舟[풍풍우우대양주]
세찬 비바람 헤치며 나아가는 바다의 큰 배
東渡二旬到亞州[동도이순도아주]
동쪽으로 건너오길 이십일 만에 아시아에 이르렀다
莫道江蘇鄉國遠[막도강소향국원]
강소성에서 고국 땅 멀다고 하지 말아라
雲山猶似漢陽秋[운산유사한양추]
이곳의 구름 낀 먼 산은 외려 한양의 가을과 비슷하다.[?]

4.

十二月五日船泊黃浦江,潛上陸暫寓孟淵館[십이월오일선박황포강,잠상륙잠우맹연관]

12월 5일 황포강에 배가 정박하자 몰래 상륙하여 맹연관에 잠시 머물렀다

投書張鵬待其來[투서장붕대기래]

장붕에게 편지를 띄어 그가 오기를 기다렸다

孟淵館異客眠遲[맹연관이객면지]

맹연관에 투숙한 객 잠이 잘 오지 않아

待友不來細雨時[대우불래세우시]

벗이 오길 기다렸으나 오진 않고 가랑비만 내렸다

盡日看書衰眼暈[진일간서쇠안운]

온 종일 책을 보다 보니 눈이 어지러워

背燈傴臥試新詩[배등언와시신시]

등잔 불 등지고 누워서 시 한 수 지었다.[?]

5.

一九二一年三一節在上海偶吟[1921년3.1절재상해우음]

1921년 삼일절을 맞아 상해에서 읊다

半島忍看島族侵[반도인간도족침]

한반도는 섬나라의 침략을 차마 보고만 있을 수 없어

綠江波怒白山陰[록강파노백산음]

압록강의 파도도 노했고 백두산도 그늘을 드리웠다

百濟新羅隣誼重[백제신라린의중]

백제와 신라 때는 이웃 나라로 정의가 서로 깊었으나

壬辰乙未世讐深[임진을미세수심]

임진년과 을미년 후론 대대로 원수가 되었었다

二千萬衆求生計[이천만중구생계]

이천만 백성들은 살길 찾아 나섰으나

三十餘賢決死心[삼십여현결사심]
서른 세 분 현인들께선 목숨 바쳐 싸우기로 결심 하셨다
人和天地皆同力[인화천지개동력]
백성들이 뜻을 같이 한다면 하늘이나 땅도 도와 주거늘
營可燒除艦可沈[영가소제함가침]
왜적의 병영 불살라 없애고 군함도 침몰 시킬 수 있다[?]
6.
太平洋舟中作[태평양주중작]
태평양 건너는 배 에서 짓다[?]
一身泛泛水天間[일신범범수천간]
바닷물과 하늘 사이에서 떠다니는 이 한 몸
萬里太平幾往還[만리태평기왕환]
만 리 길 태평양을 몇 번이나 오갔던가
到處尋常形勝地[도처심상형승지]
도처에 흔한 게 아름다운 경치지만
夢魂長在漢南山[몽혼장재한남산]
꿈에서도 늘 그리운 건 한양의 남산이다[?]
雩南 李承晩[우남 이승만] 지음

8. 이승만은 위임통치 청원서를 제출했다.
현재와 같은 일본의 통치로부터 조선을 해방시켜 국제연맹의 위
임통치 아래에 두는 조처를 할 수 있도록 하는 저희들의 자유
염원을 평화회의 석상에서 지지하여 주시기를 간절히 청하는 바
입니다.
위임통치 청원서 이승만 1919. 3. 3(제출)

▶1919년 이승만은 대한독립으로 가는 길을 당시에는 국제연맹
에서 한국을 위임통치하는 것이 제일 좋은 방법으로 생각했다.

미국 윌슨 대통령에게 청원서를 제출하게 된다. 하지만 거부당한다. 당시 미국은 일본과 돈독한 관계를 유지하고 있었다.

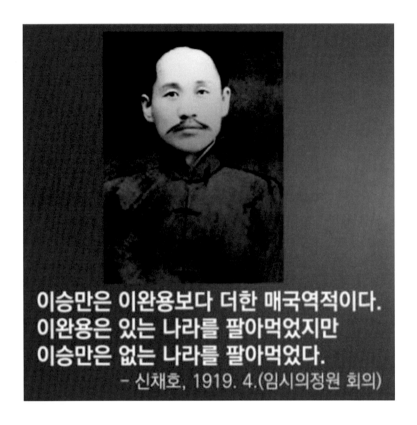

이승만은 이완용보다 더한 매국역적이다.
이완용은 있는 나라를 팔아먹었지만
이승만은 없는 나라를 팔아먹었다.
 - 신채호, 1919. 4.(임시의정원 회의)

'없는 나라를 팔아 먹었다'고 했는데 없는 나라를 누가 싸는 사람있나, 어느 국가가 없는 나라를 씨나, 이승만이 없는 나라를 팔아서 착복한 것도 아니고 당시 상황에서 나라의 독립을 위해 최선의 방법을 찾다보니 국제연맹에 위임통치를 할 수 있다면 가장 최선의 방안이라 판단해서 제시한 것을 가지고 '나라를 팔아 먹었다'는 망말은 그 사람의 수준이 딱 그 정도인 것 같다.

그것이 일본의 식민지배에서 벗어나는 길이라고 판단 한 것이다.

9. 이승만은 임시정부 대통령직을 탄핵당했다.
대한민국 최초로 탄핵당한 첫 번째 대통령이다.

이승만은 외교를 구실로 하여 직무지를
마음대로 떠나 있은 지 5년에,
바다 멀리 한쪽에 혼자 떨어져 있으면서
난국 수습과 대업의 진행에
하등 성의를 다하지 않을 뿐 아니라,
허황된 사실을 마음대로 지어내 퍼뜨려
정부의 위신을 손상하고 민심을 분산시킴은 물론,
정부의 행정을 저해하고 국고 수입을 방해하였고
의정원의 신성을 모독하고 공결을 부인하였으며
심지어 정부까지 부인한 바 사실이라. (중략)
고로 주문과 같이 심판함.
　　　- 임시정부 임시의정원 탄핵 결의안, 1925. 3. 13.

▶7번 문항과 답이 같다.

10. 이승만 임시정부 의연금을 착복했다.
이승만이 탄핵당하고 임시정부로 보내는 의연금을 다 끊고 착복 했다.
임시정부는 그 이후 가난해져서 김구 선생은 전세 돈을 얻으러 다니 밥을 얻어먹고 다녔다고 한다….

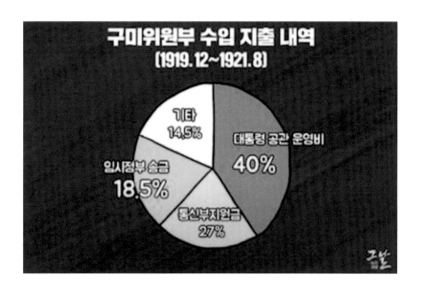

구미위원부 수입 지출 내역
(1919. 12~1921. 8)

기타
14.5%

대통령 공관 운영비
40%

임시정부 송금
18.5%

통신부지원금
27%

독립성금과 인구세 ▶▶▶ 13%만 송금

국민 People   중개인 Broker   정부 Government

무기구입비
부대운영비

▶임시의정원에서는 구미위원부를 인정하지 않으려 했고, 이것 때문에 이승만과 임정은 갈등의 골이 깊었다. 이승만은 자신의 본거지에서 활동하며 임시정부에 자금을 지원했다. 1번 문항에서 충분히 답변했다. 김구는 임정을 운영하면서 늘 자금이 부족에

시달렸다. 심지어 직원들의 월급을 주지 못해서 고발 당하기도 하였다. 이승만에게 여러번 자금요청을 한 편지를 보냈다. 결국 구미위원부에서 자금을 마련하는 통로 였는데 임정에서는 구미 위원부를 인정하지 않고 이승만에게 활동을 중지 하라고 했는데, 돈은 요구하면서 돈을 만드는 창구활동을 못하게 하는 이중적인 형태를 취했다.

11. 이승만과 접촉하지 말라는 명령을 내린다. 미국 도노반 소장

이승만과 접촉하지 마라
우리와의 관계를 개인적 선전활동에 이용한다는 정보가 입수됐다

▶CIA 전신인 OSS 동아시아 담당 국장으로 중국쪽 담당자였다. 트루만 대통령에게 보고서를 제출, 김구를 트루만 대통령에게 소개했으나 거절당했다. "대한민국임시정부 주석이라고 서명한 김구 인물이 보내온 전문"이라고 언급한 전문에 대해 미 국무부를 통해 도노반에게 편지 "미국 정부 승인을 받지 않은 자칭 정부대표가 우리에게 보내오는 서한을 전달하는 통로로 귀관 휘하의 요원들이 처신하는 것은 적절하지 않다는 것을 그들에게 지시해

주면 고맙겠습니다"

도노반 소장은 루즈벨트 사람이었다. 루즈벨트가 갑자기 죽지 않았다면 김구는 도노반 라인을 통해서 미국과 연결고리를 통해 임시정부의 주석으로 자리매김 할 수 있었고, 해방정국에 위상이 달라졌을 수 있다고 안타까워했다. 이런 이유로 해서 도노반은 이승만과 연계 관계가 없어서 임정 관계자들이 이승만 정보를 왜곡 보고했다고 판단된다.

12. 이승만은 정읍 발언을 통해 처음으로 분단을 언급했다.
모스크바 3국(미/영/소) 외상 회의(1945.12) 가 진행된다.
여기서 분단하지 않고 4대 강국 신탁통치(최대 5년)가 논의된다.
이 회의가 휴회 되자 이승만은 남/북한 최초로 분단을 언급한다.
-> 남한에서라도 권력을 쥐고 싶었나 보다.

▶일본이 8.15 항복 즉시 소련은 3, 8선을 경계로 북한을 진주해서 점령군으로 본색을 드러내기 시작한다. 미소의 회담으로 이미 신탁통치안 확정되자 레베데프 소장, 스티코프 중장은 소련군 대위 출신 김일성을 앞세워 북한을 통치하기 시작했다. 제일 먼저 경원선, 경의선 철도 왕복 금지와 이동을 제한했다. 남북한의 전화와 전보 등 통신을 차단하여 남북교류를 원천적으로 방해했다.
분단의 원흉은 스탈린이다.

이승만의 정읍 발언은 46년 6월 3일이다. 이미 북한 스탈린 체제 정비에 박차를 가하면서 북한 정권 수립이 진행되고 있는 상황에서 통일된 정부 수립이 어렵다면 남한에도 정부를 수립해서 북한과 회담을 할 필요가 있다고 판단했다.

이제 우리는 무기휴회된 공위가 재개될 기색도
보이지 않으며,
통일정부를 고대하나 여의케 되지 않으니
우리는 남방만이라도 임시정부 혹은
위원회 같은 것을 조직하여
38 이북에서 소련이 철퇴하도록
세계 공론에 호소하여야 될 것이다.
— 이승만의 정읍발언, 1946. 6. 3.

김구 선생은

분단만은 막고자 "삼천만 동포에게 읍고함"을 발표하고 이후 북한에 넘어가서 김일성을 설득하려고 노력한다. 김구가 북으로 간다고 하자 주변에서 모두 일어나 반대를 하고 바지 가랑이 잡고 늘어지면서 하소연 하지마 애써 무시하고 북으로 갔다. 하지만 김일성과 회담은 아무런 성과도 없이 끝났다. 다녀와서 크게 성과가 있는 것처럼 발표했지만 그 이후 이루어진 것은 하나도 없었다. 이승만은 김구가 김일성과 회담하러 간다고 했을 때, "김일성이 무슨 힘이 있다"고 라며 "의사결정권자도 아니고 라며 쓸쓸했다고 한다.

13. 이승만은 5.10 선거 당시 최능진의 입후보를 막았다.

이승만은 민주주의를 외치면서 최능진의 입후보를 막았다. -> 이승만의 민주주의는 부정선거가 기본 결국 한국전쟁 때 간첩 혐의를 입혀 죽인다. -> 정적은 죽여야 맛이냐?

▶5, 10 총선일이 확정되고 이승만은 동대문 갑구에 출마하게 된다. 무투표 당선이라는 결과를 얻기 위해 준비하고 있는데, 최능진 후보가 동대문 갑구에 출마 선언하고 입후보 서류를 제출하지만, 서류 준비 부족으로 반려 당한다. 최능진은 서류탈취사건에 대해 미군정에 부당함을 호소하여 서류준비를 위한 시간을 하루 연기 받았다. 하지만 추천서 200장 가운데 이승만 지지세력들이 공작하여 20장의 추천서를 못 쓰게해서 결국 시간내 서류를 제출하지 못했다. 당시에 최능진은 친일경찰 처단 등으로 이름이나 동대문 갑구의 주민 90% 지지를 받고 있었다(황현필 역사연구가의 유튜브 주장)고 했다.

악의적인 왜곡이다. 90% 지지를 받는 사람이 하루 동안 20여 장을 못 받아서 서류제출을 못한다가 말이 안된다. 국회의원 출마하려면 최소한 자원봉사자가 몇 명은 있어야 한다. 하루 아니라 반나절이면 추천서 받을 수가 있다. 최능진은 동대문 갑에 대해 연고가 없었고 더구나 경찰조직에서도 파면 당한 사람이다. 이승만의 지지도가 90%였다. 이승만의 무투표 당선은 예우 차원에서 지지하는 세력들이 준비한 선거구였다.

최능진은 51세 당시 이승만에게 정면으로 대항하다가 혁명 의용군 사건의 혐의를 쓰고 사형됐다.

최능진의 과거를 살펴보면 1946년 12월 2일 조병옥 경무부장은 최능진 수사국장에게 국립경찰의 현황을 유지하며 경찰 사기를 진작하여 명령계통을 확보함에 유해하므로 사직을 요청한다는 요구와 함께 파면시켰다. 최능진은 경찰조직으로부터 조직의 명령계통에 유해하다는 이유로 파면당했다. 경찰 내에서도 문제 인물로 낙인이 찍힌 상태로 이후에는 한독당에 등에서 활동을 하다가 5.10 선거에 이승만에게 무투표 당선의 '꼴을 못 본다.'라 며 출마를 강행했다.

하지만 좌파들은 최능진 이승만에게 도전했다고 해서, 마치 대단 한 독립운동가라는 식으로 감싸고 돈다. 대단한 독립운동을 한 것도 아니고 단지 이승만과 맞선다고 해서 최능진을 갑자기 열 사로 취급한다….

이 박사는 당시 '라이벌' 최능진 씨가 후보 등록 마감 전날인 4월 15일 하오 추천서 꾸러미를 가방째 선관위 앞에서 날치기당함으로써 무투표 당선됐다.
이미 알 사람은 대강 짐작했겠지만 이때 최 씨의 가방을 날치기한 2명의 괴한은 바로 우리 서청의 성북 지부장 계호순 외 1명이었다.
— 서북청년단 리더 문봉제, 1973. 2. 8.

14. 이승만은 친일파를 부활시켰다.
친일파 처단을 위한 조사 위원회인 "반민족행위특별조사위원회 "(1948)가 생겼을 때 담화문을 내면서 친일파를 옹호한다..

지금 반란분자와 파괴분자가 처처에서 살인, 방화하여 인명이 위태하며 지하공작이 긴밀한 이 때 경관의 기술과 진력이 아니면 사태가 어려울 것인데 기왕에 친일 죄범이 있는 자라고 (처벌을)아직 보류하고 목하의 위기를 정돈시켜 인명을 구제하며 질서를 유지하는 것이 지혜로운 정책이 아닐까 한다.

― 이승만 담화문, 1949. 2. 4.

▶친일 관련해서는 해방 후 대한민국 첫 내각 구성할 때 친일인 사는 한 사람도 들어가 있지 않았다고 소개했고 명단을 다 올려놨다. 반면 북한은 친일인사들을 첫 내각에 기용했는데 반 이상이 차지한다. 지금까지 좌파에서는 이승만 친일파 부활이라는 것으로 비판해왔으며 특히 김일성은 친일파를 확실히 정리해서 민족정기를 부활 운운하면서 대한민국의 정통성이 친일파를 척결한 김일성에게 있다는 논리를 전개해왔다. 정말 반성하고 잘못을 뉘우쳐야 할 좌파들이지만 이들이 반성하고 사죄할 집단이 아니라는 것에 울분을 느낀다..

남로당의 척결과 반공을 위해서 친일경찰을 기용했다. 반공이 더 우선이었기 때문에 그 계통에서 오랫동안 수사하고 간첩들의 움직임과 상황을 늘 지켜본 경찰들에게 업무를 맡기다보니 그렇게 했다.

이승만은 미국의 한일국교 수립을 끈질기게 뿌리치면서 일본과는 상종할 수 없다고 주장하고 임기내내 일본과 수교는 이뤄지지 않았다. 친일은 이승만과 아무런 관계가 없다.

15. 이승만은 악질 친일경찰 노덕술을 보호했다.

친일경찰 노덕술이 반민특위에 끌려가자 노덕술을 구출하기 위해 경찰들이 국회를 습격한다. 반민특위 습격 사건 (1949.6.6.)

▶노덕술은 친일경찰 맞다. 이승만이 굳이 노덕술을 변호한 이유는 간첩 때문이었다. 해방공간에서 남한 내 남로당의 뿌리는 깊었고 제주 4, 3 사건 여순 반란사건 대구폭동사건 등 모두 남로당이 일으킨 정변이다. 이것은 가장 명쾌하게 해결한 것이 노덕술이다. 이승만의 입장에서는 친일 척결보다 더 중요한 것이 남로당. 북한 공산당으로부터 남한 지켜내는 것이고 국가를 방어해고 해야 할 책임이 대통령에게 있었다. 반공을 위해서는 누구보다도 노덕술이라는 존재가 필요했고 이승만의 선택은 노덕술이었다.

16. 김구 암살의 유력 배후자인 이승만

이승만은 김구 암살에 대해 한독당의 내분으로 발생한 사건이라는 성명을 발표(1949.7.2.) 군 당국은 친 공산주의적인 한국독립당의 음모에 맞선 안두희의 의거로 규정(1949.7.20.) 안두희는 재판 기간 중 특진, 1년여 만에 형 면제 처분을 받고 군에 복귀하는 특혜를 받았다.

▶불감청이언정 고소원이라는 표현으로 본문에서 이미 밝혔다.

17. 이승만 정권은 제주 4.3 사건 당시 민간인을 학살했다.

남로당 무장대와 토벌대 간의 무력 충돌과 토벌대의 진압 과정에서 수많은 제주도민이 희생당한 사건으로, 문제는 희생된 인원만 3만여 명이다.

희생된 인원에는 민간이고 포함되어 있었고 심지어 3세 미만, 10세 이하, 11~20세, 70세 이상도 있다. 이승만이 직접 죽이지 않았다고 하는 사람은... 그러면 전두환도 옹호하는 거네?

▶제주 4·3 사건

제주 4·3 사건(한국 한자: 濟州四三事件, 영어: Jeju uprising)은 1947년 3월 1일을 기점으로 1948년 4월 3일 발생한 소요사태 및 1954년 9월 21일까지 제주도에서 발생한 남로당의 지휘를 받는 빨치산 조직의 진압 과정에서 제주인들이 희생당한 사건을 말한다. 2019년 12월 제주 4·3 사건 진상규명 및 희생자명예회복위원회가 결정한 제주 4.3 사건 민간인 희생자 수는 14,442명이다(진압군에 의한 희생자 7,624명, 무장대에 의한 희생자 1,528명). 단, 민간인 희생자는 최대 25,000~30,000명으로 추정된다. 한편 진압군은 1,091명 사망하였다.

당시 제주도 상황 (1946)

제주도 인구는 해방 전해인 1944년 21만9천여 명에서 1946년 27만 6천여 명으로 2년 새 5만 6천 명 이상 늘어났다. 인구의 급증은 전국적인 대흉년과 맞물려 사회경제적으로 제주 사회를 압박하는 요인이 됐다. 1946년 제주도의 보리 수확량은 해방 이전인 1943년과 1944년에 견줘 각각 41%, 31%에 그쳤다. 제조업체의 가동 중단과 높은 실업률, 미곡 정책의 실패 등으로 제주 경제는 빈사 상태에 빠졌다. 게다가 기근이 심했던 1946년 여름 제주도를 휩쓴 콜레라는 2개월여 동안 최소 369명의 사망자를 냈다.

남로당의 제주도 활동 (1947)

미군 제6사단 브라운 대령이 1948년 5월 22일부터 6월 30일까지 제주도민 5,000명을 대상으로 조사한 결과에 따르면, 공산진영의 남로당은 1946년부터 제주도에서 공작을 시작했다. 남로당은 5.10 총선거 실시가 확실해지자 활동을 강화하고 특수 공작원을 본토에서 제주도로 파견했다. 남로당을 조직하기 위해 본토에서 보낸 훈련받은 선동가 및 조직가는 6명에 불과했으나, 곧바로 500~700명의 동조자가 합류했다. 제주 4.3 사건 발생 당시 제주인 60,000~70,000명이 남로당에 가입한 것으로 추산된다. 그들 대부분은 당시 전쟁과 전후 생활고에 시달리고 있었기 때문에, 남로당의 반미사상에 동조했었다.

1947년 제주북공립국민학교에 열린 3.1절 기념식을 마친 30,000여 군중중 17,000여명의 좌익·남로당계열 군중이 미군정 통치반대등을 내세워 가두 시위에 들어갔는데, 이때에 기마경관이 탄 말에 어린이가 채여 소란이 발생하였다. 기마경관이 어린이가 채인 사실을 무시하자 주변에 있던 3만여 군중들이 몰려들어 기마경관에게 돌을 던지고 야유를 보내며 경찰서까지 쫓아갔다. 그런데 다수의 인원이 무장한 채 경찰서로 진입하자 경찰은 이를 경찰서 습격으로 판단하여 시위대에게 발포해 6명이 사망하고 8명이 중상을 입었다. 사상자 가운데는 시위대와 직접 관련이 없는 일반 구경꾼도 여러 명이 포함돼 있어서 민심을 자극시켰다. 남로당은 이런 민심의 흐름을 놓치지 않고 조직적인 반경활동을 전개했다. 처음에는 전단지를 붙이는 일과 사상자 구호금 모금운동을 벌였다.

1947년 3월 9일부터 제주도청을 시작으로 민관 총파업이 발생하여, 제주도의 경찰 및 사법기관을 제외한 행정기관 대부분인 23개 기관, 105개의 학교, 우체국, 전기회사 등 제주 직장인 95%

에 달하는 4만여 명이 참여하였고, 심지어 제주 경찰의 20%도 파업에 참여하였다.(대부분의 파업 참여 경찰관은 파직되었고 그 결원 부분은 서북청년단으로 보충되었다). 3월 18일까지 선동 주 범자들 약 150명이 검거되면서 파업이 일단락 되었고 각자 다시 집무에 복귀하였다.

1947년 3월 19일 미군정 정보 보고서에서는 미군정은 제주도 주민 70%가 좌익 또는 그 동조자로 인식했다. 박헌영의 비서 박 갑동은 어느 정도 지지한 것은 사실이라고 말했다.

1948년 미군정에 의해 불법화된 남로당과 민주주의민족전선은 남한 단독 총선거 일정이 발표되자 단선단정을 반대하며 전국적 인 대규모 파업을 일으켰다. 이것이 2·7 사건이다. 이 파업 중 일부가 과격화되어 경찰과 물리적 충돌을 일으켰다. 이 사건은 제주 4·3 사건과 여수순천 사건의 전초전이 되었다. 2·7 사건은 자연발생적이며 우발적인 요소가 많았던 대구 10·1 사건과 달리 사전에 충분히 계획되고 준비되었다는 점이 특징적이다. 이러한 특성 때문에 미군정 지배하에 있던 지역에서 동시다발적으로 일 시에 사건에 돌입할 수 있었다. '단선단정 반대'라는 이해와 공 감이 쉬운 구호와 함께 투쟁의 목표 또한 분명히 통일되어 있었 다. 2·7 사건을 계기로 미군정 지역에서 미국에 반대하는 세력은 지구전 태세에 들어가게 되었고, 이는 각 지역 산악 지대를 중심 으로 조선인민유격대의 초보적 형태를 구성하면서 제주 4·3 사 건으로 이어졌다.

제주도인민유격대 결성 (1948) 총책임자: 김달삼
남로당 제주도위원회는 5.10 총선거가 시작되기 전에 섬 전체에 걸쳐 모든 마을과 읍면에 공산주의 세포를 조직하였다. 각 세포

조직은 한 명의 지도자와 선전원, 보급책 등으로 구성되었다. 규모가 큰 읍면에는 현 정부(미군정)가 무너지면 민간 정부 역할을 수행하게 될 인원까지 있었다. 세포조직을 심는 것 외에도 조직을 군사부 중심으로 개편하고 조선인민유격대 예하 '제주도인민유격대'를 조직하였다. 총사령관에 김달삼, 특별경비대장에 이덕구를 임명하였다. 제주도인민유격대는 전투부대 25부대와 직속부대 25부대, 그리고 각 읍,면 단위로 한 두개의 유격중대와 자위대가 각각 편성되었으며, 제주도인민유격대 본부는 한라산에 설치되었고 애월면 샛별 오름 하단의 들판에 훈련장을 설치하여 군사훈련을 실시하였다. 인사장교가 임명되었고, 인원 모집이 활발하게 이루어졌다. 폭동이 절정이었을 때, 제주도인민유격대 규모는 대략 4,000명의 장교와 사병을 갖춘 것으로 추산되었다. 무장병력 중 10% 미만이 소총으로, 나머지는 일본도와 지역에서 만든 창으로 무장했다.

남한 단독정부 수립을 위한 5.10 총선거가 예정되면서 당의 존립이 위협받게 되자, 남로당 제주도당 골수당원 김달삼 등은 남로당 중앙당과 아무런 협의도 없이 독단적으로 무장폭동을 결정하였다.

1948년 4월 3일 새벽 2시, 남로당 김달삼 등 350여 명이 무장을 하고 제주도 내 24개 경찰지서 가운데 12개 지서를 일제히 급습하면서 '제주 4.3 사건'이 시작되었다. 경찰과 서북청년회, 대한독립촉성국민회, 대동청년단 등 우익단체 요인의 집을 지목해 습격하였다.

무장봉기가 발발하자 미군정은 이를 치안상황으로 간주하고 경찰과 서북청년단의 증파를 통해 사태를 막고자 했다. 그러나 사태가 수습되지 않자 국방경비대에 진압출동 명령을 내렸다. 당시 국방경비대 제9연대의 김익렬 중령은 경찰·서북청년단과 도민의 갈등으로 발생한 사건에 군이 개입하는 것은 적절치 않다며 귀순작전을 추진하였다. 김익렬은 약 일주일 동안에 걸쳐 수차 산록일대에 비행기로 삐라를 산포하여 "사건계속은 이 이상 유해무익이므로 향토평화회복을 위하여 하로바쎄 손을 잡자"는 뜻을 피력하고 그들의 민족적량심에 호소하였으나 이에 대하여 산중으로부터 만족할만한 회답이 없었다. 이에 국방경비대 특별부대는 1948년 4월 27일 오전 10시경부터 행동을 개시하였다.

1948년 4월 28일 김익렬은 무장대측 책임자 김달삼과 '평화협상'을 벌였다(단 김익렬은 그의 회고록에서 '평화협상'이라는 표현을 사용했지만 그 구체적 내용은 '귀순공작'이었다). 이날 평화협상이 체결되어 '①72시간 내에 전투를 완전히 중지하되 산발적으로 충돌이 있으면 연락 미달로 간주하고, 5일 이후의 전투는 배신행위로 본다. ②무장해제는 점차적으로 하되 약속을 위반하면 즉각 전투를 재개한다 ③무장해제와 하산이 원만히 이뤄지면 주모자들의 신병을 보장한다'고 합의하였다.

그런데 1948년 4월 29일 오라리 마을의 대동청년단 부단장과 단원이 납치된 후 행방불명되었고, 4월 30일에는 동서간인 대동청년단 단원의 부인 2명이 납치됐는데 두 여인 중 한 명은 맞아 죽고 한 명은 가까스로 탈출해 이 사실을 경찰에 알리는 일이 있었다. 조병옥에 의하면 "임신 9개월된 부인을 경찰관에 협력한 대동청년단의 형수가 된다는 이유로 죽창으로 찔어 죽였다"고 한다. '평화협상'을 결렬시킨 결정적인 사건은 1948년 5월 1일 오라리 방화 사건이었다. 오라리 방화 사건의 주범은 정확히 밝혀지지 않았으나, 대체로 대동청년단이 일으켰거나 경찰이 국방경비대를 견제하기 위해 일으킨 것으로 보고 있다.

1948년 5월 3일 김익렬은 다시 다음과 같은 요지의 전단을 비행기로 산록일대에 산포하였다. "형제제위여 본관이 제위의 민족적 량심에 호소하고 사건을 평화적으로 해결하려는 수차에 긍한 권고문과 교섭은 형제제위의 지도자의 무성의에 의하야 수포에 귀하였다. 국방과 치안의 중책을 쌍견에 짊어진 국방경비대는 사건 발생 후 20일 이상을 은인자중(隱忍自重)하여 왔다. (중략) 본관은 전투를 개시할 것을 선언한다. 그러나 본관은 '동족상쟁'은 어데까지 든지 원치 않는다. (중략) 지금도 늦지 않았다. '동족상쟁'을 원치 않거든 속히 귀순투강하라. 연락원을 급속히 파견하라."

1948년 5월 5일 제주 4.3 사건의 해결을 놓고 제주중학교 미군정청 회의실에서 진압회의가 열렸다. 국방경비대 제9연대장 김익렬 중령은 경찰의 기강문란을 탓하며 제주경찰을 자기의 지휘하에 달라는 요구를 하자 경무부장 조병옥은 설명과 증거물이 전부 조작이라며 부인하더니 김익렬을 공산주의자로 몰기 시작했다. 그러자 김익렬이 조병옥에게 달려들었고 몸싸움이 벌어져 회의장은 난장판이 되어 진압 회의는 결말을 보지 못한 채 종결되었다. 1948년 5월 6일 제9연대장이 김익렬 중령에서 박진경 중령으로 교체되었다.

1948년 5월 10일 제주도는 계엄상태하에서 5·10 총선을 치렀다. 선거 당시 선거위원의 반수이상이 피신 납치되었다고 한다. 제주도 85,517명이 유권자로 등록, 45,862명이 투표를 완료하였다.

1948년 5월 18일 제주도 선거결과가 국회선거위원회에 전달되었는데, 북제주군 갑구는 73투표구중 31개구가 투표되었고(등록 유권자 27,560명 투표자 11,912명), 북제주군 을구는 61투표구 중 32개구의 투표(등록한 유권자 20,917명, 투표자 9,724명)가 시행되었다. 이에 국회선거위원회는 선거법 제44조에 따라 북제주군의 선거무효를 군정장관에게 건의하였다. 남제주군에서는 남조선과 도입법의원 오용국이 당선되었다. 그나마 수거된 투표함을 개봉한 결과 최다득표자는 북제주군 갑구는 양귀진(梁貴珍), 북제주군 을구는 대한청년단 양병직이었다.

1948년 6월 말 김달삼은 9월 해주에서 개최되는 최고인민회의 참석차 제주도를 빠져나갔다. 1948년 8월 15일 대한민국 정부가 수립되자 제주도 사태는 단순한 지역 문제를 뛰어넘어 정권의 정통성에 대한 도전으로 인식되기에 이른다. 이승만 정부는 본토의 군 병력을 제주에 증파시켰다.

1948년 10월 17일 제9연대장 송요찬 소령은 '10월 20일 이후 해안선으로부터 5km 이상 들어간 중산간 지대를 통행하는 자는 이유 여하를 불문하고 폭도배로 간주해 총살에 처하겠다'는 포고문을 발표했다. 포고령은 소개령으로 이어졌고, 중산간 마을 주민들은 해변마을로 강제 이주했다.

1948년 11월 21일 제주도 전역에 계엄령이 실시되고 11월 23일 계엄령 포고 제1호로 교통 제한, 우편통신·신문잡지 등 검열, 부락민 소개, 교육기관에 대한 제한, 처소벌채 급 도로의 수리보전 급 폭동에 관한 벌칙 등 7종목의 세칙이 발표되었다. 군경부대는 계속 잔여 폭도 적출 소탕에 분투 중이며 한편 도 당국을 중심으로 군과 관민이 협력하여 11월 22일부터 일반 민중의 지도를 위한 선무 반이 편성되어 도내 요처를 순회하며 이재민 구제, 시국 강연 좌담회 등을 개최하였다.

제주도에 계엄령이 선포된 이후 중산간 지대는 초토화의 참상을 겪었다. 진압군은 중산간 마을 방화에 앞서 주민들에게 소개령(疎開令)을 내려 해변마을로 내려오도록 했다. 그러나 일부 마을에는 소개령이 전달되지 않았고, 혹은 채 전달되기 전에 진압군이 들이닥쳐 방화와 함께 총격을 가하는 바람에 남녀노소 구별 없이 집단학살을 당했다.

당시 미군 정보보고서 등 미국 측 자료에는 이 강경 진압 시기에 벌어진 토벌대의 무차별 주민 총살 사실에 대해서는 거의 누락되어 있다. 그러나 1948년 11∼12월 제9연대의 진압 활동을 기록한 《제주도 주둔 9연대 일일 보고서》에 따르면 1948년 11월 21일부터 12월 20일까지 한 달 동안 토벌 작전을 전개해서 사살 1,335명, 생포 498명의 전과를 올렸다고 했다. 반면 이 시기에 9연대 군인 중 교전 중 사망자 수는 15명으로서 극히 소수에 불과하다. 이는 강경 진압 작전의 대상이 무장대뿐만 아니라 제주도인민유격대에 선동당했거나 아예 무고한 제주도민들이었음을 의미한다….

1948년 12월 31일 제주도에 대한 계엄령이 해지되었다. 1949년 3월 제주도지구 전투사령부가 설치되면서 진압과 선무를 병용하는 작전이 전개됐다. 신임 유재흥(劉在興) 사령관은 한라산에 피신해 있던 사람들이 귀순하면 모두 용서하겠다는 사면정책을 발표한다. 이때 많은 주민이 하산하였다.

1949년 5월 10일 재선거가 치러졌다. 5·10 총선거에서 무효로 처리된 제주도 2개 선거구의 투표가 완료되었다. 선거인 등록은 북제주군 갑 선거구가 95%, 북제주군 을 선거구가 96.9%의 좋은 성적을 나타냈으며, 투표율도 97%가량이었다. 출마한 후보는 북제주군 갑 선거구 홍순녕 문대유 김인선 김시학 양귀진(梁貴珍)함상훈(咸尙勳) 고학수, 북제주군 을 선거구 양병직 김도현(金道鉉) 李응숙 金경수 문봉제(文鳳濟) 양청박(梁濟博) 朴창희 이영북 洪문준이었다. 5월 11일 제주도 2개 선거구에서 독촉국민회 홍순녕, 대한청년단 양병직이 당선되었다.

1949년 4월 9일 존 무초 주한 미 특별대표부 특사가 제주도 치안 상황에 대해 미 국무장관에게 보낸 전문에는 다음과 같은 내용이 적혀 있었다. "소련의 통제를 받는 라디오 방송에서 나오는 선전의 속성으로 미루어 보았을 때, 제주도는 남한 내 혼란과 테러의 씨를 뿌리는, 소비에트의 노력의 주요한 현장으로 선택된 것이 분명하다." "소비에트의 첩자들이 제주도로별 어려움 없이 스며들고 있다는 것은 분명한 일로 판단된다. 신 장관(신성모)은 그들 대부분이 북한에서 소형 낚싯배로 출발하여 제주도에 도달하였다고 말하였다." "제주도 작전 관련 사진은 정부와 게릴라 양측 모두의 가학적 성향이 도를 넘어서 버렸음을 보여주고 있다. 마을 주민들에 대한 집단학살을 나타내는 본 보기적인 잔학 행위가 보고되었다. 이 집단학살에는 여자와 어린이들도 희생되었으며, 약탈과 방화도 수반된 것으로 보고되었다. 몇몇 경우에 국군이 게릴라에 대한 복수로서 벌인 작전 과정은 비무장 마을에 대한 복수로까지 이어졌다." "지난주 일요일의 평양 방송은 괴뢰 인민공화국의 제주도 투쟁에 대한 직접적인 관심을 집중적으로 보도하였다." 1949년 6월 제주도인민유격대 사령관 이덕구가 사살됨으로써 제주도인민유격대는 사실상 궤멸하였다.

1950년 2월 6일 제주 4·3 사건으로 피해 입은 제주도민의 생활상이 보도되었다. 돌과 흙을 가져다가 집을 짓고 살고 있었으며, 잡곡 죽이나 고구마로 하루 한 두 끼 밖에 못 먹고 있었다고 하였다. 그런데도 삶을 포기하고 걸인이 되거나 자살하는 자는 없었다고 하였다.

1950년 6·25 전쟁이 발발하면서 보도연맹 가입자, 요시찰자, 입산자 가족 등이 '예비검속'이라는 이름으로 붙잡혀 집단으로 희생되었다. 또 전국 각지 형무소에 수감되었던 4·3 사건 관련자들도 즉결처분되었다.

사건 이후 서북청년단 등 우익단체 회원들은 국가유공자로 남한 정부의 보훈 대상자가 되었다. 남로당 제주도당 수뇌부였던 김달삼은 제주 4.3 사건이 진행 중이던 1948년 8월 25일 월북, 국기훈장 2급을 수여받았으며, 사후 '남조선혁명가'의 비문을 받고 평양 근교의 애국열사릉에 안장됐는데, 이러한 사실은 2000년 3월 평양을 방문했던 우근민 제주지사에 의해 확인되었다.

제주 4.3 사건을 경험한 유족들의 회고에 따르면, '좌익도 우익도 자기 마음에 안 들면 마구잡이로 죽여버리는, 완전히 미쳐버린 세상이었다'고 회고하고 있다. 6.25 전쟁 발발 당시 제주도민들은 "우리는 빨갱이가 아니다!"라는 것을 증명하고 싶어서 대한민국 해병대에 자원입대하는 경우가 많았다. 제5대 대통령 선거 당시 박정희 후보가 윤보선 후보 측으로부터 좌익 경력에 대한 공격을 받자 제주도민들은 오히려 박정희 후보가 대통령에 당선되면 자신들의 아픈 상처를 치유해주고 과거사에 대한 정리가 가능해 줄 것이라 기대하여 오히려 70%에 달하는 압도적인 지지를 하였다. 이는 여수 순천 및 전라남도와 경상남도에서 박정희 후보에 대한 강력한 지지 및 집중 투표로 이어졌다 (수도권 및 강원. 충청권 윤보선 우세 / 경북 박정희 52% 경남 박정희 63% 전북 박정희 48% 전남 박정희 57% 득표)

매해 4월 3일 같은 날 제사를 하는 제주도민이 상당수였다. 1970년대부터 제주 4·3 학살 피해자 가족과 시민단체에서 줄곧 진상 규명과 명예회복을 요구하였으나 역대 정부는 이를 무시하였고, 오히려 금기시하였다. 이 사건을 다룬 소설인《순이 삼촌》의 경우 책은 금서가 되고 작가 현기영은 중앙정보부에 끌려가 고문을 당하는 등 고초를 겪어야 할 정도였다고 한다….
1998년 11월 23일 김대중 대통령은 CNN과의 인터뷰에서 "제주 4·3은 공산폭동이지만, 억울하게 죽은 사람들이 많으니 진실을 밝혀 누명을 벗겨줘야 한다."라고 말했다.

1999년 12월 26일 국회에서 제주4·3사건의 진상을 규명하고 이 사건과 관련된 희생자와 그 유족들의 명예를 회복시켜줌으로써 인권신장과 민주발전 및 국민화합에 이바지함을 목적으로 하는 법인《제주4·3사건 진상규명 및 희생자 명예회복에 관한 특별법》이 통과되었다.

2000년 1월 12일《제주4·3사건 진상규명 및 희생자 명예회복에 관한 특별법》(약칭 '4·3사건법') 제정 공포되면서 정부 차원의 진상조사가 착수되었다.
2003년 4월 3일 제주 4.3 사건으로 인한 민간인학살과 제주도민의 처절한 삶을 기억하고 추념하며, 화해와 상생의 미래를 열어가기 위해 '제주 4· 3 평화공원'이 세워졌다.

2003년 8월 28일 '4·3 사건법'에 따라 제주4·3사건진상규명 및 희생자명예회복위원회가 설치되어 정부차원의 진상조사를 실시하였다. 4·3위원회가 작성한 《제주4·3사건 진상조사보고서》가 노무현 정부에 의해 채택되었다. 2003년 10월 31일 노무현 대통령은 제주4·3사건 위원회의 의견에 따라 대한민국을 대표하여 '국가권력에 의해 대규모 희생'이 이뤄졌음을 인정하고 제주도민에게 공식 사과를 하였다. 2014년 1월 17일 박근혜 정부는 국무회의(의장 박근혜)를 통해 4월 3일을 제주 4.3 사건 희생자 추념일로 입법 예고했다.

2000년 1월 12일 공포된 《제주4·3사건 진상규명 및 희생자 명예회복에 관한 특별법》은 제주 4.3 사건을 "1947년 3월 1일을 기점으로 1948년 4월 3일 발생한 소요사태 및 1954년 9월 21일까지 제주도에서 발생한 무력충돌과 진압과정에서 주민들이 희생당한 사건"이라고 정의하였다.

월간조선은 2000년 2월호에서 4·3사건을 '공산당의 폭동'이라고 주장한 일본 산케이 신문의 글을 인용했다가 4·3사건 유족회에 소송을 당해 1, 2심에서 패소했으나 최종심에서 무죄를 선고받았다.

재향군인회를 비롯한 일부 우익단체들은 제주 4·3 사건을 '남로당 계열의 좌익세력들이 주도하여 인민군이 주민들을 선동해 일으킨 폭동'이라고 주장하며 1999년 4·3 특별법에 서명하고, 제주도 방문 당시 제주도민들에게 사과한 당시 노무현 대통령에 대해 사과해야 할 당사자는 한반도에 공산체제를 만들고자 했던 공산주의자들인 남로당과 이들을 흡수 합병한 북한을 통치하는 조선노동당이라고 주장한다….

제주 4.3 사건의 원인에 관한 미 군정 보고서

1948년 7월 1일 미군 제6사단 브라운 대령(Colonel Rothwell H. Brown)은 주한 미군 사령관에게 "제주도 활동, 1948년 5월 22일부터 6월 30일까지"라는 제목의 보고서를 제출하였다. 그 요지는 아래와 같다.

미군 제6사단 브라운 대령이 1948년 5월 22일부터 6월 30일까지 제주도민 5,000명을 대상으로 조사한 결과 공산 진영의 남로당이 1946년부터 제주도에서 공작을 시작했음을 밝혀냈다.

남로당은 1947년 초부터 서서히 공작을 개시했는데, 1948년 남한만의 단독 총선거 시행이 확실해지자 활동을 강화하고 특수 공작원을 본토에서 제주도로 파견했다. 이들은 처음에 공산당 침투 전술에 중점을 둔 훈련을 집중적으로 받았다.

1948년 5.10 총선거가 시작되기 전에 섬 전체에 걸쳐 모든 마을과 읍면에 공산주의 세포가 조직되었다. 각 세포조직은 한 명의 지도자와 선전원, 보급책 등으로 구성되었다. 규모가 큰 읍면에는 현 정부(미 군정)가 무너지면 민간 정부 임무를 수행하게 될 인원까지 있었다. 세포조직 외에도 조선인민유격대 예하 '제주도 인민유격대' 또는 '제주도 인민군'이 조직되었다. 이는 두 개의 연대와 보충대대로 이루어져 있었다. 인사장교가 임명되었고, 인원 모집이 활발하게 이루어졌다. 폭동이 절정이었을 때, 제주도 인민군 규모는 대략 4,000명의 장교와 사병을 갖춘 것으로 추산되었다. 무장병력 중 10% 미만이 소총으로, 나머지는 일본도와 지역에서 만든 창으로 무장했다.

남로당을 조직하기 위해 본토에서 보낸 훈련받은 선동가와 조직가는 6명에 불과했으나, 곧바로 500~700명의 동조자가 합류했다. 제주도민 60,000~70,000명이 남로당에 가입한 것으로 추산된다. 그들 대부분은 무지하고 못 배운 농민과 어민들로, 전쟁과 전후 생활고에 시달리고 있었기 때문에, 경제 상황을 해결해주겠다는 남로당의 제안에 쉽게 넘어갔다.

브라운 대령은 공산주의자들의 조직 활동이 성공한 원인에 대해 "제주도 경찰부대, 특히 경찰 정보부대가 효과적으로 조직되지 못했다"는 사실을 지적했다. 그는 선거 기간에 폭동이 성공한 것은, 제59 군정 중대 민사참모장이 제주도 경찰을 통제하기 위해 신속하고 결정적인 조처를 하지 못했고, 경찰보충대가 섬에 도착한 후 효율적으로 배치되지 못했다는 것을 이유로 지적했다.

지금도 민주주의 국가의 상징은 투표다. 국민의 권리이자 의무이기도 하다. 이 중요한 행사에 남로당이 대낮에 버젓이 국기를 어지럽게 하는 행위에 대해 반드시 처벌이 뒤따라야 한다. 그래야 나라가 반드시 선다.

4.3 사건이 남로당이 투표함을 탈취하고 가족들 전부를 데리고 한라산 기슭으로 숨어들었다. 경찰과 군이 수색하면서 싸움이 벌어졌다. 남로당 패거리들은 어린아이 여자 등 민간인을 앞세워 방어막을 쳤다. 경찰과 공방전을 벌이는 가운데서 불가피하게 방어 일선에 있던 어린이 여자들이 희생을 많이 당했다. 경찰도 상당한 피해가 있었다. 남로당이 놀이는 표적의 포인트가 이것이다.

제주는 과거 몽골군이 고려를 점령하고 나서 겨울에도 초지가 조성된다는 것을 사실을 알고 몽골군의 주력부대인 말을 육성하는 농장으로 제주를 활용했다. '가을적 홀고탁'이라는 말 육성부대 장을 파견한다. 몽골군 700여 명을 뽑아서 제주에 보냈다. 이후 100여 년이 흐르는 동안 제주는 고려가 아닌 몽골의 한 변방으로 전락했다. 공민왕이 들어와서 몽골의 지배로부터 완전히 벗어났지만, 제주는 고려의 행정이 전혀 미치질 못했다.

나라에서 제주도순문사 제주판관 등 관리를 뽑아서 파견하지만, 제주도 도착 즉시 몽골군의 후손들이 잡아서 죽였다. 1차~3차까지 실패하자 최영 장군이 3만 5천 명의 관군을 데리고 사방에서 상륙하여 모조리 척살한다. 그때도 제주도민들이 많이 희생당했다.

최근 4. 3사건에 대한 정부의 입장이 정리되면서 민간인 희생에 대한 보상이 논의되고 있어 발전적으로 마무리되기를 기대해본다..

18. 이승만 정권은 여수 순천 사건 당시 민간인을 학살했다.
여수/순천 사건은 쿠데타가 맞다. 그러나 많은 민간인을 학살했다.

여수·순천 사건(1948. 10. 19.)

▶남한 내 빨치산 활동이 가장 왕성하게 활동한 지역이 여수와 순천 일원이다. 지리산이 빨치산의 본거지가 되면서 낮에는 경찰이 치안을 담당하지만, 밤마다 빨치산의 활동무대가 되었다. '태백산맥'이라는 영화를 통해서도 이미 많이 소개되었다. 남로당의 잔당들이 끝까지 남아서 저항한 곳이다. 보니 군경과 충돌은 불가피했고 이 과정에서 많이 사람들이 희생됐다. 군경도 피해를 많이 봤다. 이승만 전 대통령에게 정치적 책임은 있지만, 전적으로 이승만의 잘못은 아니다. 이 시대를 살아가는 우리 모두의 아픔이고 슬픈 역사의 한 페이지다.

1948년 10월 19일 전라남도 여수·순천 지역에서 일어난 국방경비대 제14연대 소속 군인들의 반란과 여기에 호응한 좌익계열 시민들의 봉기가 유혈 진압된 사건. 1948년 10월 19일 여수에 주둔하고 있던 국방경비대 제14연대 소속 군인들이 반란을 일으키며 전라남도 동부 6개 군을 점거하였다. 이에 위기감을 느낀 정부는 대규모 진압군을 파견하여 일주일여 만에 전 지역을 수복하였으나, 그 과정에서 상당한 인명·재산피해가 발생하였다. 그리고 이 사건을 계기로 정부에서는 「국가보안법」 제정과 강력한 숙군 조치를 단행하게 되었다.

여순사건의 배경은 그 주체에 따라 크게 두 가지 요소를 살펴보아야 하는데, 첫째, 국방경비대 제14연대의 반란 배경과 둘째, 여기에 호응했던 여수·순천 지역의 동향이다.

우선 사건의 시발점이 되었던 제14연대의 반란 배경을 살펴보면 다음과 같다. 제14연대는 1946년 2월 15일 광주에서 편성된 제4연대가 모체이며, 여기에는 여순사건의 주동자였던 김지회(金知會), 홍순석(洪淳錫) 등이 포진하고 있었다. 김지회와 홍순석은 조선국방경비사관학교(朝鮮國防警備士官學校) 3기생으로 이 기수는 80%가 넘는 인원이 사병과 민간인 출신들로 구성되어 있었으며, 그중에는 좌파적 경향을 띠는 인물들도 상당수 존재했다. 이는 당시의 간부 모집 주체였던 미 군정이 인력 충원에 집중하고자 간부후보생들의 이념적 성향을 거의 신경 쓰지 않았던 점에서 기인하는 것이었다.

이후 제4연대 제1대대를 주축으로 하여 1948년 5월 4일 여수 신월리(新月里)에서 제14연대가 창설되었고, 창설 요원 가운데에는 김지회, 홍순석과 같은 좌익계열 장교 외에도 지창수(池昌洙) 등 사건을 직접 주도하게 되는 부사관들도 포함되어 있었다. 창설 과정에서 좌익계열 모병관들은 반이승만 계열, 좌익 수배 사범 등을 적극적으로 모병하였으며, 그 결과 연대 내에는 남로당의 세포조직이 침투하게 되었다.

또한, 제14연대 구성원들이 평소 가지고 있던 경찰에 대한 적대적 감정도 봉기의 원인이 되었다. 창군 이전 국군은 경찰의 보조 전력으로 인식되는 경우가 많아 경찰의 조롱거리가 되기 일쑤였고, 이 같은 인식은 국군 창설 이후에도 쉽게 변하지 않았다. 1947년부터 제14연대의 관할 지역인 전라남도 동부지역에서는 군·경간의 물리적 충돌이 세 차례나 발생하였으며, 모두 경찰에 유리한 결과로 종결되었다. 이는 제14연대 병사들 사이에서 경찰에 대한 강한 적개심을 갖게 하는 계기가 되었다.

다음으로 여수·순천 지역의 정치적 동향을 살펴보면, 해방 직후 이 지역은 우익 계열의 우세 속에 좌·우익 간의 공존 관계가 지속하고 있었다. 평온했던 이 지역의 분위기는 1948년 들어와 급변하는데, 이는 단독선거 시행을 둘러싸고 우익과 좌익이 충돌했기 때문이었다. 선거가 다가오면서 빈발하기 시작한 양측 간의 충돌은 유혈사태로 이어지기도 하였으며, 투표소 습격, 경찰지서 습격 행위로 발전되기도 하였다. 그러나 단독정부 수립이 확정되고 남로당의 투쟁이 점차 급진·폭력화되면서 이 지역의 단독정부 반대 움직임은 대중적 운동보다는 점차 소수 인원에 의한 급진적 투쟁의 형태로 변모되어 갔다.

제14연대의 반란은 숙군의 위협과 연대의 제주도 파병에 불만을 가지고 있던 지창수 상사를 비롯한 연대 내 남로당 하사관들의 급조된 계획에서 시작되었다. 1948년 10월 15~16일경 육군본부는 제주4·3사건 진압을 목적으로 제14연대의 제주도 파병 계획을 하달하였으며, 이는 연대 내 남로당 조직에도 전파되었다. 이때는 반이승만 계열로 간주하던 전임 연대장 오동기(吳東起) 중령이 상부에 의해 체포된 지 한 달도 채 되지 않은 시점이었다. 숙군에 대한 불안감과 제주도 파병에 대한 반발감이 겹치면서 연대 내의 남로당 조직원들은 반란을 일으키기로 결정하였다.

10월 19일 오전 7시 육군본부로부터 제14연대에 제주4·3사건 진압을 위한 출항 명령이 하달되자 이날 저녁 장교들이 부재한 틈을 타 부대원들을 연병장에 소집시킨 지창수는 연단에서 "경찰을 타도하고, 동족상잔의 제주도 출동을 반대하자."며 부대원들을 선동하였다. 대부분의 사병들이 여기에 찬동하였고, 반대파는 즉각 사살되었다. 지창수를 신임 연대장으로 추대한 반란군은 즉시 여수로 진격하였다. 이때 반란에 참여한 인원의 수효에 대해서는 1,000~2,000명 정도로 추산되고 있다.

사실상 무방비 상태와 다름없던 여수는 쉽게 함락되었고, 반란군은 다시 병력 대다수를 열차를 이용하여 순천으로 진격시켰다. 순천 경찰은 이에 응전하였으나 패퇴하였고, 20일 오후 순천도 함락되었다. 이 과정에서 순천에 파견 나와 있던 홍순석의 2개 중대와 광주 제4연대 소속 진압군이 반란군에 합류하였다. 사기가 높아진 반란군은 주변 지역으로 공격을 속행하였으며, 그 결과 22일에는 전남 동부지역의 6개 군을 장악하게 되었다.

한편 여수·순천 지역에서는 반란군의 점령에 호응하여 지역의 좌익계열 인사들을 주축으로 인민위원회가 설치되었으며, 일부 학생들이 반란군에 가담하기도 하였다. 이 지역의 좌익 지하조직은 모습을 드러내고 활동을 시작하였으며, 남로당은 급격하게 진전되는 상황을 제대로 통제하지 못했다. 경찰에 의한 고문 등의 폭력을 경험하기도 했던 좌익 청년들은 지역의 우익 인사·경찰관과 그 가족을 보복심에 살해하기도 하였으며, 인민위원회에 의해 경찰서장 등의 우익 인사들이 처형되기도 하였다. 우익 인사들에 대한 보복·숙청 외에도 인민위원회는 토지개혁, 식량 배급 등에 나서기도 하였다.

제14연대의 반란 소식이 상부로 전해지기 시작한 것은 19일에서 20일로 넘어가는 새벽이었다. 20일에 개최된 미 군사고문단 수뇌부 회의에서는 광주에 '반란군토벌 전투사령부'를 조직할 것을 결정하였다. 진압군 지휘는 육군 총참모장 송호성이 맡았고, 총 11개 대대가 진압 작전에 나서게 되었다.

10월 22일 정부에 의해 여수·순천 지역에 계엄령이 발효되었고, 같은 날 반란군과 진압군 간의 첫 교전이 순천시 서면 학구리(鶴口里)에서 벌어졌다. 여기에서 승기를 잡은 진압군은 그대로 순천으로 진격하였으며, 하루가 넘는 교전 끝에 23일에는 순천을 장악할 수 있었다. 그러나 반란군의 주력은 순천에서 도주하였으며, 진압군에 대항한 것은 잔여 병력과 무장한 시민들이었다. 이후 진압군은 기세를 몰아 인근 광양과 보성까지 수복하였다.

10월 24일, 반란군 토벌사령부의 송호성(宋虎聲) 준장이 이끄는 여수 공략부대는 여수시 미평동(美坪洞) 일대에서 반란군의 기습을 받고 후퇴하였다. 여수 공략 전이 잠시 소강상태에 빠진 사이 지창수가 이끄는 반란군은 백운산과 벌교 방면으로 도주하였다. 작전 속행을 요구하는 이승만 대통령의 지시에 따라, 진압군은 10월 25일부터 재차 탈환 작전에 나섰다. 장갑차, 박격포의 지원을 받은 4개 대대 가량의 병력과 항공기, 경비정이 동원된 포위전이 시작되었으나, 이미 반란군의 주력이 빠져나간 여수에는 극소수의 반란군과 무장한 일부 민간인만이 여기에 대항할 뿐이었다. 이틀간에 걸친 시가전 끝에 여수는 10월 27일 완전히 진압군에 의해 장악되었고, 이로써 여순사건은 종결되었다.

진압군의 반란군 진압과정에서는 많은 인명피해가 발생하였다. 초기 진압 작전의 실패로 궁지에 몰린 군은 강경한 작전을 구사하였으며, 민가에 대한 철저한 수색을 통해 반란군 협력자를 모두 색출하고자 하였다. 이 과정에서 반란군과는 무관한 민간인 상당수가 희생되었다. 또한 반란 진압 이후에도 가담자들에 대한 처벌이 비공개 군법회의를 통해 계속되었다.

한편 여수를 포기하고 지리산으로 입산한 반란군은 11월경부터 진압군과 간헐적인 교전을 벌이는 등 게릴라(빨치산)로서 활동하였다. 이에 국군은 이듬해까지 토벌 작전을 전개하여 여순사건의 주모자인 김지회, 홍순석, 지창수 등을 사살하였다. 지리산을 중심으로 한 게릴라 활동은 1950년 초까지 계속되었으며, 이 과정에서 민간인들의 인명피해도 끊이지 않았다.

1948년 10월 19일부터 27일까지 이어졌던 여순사건은 막대한 인명·재산피해를 남겼다. 피해에 관해서는 다양한 통계가 확인되며 대략 2,000~5,000여 명의 인명피해가 발생한 것으로 추정되고 있다. 그리고 재산피해는 약 100억 원, 가옥 소실은 2천 호가량으로 집계되었다.

여순사건은 정부 차원에서 정치적 위기감을 느끼게 했고, 결과적으로는 이승만 대통령의 철권통치를 강화하는 계기가 되었다. 정부는 여순사건을 '국제공산주의 운동의 일환으로 일어난 공산주의자들의 폭동'이라고 비난하며, 반란 주동에 직·간접적으로 관계되어 있던 좌파 계열에 대한 공세에 나섰다. 이에 더하여 김구를 비롯한 반이승만 계열의 우파도 사건의 주동자로 몰려 공격받았다. 이범석 국무총리는 사건 직후 '극우의 정객'들이 공산주의자들과 결탁하여 반란을 기도하였다고 주장하며 김구를 비판하기도 하였다. 국회에서도 위기감을 느껴 「국가보안법」을 1948년 12월 1일에 제정하였는데, 이 법은 이승만 대통령의 권력 강화에 이바지하였다.

아울러 정부의 위기감은 군내의 좌파 세력을 색출하고자 하는 숙군사업의 강화로 이어졌고, 그 결과 5%가량의 장병들이 군을 떠났다.

19. 이승만은 한국전쟁 당시 홀로 피난 후 거짓 방송을 했다.
최근 서울이 안전하다고 방송한 것은 잘못된 정보라고 밝혀졌다. 하지만 혼자 대전으로 피난 간 것은 사실이고 서울시민들에게 피난 가라고 말하지 않은 것도 사실이다. -> 이승만은 당시 대통령이었다. 대통령이라면 어서 피난 가라고 말해야 하지 않나? 이런 사실로 인하여 런승만 이라는 말이 밈으로 돈다. 그리고 한강 인도교 폭파한다. 일부 넘어오지 못한 사람은 대를 위한 소의 희생인가…? 이승만이 명령하지 않았다고 말하는 사람들이 있다. 그렇다고 하더라도…. 그러면 왜 대통령인데…. 책임지는 자리가 대통령 아닌가?

맥아더 장군은 우리에게 수많은
유능한 장교들과 군수 물자를 보내는 중입니다.
이는 빠른 시일 내에 도착할 것입니다.
나는 이 좋은 소식을 국민에게 전하고자
오늘 밤 이렇게 방송을 드리는 것입니다.
　　　　　　－ 이승만 라디오 방송, 1950. 6. 27.

한강 인도교 폭파(1950. 6. 28.)

▶대통령이 끝까지 서울을 사수하다가 포로가 되든지 아니면 폭
격을 당해 죽어야 한다는 것인가. 그나마 신속하게 피난을 하고
그 후 전선을 지휘하여 나라를 되찾았다. 한강교를 폭파한 것은
북한군의 탱크를 저지하여, 한 달 이상의 시간을 벌어서 유엔군
이 도착할 때까지 버틸 수 있는 상황이 됐다. 인천상륙작전을 통
해 서울을 수복하고 압록강까지 밀어붙였다.

한강 폭파 즉시 그 옆으로 인도교를 설치하여 피난민들은 피난 길을 떠나는데 문제없게 대안을 제시했다. 한때 좌파들은 이승만 이 "서울시민 여러분 안심하고 서울을 지키시오, 적은 패주하고 있습니다. 정부는 여러분과 함께 서울에 머무를 것입니다. 국군 의 총반격으로 적은 퇴각하고 있습니다. 거짓 녹음 연설만 되풀 이하도록 해놓고 시민들이야 죽든 살든 내버려 두고 저 자신과 수족들 그리고 정부 각료들만 줄행랑을 놓았다. (독부 이승만평 전 김삼웅 P254쪽)

"서울은 안전하다"고 해놓고 저 혼자 줄행랑쳤다. 즉 런승만이 라는 말로 비난했다. 이런 거짓말 들이 양파껍질 벗기듯이 벗어 지고 있다. 피난 가라는 방송을 왜 안 했느냐는데 결과적으로 피 난 간 것보다 서울에 남아 있었던 것이 더 좋았다. 유엔군이 빨 리 상륙해서 금방 수복을 했고 '집 떠나면 고생'은 이루 말할 수 없다.

여기서 한가지 김일성은 유엔군이 인천상륙작전 성공 후 3, 8선 을 넘어가자 제일 먼저 가족들을 데리고 만주 도망친다. 그야말 로 '런 일성'이다. 좌파들은 여기에 대해서는 입을 꾹 다물고 한 마디 말이 없다. 참으로 어이없다. 런승만에 대해서는 입에 거품 을 물고 조롱하고 희롱하면서⋯⋯.
사실을 조금씩 밝혀지면서 서서히 침묵 상태로 돌아서는가? 거 칠게 비난하고 조롱했던 그 업보를 어떻게 갚을 것인지 기대된 다.

그리고 여기서 또 한 가지 이승만이 전쟁을 못 막았으니까 전쟁 의 책임을 몽땅 뒤집어씌운다. 전쟁의 100% 책임은 김일성의 남침이다. 그런데 그 얘기는 속'빼버리고 이승만에게 모든 책임을 추궁한다. '위대한 존엄'은 신성불가침 영역이어서 문제를 추궁하면 안 된다는 것인가?

20. 이승만 정권은 보도연맹사건으로 민간인을 학살했다.
학살이 거참…. ㅈㄴ 많다. 그래서 전두환보다 더 많은 민간인을 학살했다고 한다. 도살자야 뭐야…. 사회주의자였던 사람들이 전향해서 보도연맹에 가입하게 해서 사회주의자였던 사람들 명단을 확보하려고 한다. 이때 쌀을 주면서 민간인도 적게 한다. 영화 태극기 휘날리며에 나왔던 이은주가 이 보도연맹사건으로 죽은 사람 역할을 했다고 한다.

영화 '태극기 휘날리며' 중

보도연맹사건(1950)

전쟁이 발생하자 국민방위군을 조직하는데 이 무능한 정부는 부패가 심해서 많은 사람이 동사하게 된다….

▶보도연맹
1949년 좌익 운동을 하다 전향한 사람들로 조직한 반공단체로, 정식명칭은 '국민 보도연맹'이다.

1948년 12월 시행된〈국가보안법〉에 따라 좌익사상에 물든 사람들을 전향시켜 보호하고 인도한다는 취지로 결성되었는데, 일제 강점기 사상탄압에 앞장섰던 '시국 대응 전선 사상 보국연맹'체제를 그대로 모방하였다.

대한민국 정부 절대 지지, 북한 정권 절대 반대, 인류의 자유와 민족성을 무시하는 공산주의 사상 배격·분쇄, 남·북로당의 파괴 정책 폭로·분쇄, 민족진영 각 정당·사회단체와 협력해 총력을 결집한다는 내용을 주요 강령으로 삼았다.

1949년 말에는 가입자 수가 30만 명에 달했고, 서울에만도 거의 2만 명에 이르렀다. 주로 사상적 낙인이 찍힌 사람들을 대상으로 하였다. 6·25전쟁이 일어나자 정부와 경찰은 초기 후퇴 과정에서 이들에 대한 무차별 검속(檢束)과 즉결처분을 단행함으로써 6·25 전쟁 중 최초의 집단 민간인학살을 일으켰다.

최근에 이스라엘과 하마스 간의 전쟁을 보면서 죄 없는 민간인이 희생당하는 장면을 너무 많이 보게 된다. 전장에서 사람을 분별하면서 전쟁을 할 수는 없다. 마찬가지로 6.25 전쟁 과정에서 많은 민간인이 죽었다. 비단 보도 연맹원뿐만 아니라 국민방위군 건도 마찬가지다. 처음부터 죽이려고 사람을 모으고 선별한 것이 아니다. 6. 25가 낳은 민족의 아픔이다. 정말 나쁜 놈은 전쟁을 일으킨 김일성이고 소련의 스탈린이다. 단죄는 이들로부터 시작해야 원칙이다.

우리 현대사의 또 하나 서글픈 역사의 아픈 상처다. 정부의 입장에서 반역행위를 하고 인민군에게 부역할 수 있는 사람이라고 판단하여 즉결처분했다.

21. 이승만 정권의 무능과 부패의 극치, 국민방위군 사건

국민방위군 사건(1951)

▶국민방위군사건

국민방위군사건 1·4후퇴 시기 방위군 예산을 국민방위군 간부들이 약 25억 원의 국고금과 물자를 부정 착복함으로써 야기된 것이었다. 식량 및 피복 등 보급품을 지급하지 못하였고 방위군 수만여 명의 아사자와 병자를 발생시켰다. 이 사건으로 신성모 국방부 장관이 물러나고 이기붕이 그 후임으로 임명되었으며, 사건의 직접 책임자인 김윤근, 윤익헌 등 국민방위군 주요 간부 5명이 사형 선고되었다. 대한청년단은 1953년 9월 10일 이승만의 명령에 따라 공식 해산되었다.

1949년 12월 19일 이승만 대통령은 민족청년단 등 각종의 청년 정치단체를 해산시켜 자신의 정치적 기반을 강화하고자 했다. 그리하여 전국의 각 청년단체들을 일괄 통합하여 대한청년단을 조직하였다. 이승만 자신이 직접 총재직을 맡았고 장택상·지청천·

전진한·유진산·신성모·노태준 등이 최고위원으로 추대되었다.

6·25전쟁 시기 아군은 1·4후퇴의 위기를 넘기면서 37도선에서 간신히 전선의 안정을 기하였으나, 중공군의 연속적인 공세에 전장은 새로운 국면을 맞게 되었다. 이에 이승만 대통령은 전쟁이 우리의 자유 독립을 위한 최후 결전 단계임을 선언하고 국민총력전으로 이를 극복하겠다는 성명을 발표하였다.

대통령의 성명으로 소집영장을 기다리던 청년들 사이에는 자진 입대를 요청하는 인원이 증가하였고, 이들 중에는 "나는 화랑도 정신을 갖고 있다. 전쟁의 승리는 우리에게 있다. 국가와 민족을 위하여 신명을 바칠 것이다"라는 혈서를 쓰고 지원한 사람들도 있었다.

그러나 이 무렵 미국정부가 새로운 부대를 창설하는 것보다 기존부대를 보충하는 것이 효과적인 방안이라고 강조함으로써 그 계획은 어렵게 되었다. 한국정부는 중공군과 맞서 싸우려면 많은 병력이 필요할 것으로 판단하고 독자적으로 국민방위군을 설치하게 되었다. 국민방위군은 1950년 12월 21일 공포 실시된 '국민방위군 설치법'에 의하여 만 17세 이상 40세 미만의 제2국민병이었다. 병력 응모를 시작하자 순식간에 17세부터 40세까지의 장정들이 순식간에 50만 명을 넘어섰으며, 정부는 이들을 경남북도 일원에 51개의 교육대를 설치하고 수용하였다. 간부는 대체로 대한청년단 간부들로 구성되었다. 국방부와 육군본부는 국민방위군 사령관에 대한청년단 단장인 김윤근을 단번에 준장으로 임관시켜 임명하고 참모진을 구성하였다. 최소한의 기간요원만이 현역으로 임명되었고, 나머지 지휘관은 모두가 주로 청년단 출신에서 급조된 방위군 장교로 충당되었다.

정부는 중공군의 개입으로 남쪽으로 철수하게 되자 국민방위군 100만여 명도를 남쪽으로 후송할 계획을 수립하였다. 이는 전쟁 초기 남한 대부분의 지역을 북한이 점령함에 따라 점령지의 많은 청년들이 북한군 의용군으로 재편되었던 경험을 되풀이하지 않겠다는 조치였다. 이 무렵 국민방위군 예산이 1951년 1월 30일 국회에서 통과되었는데, 방위군 총인원을 50만 명으로 추산하여 3개월분 총 209억 원을 책정하였지만 1인당 배당액은 식량도 조달하기 어려운 액수였다. 더구나 예산이 배당되는 과정에서 국민방위군 간부들이 일부 예산을 횡령 또는 전용함으로써 심각한 상황에 부닥치게 되었다.

1·4후퇴 시기 전국 각지에서 창설 작업을 하고 있던 국민방위군은 지역별로 대구, 부산 등지로 남하하기 시작하였다. 그러나 이 과정에서 사령부의 고급 간부들이 보급품을 부정으로 착복함으로써 급기야 사고가 발생하고 말았다. 영하의 기온에서 장거리를 이동해야 하는 수많은 장정이 식량과 피복을 받지 못해 곧바로 병력 1천여 명의 아사 및 동사자가 발생하였고 수만 명이 영양실조에 걸려 이후 사망에 이르렀던 것이다. 부당한 처우를 견디지 못한 국민방위군들은 집단탈출하기 시작했으며, 이러한 사실이 국민에게 알려지자 문제가 되기 시작하였다.

6.25 전쟁으로 사망한 사람 300만 명 정도 된다고 한다. 여기에는 아군과 적군 그리고 민간인까지 합쳐서 그렇다. 왜 이렇게 많은 사람이 희생되어야 하고 아무런 죄 없는 사람들이 피해를 봐야 하나? 몇몇 사람들의 야욕 때문이다. 지금 러시아와 우크라이나 전쟁을 봐도 하등에 이유가 없지만 '푸틴'이라는 한 사람을 개인적인 욕심과 야욕을 불러온 재앙이다. 얼마나 많은 사람이

고통을 겪어야 하는가?

보도연맹사건, 국민방위군은 6, 25가 가져온 비극이다. 누가 이 전쟁을 일으켜나가 이 두 사건의 핵심이다. 이승만에게 책임을 추궁해야 하나? 스탈린과 김일성에게 책임 물어야 한다. 북한이나 김일성에게는 한마디도 못 하면서……

22. 1차 개헌(부산정치파동) - 독재자 이승만의 시작
2대 총선 이승만파가 패배한다. (1950.5.30)
전쟁 중인 상황을 이용하여 직선제로 바꾸고 이승만은 당선된다….
헌법을 바꾸는 과정에서 부산정치파동이 발생한다….
정치인들을 버스에 태워서 지게차로 들었다 놨다 하면서 협박한다….
임시 국회의사당을 에워싸고 거수를 통해서 투표한다….
(민주주의는 비밀 투표라며….)

부산정치파동(1952)

▶역사적 배경

1950년 5월 30일 실시된 제2대 국회의원 총선거의 결과, 무소속이 의원정수의 60%에 해당하는 절대다수를 차지하게 되었고, 대한국민당·민주국민당 등 기존의 정당들은 원내 소수세력으로 자리 잡게 되었다.

이러한 원내 세력분포의 재구성은 대통령직의 연임을 노리던 이승만(李承晩)에게 매우 불리한 조건이 형성되었음을 뜻하는 것이었다. 따라서 이승만은 자신의 세력 기반을 형성하기 위하여 새로운 정당의 조직을 추진하였고, 이와 동시에 1951년 11월 28일 대통령 직선제와 상·하 양원제를 골격으로 하는 개헌안을 국회에 제출하였다.

이 중 신당, 즉 자유당의 조직 운동은 정부 측의 개헌안을 둘러싸고 단원제와 대통령 간선제를 지지하는 원내 의원들과 정부측 개헌안을 지지하는 원외 인사들 사이에 의견이 대립하였다.

그러다가 마침내 같은 해 12월 23일 각기 자유당이라는 같은 이름으로 두 개의 정당을 만들어 내는 것으로 낙착되었다. 한편 정부 측 개헌안은 1952년 1월 18일 국회에서 표결에 부쳐져 찬성 19표, 반대 143표, 기권 1표라는 압도적 표차로 부결되었다.

이러한 사태는 직선제 개헌안을 통하여 대통령 재선을 바라던 이승만은 국회에 대한 통제력의 한계를 절감하고 이에 대처하기 위한 비상수단을 마련토록 하였다. 결국, 그는 원외 자유당을 내세워 개헌안 부결반대 민중대회를 개최하게 하고, 헌법규정에도 없는 국회의원 소환 운동을 벌였다.

또한, 직선제 개헌 지지자들은 지방의회의 구성을 통하여 국회를 견제하고자 하였다. 이러한 상황에서 1952년 4월 17일 민주국민당을 중심으로 한 반(反) 이승만 세력은 곽상훈(郭尙勳) 의원 외 122명의 연서로 국회에서 내각 책임제 개헌안을 제출하였다.

그러자 원외 자유당을 비롯한 18개 사회단체가 국회 측의 개헌안에 대하여 개헌안 반대 전국정당투쟁위원 회를 조직하였고, 의원 내각제를 추구하는 국회와 대통령 직선제를 관철하려는 정부와의 대립이 전면적 대결의 양상을 띠게 되었다.

한편 이러한 소용돌이 속에서 같은 해 4월과 5월에 지방의회 선거가 벌어지어 여당인 자유당이 압승을 거두었고, 이에 따라 이승만은 지방의회와 원외 자유당이라는 두 가지의 대국회 압력수단을 확보하게 되었다. 또한, 정부는 4월 20일 장택상(張澤相)을 국무총리로 임명하였다.

그는 취임과 더불어 '개헌안 4개 원칙'을 발표하여 내각 책임제 개헌안 서명 의원들을 포섭, 분열시켰다. 이러한 가운데 내각 책임제 개헌 추진파의 맹장이었던 서민호(徐珉濠) 의원이 서창선이라는 현역 대위를 사살한 사건이 벌어져 정치적 쟁점으로 발전하였다.

국회는 서민호의 살인이 정당방위이고, 구속은 정치적 책략이라고 판단하였다. 그래서 5월 104일 서민호 의원 석방 결의안을 가결하였다. 다른 한편 정부는 같은 날, 부결되었던 대통령 직선제 개헌안을 다소 수정하여 국회에 다시 제출하였다.

5월 19일 서민호가 석방되자, 부산 시내는 민족자결당· 백골단· 땃벌떼 등 각종 정체불명의 단체들 관제 데모로 극도의 혼란을 맞게 되었다. 이들은 "살인 국회의원 석방한 국회는 해산하라. 이와 더불어 7개 도의회는 국회 해산요구를 결의하고, 지방의회 대표는 반 민의국회(反民意國會) 해산 궐기대회를 개최하였다.

임시수도 부산의 분위기가 이처럼 살벌해진 가운데, 이승만은 1952년 5월 25일 0시를 기하여 부산을 포함한 경상남도와 전라남·북도 일부 지역에 공비소탕이라는 구실로 비상계엄을 선포하고 영남지구 계엄사령관에 소장 원용덕(元容德)을 임명하였다.

이에 따라 언론검열이 시행되는 한편, 25일 밤부터 내각 책임제 개헌 추진 주동 의원의 체포가 진행되어 서민호 등이 구속되었다. 이어 26일에는 국회에 등정하던 국회의원 40여 명이 탄 통근버스를 크레인으로 끌어 헌병대에 연행하였다. 정치자금 유입으로 국제공산당에 관련되었다는 이유에서였다.

계엄과 국회의원 탄압에 직면한 국회는 계엄해제요구결의안 가결과 구속 의원 즉시 석방결의안 가결로 맞섰다. 민주국민당의 사실상 영도자인 부통령 김성수(金性洙)는 5월 29일 대통령 이승만을 비난하면서 국회에 사표를 던졌으나, 이승만은 내무장관 이범석(李範奭)에게 '정부 혁신위원회 사건'을 발표케 하여 한층 더 공포 분위기를 조성하였다.

이러한 사태에 대하여 일부 대학생들이 "반공 반파쇼 민주 수호"의 구호와 함께 술렁거리기 시작하였다. 1952년 6월 20일에는 이시영(李始榮)·김성수·장면(張勉)·조병옥(趙炳玉)·김창숙(金昌淑)·신흥우(申興雨)·백남훈(白南薰)·서상일(徐相日) 등 재야인사 60여 명이 부산시 중구 남포동에 있는 국제구락부에서 반독재 호헌 구국 투쟁위원회를 결성하고 선언대회를 개최하려는 순간 괴한들의 습격을 받아 대회가 무참하게 저지당하게 되었다.

한편 국제연합 한국위원단은 우리나라 정부에게 사태 진전을 우려하는 성명을 내고, 트루먼(Truman,H.S.) 미국 대통령은 각서를 보내왔지만, 이는 내정 간섭 여부의 불씨를 더하였을 뿐이었다. 그러한 와중에서도 국무총리 장택상은 국회 해산을 협박 수단으로 하면서 발췌개헌을 추진하였다.

1952년 6월 21일 국회에 상정된 발췌개헌안은, 정부가 제출한 대통령 직선제와 상·하 양원제에다 국회가 제안한 개헌안 중 국무총리의 요청에 의한 국무위원의 면직과 임명, 국무위원에 대한 국회의 불신임결의권 등을 덧붙인 절충안이었다. 그러나 이것은 기세가 꺾인 야당에게 어느 정도의 명분을 주자는 것에 불과하였다.

더욱이 6·25 기념 식상에서 야당 측이 김시현(金始顯)과 유시태(柳時泰) 등에게 사주하여 이승만을 저격하려다 총탄 불발로 실패한 암살미수사건이 터지자, 야당인 민주국민당 등은 발췌개헌안에 대한 저항을 완전히 포기하기에 이르렀다.

마침내 발췌개헌안의 추진을 위해서는 개헌결의에 필요한 의원정족수만이 문제로 남게 되자, 정부는 피신 중인 국회 의원에게 신분 보장을 책임지겠다는 등의 조건으로 등원을 호소하고 구속 중이던 의원 10명을 석방하는 등 발췌개헌안의 통과를 서둘렀다.

강제로 연행, 동원되어 연 이틀간이나 국회에 감금되어 있던 야당 의원들은 경찰과 군이 국회를 포위하고, 남송학(南松鶴) 의원 등 자유당 합동 파와 신라회 소장의원들이 출입을 통제하는 가운데 1952년 7월 4일 밤 기립표결에 들어갈 수밖에 없었고, 그 결과 출석 166명, 가 163명, 기권 3명으로 발췌개헌안은 국회를 통과하게 되었다. 정부는 7월 7일 제1차 개정헌법을 공포하였고, 이로써 부산정치파동은 일단락을 짓게 되었다.

이 개헌에 따라서 정·부통령선거법이 새로이 제정되고 이에 의한 선거가 1952년 8월 5일에 실시되어 이승만이 대통령으로 재선되었다. 부산정치파동은 그 뒤 여야 사이의 정치 운영방식을 폭력 대결을 통한 졸렬한 극한대립의 양상으로 바꾸어 놓았으며, 헌정사에서도 평화적 정권교체의 사례를 찾아보기 힘들게 만드는 분기점이 되고 말았다.

또한, 더 나아가 장기집권을 위한 비합법적인 수단과 방법이 되풀이하여 나타나게 되는 계기를 형성한 것이 바로 부산정치파동이라 할 수 있겠다.

전쟁 중에 투표한다는 것 자체가 신선하다 못해 위험한 일이다. 최근의 예를 보면 침략국인 러시아는 대선을 해도 관계없지만, 우크라이나도 선거가 도래하지만, 전쟁 중이라 선거를 힘들 것 같다. 투표를 연기해도 국민적 공감대는 있을 것 같다. 6.25 전쟁 중에서도 이승만은 선거를 통해 정국을 돌파해 나간다.

직선제 승부수를 띄우고 선거를 승리로 이끈다. 당시에 국회에서는 의원 입법으로 미군 철수를 발의한 안건으로 올라와 있었다. 남한 내에 좌익의 뿌리가 한없이 깊다는 것을 가름할 수가 있다. 그래서 이승만은 직선제로 개헌을 놓고 승부수를 띄운 것이다.

23. 2차 개헌(사사오입 개헌) - 독재자 이승만의 장기집권
초대 대통령에 대해서는 중임 제한을 철폐하자. -> 내가 다 해먹어야 하니까.
원칙으로는 203명의 국회의원 중, 136표면 가결이고 135표는 부결이었다.
135표가 나오자 이승만은 머리를 굴려서 이걸 수학적으로 풀어버린다.….:;
수학적으로 135.3333 이 나오니 사사오입(四捨五入, 반올림)하여 가결 시킨다.….
▶사사오입 사건에 대하여 본문에서도 충실히 다루었다. 첫 단추를 잘못 끼움으로써 장기집권의 역사가 시작됐다. 잘못한 부분이다. 그러나 다행스러운 것은 이승만 대통령은 장기집권을 통해

대한민국의 자유민주주의 시장경제체제를 정착할 수 있도록 나라를 이끌어 나갔다는 점에서 의미가 있다.

24. 이승만은 정적 조봉암을 사법 살인했다. 사회주의자였던 조봉암이 전향하자, 농림부 장관까지 시켰으면서 조봉암이 만든 정당을 진보당이라고 해서 진보당을 해체하고 사형시킨다. 정적은 살아남을 수 없다.

▶이승만 정권이 당시 대통령 유력 후보였던 죽산 조봉암(1898~1959) 선생을 국가보안법 위반으로 체포, 1959년 7월 31일 사형시킨 사건을 말한다….
독립운동가였던 조봉암 선생은 1945년 광복 이후 초대 농림부 장관에 이어 두 차례 국회부의장을 지내고 진보당을 창당한 중견 정치인이었다. 그러나 1958년 1월 간첩 양명 산(본명 양이)을 통해 북한으로부터 지령과 자금을 받았다는 간첩 혐의로 전격 구속됐다. 1심 재판을 맡은 서울중앙지방법원은 그해 7월 간첩 혐의에 대해서는 무죄, 국가보안법 위반 혐의는 유죄로 인정해 징역 5년을 선고했다.

이후 2심을 맡은 서울고등법원은 1958년 10월 국가보안법 위반에 형법상 간첩죄까지 추가해 조봉암에게 사형을 선고했다. 그리고 1959년 2월 대법원은 조봉암에 대한 사형을 확정했다. 이에 변호인단은 대법원에 재심을 청구했지만, 대법원은 그해 7월 30일 이를 기각했다. 그리고 다음 날인 7월 31일 조봉암 선생에 대한 사형이 집행됐다. 그에 대한 사형은 구속된 지 1년 6개월 만이었으며, 대법원이 변호인단의 재심 신청을 기각한 지 고작 18시간 만에 집행된 것이다.

조봉암 선생 재심, 무죄 판결(2011)

2007년 진실화해 위한 과거사정리위원회는 조봉암 사건에 대해 '정권에 위협이 되는 야당 정치인을 제거하려는 의도로 표적 수사를 해 사형에 처한 것으로, 민주국가에서 있어서는 안 될 인권 유린이자 정치탄압'이라고 규정했다. 이후 조봉암 선생의 장녀 조호정 씨는 이 결정을 근거로 2008년 8월 대법원에 재심을 청구했다. 그러나 대법원은 청구된 지 2년이 넘도록 재심 개시 결정을 내리지 않고 고 있다가, 2011년 1월 20일 열린 재심 판결에서 조봉암 선생의 국가보안법 위반 혐의 등에 대해 무죄 선고를 내렸다.

이에 2011년 6월 조호정 씨를 포함한 유족 4명은 국가를 상대로 위자료 등을 포함한 총 137억 4200만 원의 손해배상 청구 소송을 냈고, 2011년 12월 27일 서울중앙지법은 원고 일부 승소 판결을 내렸다. 재판부는 조봉암 사건에 대해 일반인에 대한 수사권이 없는 육군 특무부대 소속 수사관들이 수사를 맡았고, 검찰은 가혹행위로 인한 제삼자의 거짓 자백을 근거로 조봉암 선생을 기소했으며, 법원 역시 잘못된 판결을 내린 뒤에도 재심 청구를 기각하는 등 국가기관들이 기본적 인권을 침해하는 불법행위를 했다며 국가가 유족에게 24억 7000만 원을 배상할 것을 판결했다.

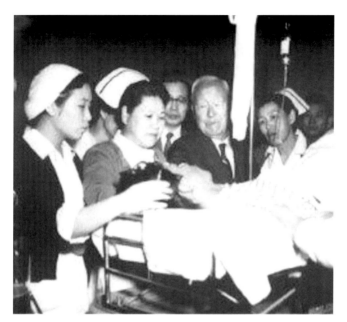

(4.19 부상환자들을 문병 간 이승만 전 대통령)

25. 독재자 이승만은 4·19 혁명으로 불명예 하야했다.

앞선 글에서도 적었듯이 3.15 부정선거 거하게 하고, 4·19 혁명을 통해 하야한다. 성난 군중은 동상을 철거했다. 그런데 인제 와서 독재자를 찬양하는 인물들이 생겨나고 다시 동상을 세웠다. 그리고 서울에 기념관을 세운다고 하니… 거참… 아집만큼 무서운 것은 없습니다. 역사를 역사답게….

▶4·19 혁명 이후 이승만은 서울대 병원으로 문병 가서 "내가 저야 할 책임을 우리 젊은이들이 졌다"며 부상자들에게 사죄했다. "불의를 보고 일어나지 않으면 젊은이가 아니지, 그런 면에서 우리나라는 희망이 있다"며 위로하자 오히려 부상자들이 "문

병 와줘서 감사하다"며 "우리는 젊으니까 다시 일어설 수 있다"라며 대통령의 손을 잡았다. 장개석 총통에게서 '안타깝다'라는 위로 전화를 받고 "아니다. 우리나라는 꿈과 이상을 가진 젊은이들이 있어서 자랑스럽다"며 답변을 했다. 그리고 하야를 했다.

우리 나이로 90세인 이승만 대통령은 경무대에서 당시의 시국 상황을 정확하게 전달받지 못한 측면이 있었다.

3.15 부정선거(1960)

4.19 혁명(1960)

(칠곡의 이승만 트루먼 대통령상)

에필로그

미국의 국부가 조지 워싱턴이라면 중국의 국부는 모택동이다. 1921년 상해에서 탄생한 공산당 창립 구성원인 그는 중국 대륙을 통일해 중화인민공화국을 세웠다. 그러나 1949년 그가 집권 후 1976년 죽을 때까지 20여 년은 재난의 연속이었다.

1958년 대약진 운동의 결과는 최대 5천만 명이 아사했고 그 실패를 듣고 집권을 연장해 보겠다고 1966년부터 일으킨 문화대혁명으로 다시 수백만이 죽고 중국의 산업 교육과 문화는 엉망이 되었다. 이런 잘못에도 불구하고 몇 번이나 모택동에 의해 숙청됐던 덩샤오핑은 그의 공은 7이고 과는 3이라고 평가를 했다. 이후 중국국민은 모택동이에 대한 지지가 90%를 넘나들면서 명실공히 중국의 국부로써 완전히 자리 잡았다.

정치지도자의 '일언이 천금보다 크다'는 격언이 이렇게 나온다. 덩샤오핑은 모택동에 대해 공과를 한마디로 정의하면서 그에 대한 모든 유언비어를 정리하고 완전한 국부로 자리매김했다. 우리와는 판이하게 다르다. 물론 중국은 일당 지배 국가라 다른 목소리를 낼 수 없는 상황이기는 하지만 이 일로 내부갈등이나 혼란상황 없이 깨끗하게 정리한 것이 한편 부럽기도 하다.

한국의 국부는 누구를 꼽아야 할까? 이승만을 빼고는 생각할 수 없다. 하지만 지금 이승만에 대한 평가는 장기집권 독재 친일 부정적인 것만 뒤덮고 있다. 독립관장을 지낸 언론인 출신 김삼웅 전 관장은 "보수 세력들이 박정희 대통령을 다 빼고 더 이상 우려먹을 것이 없으니까 이승만을 꺼낸다"며 지극히 정치공학적인 접근으로 이승만에 대해 비판을 쏟아놓고 있다.

소위 이승만 장사를 한다고 얘기하고 있다. 역사에 접근하는 방식이 근본부터 잘못돼 가고 있다. 이념적인 잣대로 먼저 평가하고 모든 것이 거기에 꽤 마쳐서 논리를 전개하고 있다. 있는 사실을 가지고 평가하고 분석해야 하는데 너무 안타깝다.

여기 또 다른 책 한 권을 소개하려고 한다. 본문에 이 책에 관한 얘기가 충분히 설명을 했다. 하지만 좀 부족한 부분, 다 전하지 못한 몇 가지가 있어서 첨언 하는 점에 대해서 양해를 바란다. 'Japan inside Out' 저자는 이승만이다. 이 책에서 일본의 속내를 신랄하게 파헤친다. 그 내용은 일본이 조선반도를 집어삼켰으니 그다음은 만주를 먹고 중국을 침략하고 여러 나라를 침략하고 나서 궁극은 태평양을 건너 미국으로 향할 것이다. 미국은 태평양을 사이에 두고 일본과 한판 대결을 벌여야 한다. 그러니 일본의 침략에 대비해야 한다.

그래서 일본의 팽창을 막고 일본을 다시 일본 본토로 돌아가게 하려면 조선을 독립시켜라! 그러자 미국의 학자들과 정치인들은 아무도 이승만의 외침에 귀 기울여 주지도 않고 콧방귀를 쉰다. 제 나라를 독립하려고 저렇게 엮는구나! 정도가 좀 심하다, 논리가 참 비약하고 궁하다는 반응이었다.

이 책이 발간되고 6개월이 못 돼서 하와이 진주만에 일본군의 폭탄을 실은 비행기가 그대로 미군의 함선으로 돌진한다. 일본군의 공습이 시작된 것이다.

이승만의 책 [Japan inside Out] 단숨에 인기상품이 되었고 유럽에서도 학자 정치인들이 다투어 이 책을 구해 읽었다. 21세기 오늘날까지 한국인이 쓴 책으로 미국에서 인기상품이 된 유일한 책이기도 하다. 비로소 미국의 학자들은 스스로 부끄러워했고 수십 년에 걸쳐 일본이 침략을 예언한 인물을 우리가 잘못 보았구나, 그러면서 이승만을 보는 시선을 달라졌고 그의 선각자적인 혜안에 감탄한다.

그 후 태평양전쟁에서 더글러스 맥아더 장군이 이끄는 군대가 일본을 점령하고 그 덕분에 우리는 피 한방을 흘리지 않고 독립이 쟁취한다….

그간 이승만은 미국으로부터 4번에 걸친 제거 대상이 되었다. 한국을 거쳐 간 많은 미국 대사들이 요지 불통의 나이 많은 영감을 상대할 수가 없었다고 혀를 찬다. 하지 중장도 그런 고백을 여러 차례 했다. 주둔군 사령관 알기를 마치 학교 후배 알듯이 한다고 이 대통령은 미국 대사와 말이 통하지 않으며 백악관에 바로 전화를 한다. 그만큼 대화가 되고 인맥도 확실하다. 하지 중장도 마찬가지였다. 동경의 맥아더 사령관과 바로 통화해서 현안을 직접 해결하곤 하였다.

이승만은 미국 대사는 물론이고 유엔군 사령관, 미국 대통령과 협상이나 대화를 하면서도 거침이 없이 자기 의견을 개진하고 또 돌파해 나갔다. 그 힘의 원천은 미국에서 최고학부를 나왔고 또 그 사람들과 경쟁에서 지지 않았는데 나오는 자신감과 오랜 기간 독립운동을 하면서 내공을 쌓으면서 나라 잃은 국민의 서러움과 한을 온몸을 체득하고 누구보다 열심히 살아온 데 있었다고 판단된다….

내가 대학을 다니던 시절은 매일 최루탄이 난무하던 시절이었다. 독재 타도 미군 철수 반미자주화 이런 문구들이 대자보라는 이름으로 학교 곳곳에 붙어있고 나부끼던 시절이었다. 당시 학생회를 주도하던 운동권의 논리는 미국의 군대가 이 땅의 '점령군'이다.

미군이 이 땅에서 나가야 우리민족끼리 자주통일 논의를 진행할 수 있는데 미군이 가로막고 있다는 주장을 펴고 다수의 학생이 이 논리에 함몰되어 있던 시기였다. 지금 생각하면 참으로 아찔한 순간이다.

미군이 없으면 중국이 우리나라 먹으려고 덤벼들지 않았을까, 러시아는 또 어떻게 나왔을까를 생각한다면 미군의 존재 그 자체가 너무나 감사합니다. 가까운 예로 필리핀의 미군이 진주하고 있을 때와 지금 철수하고 났을 때를 비교한다면 확실한 예가 된다. 당시 필리핀은 미군 주둔에 대한 부담이나 압박이 좀 있을 수가 있었다. 정치인들이 사실을 왜곡하고 선거에서 이기기 위해 감언이설로 표를 구하다 보니 현 상황을 필요 이상으로 확대 재생산 하면서 미군이, 점령군, 우리나라에 주둔하고 있다. 우리는 다른 나라와 적대관계에 있지 않다.

미군이 왜 필요하고 우리 땅에 진주해 있느냐? 맞는 얘기다. 미군 자체가 심리적 부담일 수가 있었다. 지금 필리핀 국민은 후회를 있다. 미군이 나가면서 중국과 필리핀은 영해문제로 수시로 충돌하고 있고 중국어선들이 필리핀의 어로수역까지 넘나들며 어업을 한다. 힘없는 국가의 서러움이 얼마나 큰 것인지, 미군은 존재 그 자체로 얼마나 소중한지, 필요성을 절감하고 있지만 한

번 나가버리면 다시 들어올 수도 없고, 오라고 해도 올 군대는 없다.

미군의 존재 자체가 곧 힘이다. 많은 외국계 회사들이 한국에 들어와서 맘 놓고 일할 수 있는 여건이 이 때문이기도 하다. 경찰의 존재 자체로써 충분히 치안이 유지되는 것과 같은 논리다.

"악마는 디테일에 있다." (송재윤 캐나다 맥베스터대 교수 역사학)

서울대학교 국제대학원의 한 유명 교수(역사학자)가 2년 전 어느 대중 강연에서 1952년 최초의 국민 직선제로 치러진 대통령 선거를 통해 제2대 대통령으로 선출된 이승만 대통령을 폄훼하면서 이렇게 말했다.

"그 당시에 문맹률이 높은데 누가 기호 1번 차지하느냐가 되게 중요하거든요. 이승만 대통령이 기호 1번이에요. 당연히 (당선)되는 겁니다. 이건 뭐, 기본적으로 이승만 대통령이 강한 권력을 차지하게 되는 거고요……."

이 역사학자는 이날 강의에서 김구도 김규식도 없는 1952년 상황에서 국민이 아는 정치인이라곤 이승만이 유일했으며, 전쟁 중이라 다수 국민은 정치엔 관심이 없었을뿐더러 유권자 대부분은 문맹이어서 누구든 기호 1번을 달고 나오면 당선되는 게 당연했다는 주장을 마구 펼쳐댔다. 이승만이 제2대 대통령 선거에서 당선된 이유는 이승만에 대한 국민적 지지도 승인도 아니라 국민적 무관심과 무지의 결과였다는 기괴한 해석이다. "독재자 이승만"이 비민주적 속임수로 우매한 대중을 기만하여 독재 권력을 연장했다는 86세대 좌 편향 학자들의 전형적인 논법인데, 과연 학술적 타당성이 있을까?

서울대학교 유명 역사학자의 발언이라 무조건 믿고 본다면 큰 오산이다. 세상에는 정치 편향에 휘둘려 현실을 왜곡하고 문서를 곡해하는 역사학자들이 수두룩하다. 역사 서술에서 악마는 잠복한 바이러스처럼 언제나 디테일 속에 똬리 틀고 있다. 그 악마를 찾아내기가 그다지 어렵지도 않다. 인터넷 검색창에 "제2대 대한민국 대통령 선거"라는 검색어만 넣고 클릭하면 관련 사실이 줄줄이 굴비처럼 엮여 나온다.

1952년 8월 5일 전쟁 와중에 치러진 제2대 대한민국 정·부통령 선거에서 기호 1번을 달고 출마한 대통령 후보는 이승만이 아니라 조봉암(曺奉岩, 1898-1959)이었다. 이승만은 기호 2번이었다. 또한, 전쟁 상황이었음에도 전국 투표율은 88.09%에 달했다. 사상 처음 치러지는 직선제 대통령 선거에 국민 다수는 적극적으로 참여했음을 증명하는 놀라운 수치다. 그 결과 74.61%라는 실로 무서운 득표율을 과시하며 이승만은 제2대 대통령으로 당선되었다. 당시 선거 관련 자료를 조금만 들춰보면 누구나 위의 객관적 사실을 확인할 수 있다. 1번을 달고 출마한 조봉암의 선거 포스터도 수없이 발견된다⋯.

그런데도 대중 앞에서 왼손 검지로 1자까지 만들어 보이면서 이승만이 기호 1번을 달고 나와 문맹의 유권자들은 무조건 1번을 찍었다고 단언하고 있는 저 역사학자는 대체 왜, 무슨 생각으로 그런 뻔한 거짓말을 하는가? 무엇을 바라고, 어떤 정치적 목적으로 그런 가당찮은 허위 정보를 퍼뜨리는가? 직접 확인도 하지 않고 지레짐작을 객관적 사실처럼 꾸며서 말했다면 용서받기 힘든 학문적 부정직(academic dishonesty)이다. 이승만을 폄훼하기 위해 고의로 그런 거짓을 말했다면 이념적 인격 살해이며 정치적 역사 날조이다.

역사학자의 거짓말을 폭로한 영화감독

이 역사학자의 터무니없는 오류를 내게 알려준 인물은 최근 전국에서 상영 중인 다큐멘터리 영화 "건국 전쟁"을 만든 김덕영 감독이다. 2023년 4월 중순 김덕영 감독은 캐나다에 있는 나와의 첫 전화 통화에서 "건국 전쟁"의 기획 의도를 소상히 알린 후 말했다. 저 역사학자의 말이 진짜인지 검증하기 위해 "1950년대 선거 포스터를 샅샅이 찾아봤는데, 이승만 대통령은 단 한 번도 기호 1번을 달고 대선에 출마한 적이 없다는 사실을 확인했다"라고.

김 감독이 조사한 바와 같이 1952년 기호 2번으로 출마했던 이승만 대통령은 그 이후 대선에서도 기호 1번으로 출마한 적이 없다. 1956년 대통령 선거에서는 기호 2번이었고, 1960년 선거에서는 기호 3번을 달고 있었다. 반복하지만, 1952년 선거는 물론, 그 이후의 대통령 선거에서도 이승만은 단 한 번도 기호 1번을 달고 출마한 적이 없다.

김 감독은 역사를 연구하고 가르쳐서 봉급 받아 먹고사는 전문적인 역사학자가 아니다. 그는 과거의 문서와 영상을 발굴해서 대중의 눈앞에 생생하게 과거의 실상을 재현하는 다큐멘터리 영화 감독이다. 다큐멘터리 영화감독이 전문 역사학자의 과거사 왜곡을 밝혀내고 엉터리 해석을 물리치는 힘은 모순과 부조리를 거부하는 시민의 상식과 거짓을 물리치려는 인간의 정직함에서 나온다….

누구든 진실 규명의 의지를 품고 집요하게 역사적 기초 사료를 발굴하고 탐구하면 역사학자의 왜곡과 궤변을 오로지 팩트(fact)에 근거해서 허물어 버릴 수 있다. 역사학은 절대로 역사학자의 전유물이 아니다. 시민사회가 눈을 부릅뜨고 정치화된 역사학계의 상습적 역사 왜곡을 낱낱이 밝혀나갈 때, 대한민국 현대사를 보는 국민의 시각이 바로잡힐 수 있다. 대중 강연에서 이승만이 기호 1번을 달고 나와서 문맹의 유권자들에게 몰표를 받았다고 거짓말을 해대는 역사학자가 자라나는 청소년의 머릿속에 그릇된 역사관을 심어주는 이 현실을 이제는 근본적으로 고치고 바꿀 때가 됐다.

역사적 진실을 밝히려는 김덕영 감독의 작가정신과 예술혼이 거짓 뉴스와 허위 정보를 마구 엮어서 일방적으로 이승만 악인전(惡人傳)을 집필해 온 역사학계의 고루한 시대착오와 부족 주의를 송두리째 뒤흔들고 있다. 그 어떤 역사가의 전문지식도 정직한 시민의 상식을 이길 수 없다. 하물며 기호 2번을 1번이라 조작하고, 88.09% 투표율을 보인 유권자를 무관심한 군중이라 둘러대고, 이승만을 대통령으로 선출한 74.61%의 유권자를 닥치고 1번만 찍는 문맹의 무지렁이로 몰아가는 황당무계한 역사 왜곡의 주체임에랴.

"슬픈 중국"에서 왜 한국 현대사를 논하나?
독자로서 "슬픈 중국"이란 제명 아래 왜 전근대 한국사를 논하고, 왜 또 이승만 전 대통령에 관해 이야기하는지 의아해할 수 있다. 쉽게 말해 그 이유는 동아시아의 오랜 역사에서 중국 문명의 영향이 절대적이었기 때문이다. 특히 조선에선 왕조 멸망의 전야까지 다수 유생(儒生)이 오매불망 명나라를 그리면서 위정척사의 고립에 빠져 있었다.

중국을 대국으로 숭상하는 오랜 전통의 관성은 실로 강력하여 일제에 강점당해 식민 지배를 겪고 난 후에도 한반도 지식인들은 중국을 향한 존경과 흠모를 극복하지 못했다. 중국 마오쩌둥의 대규모 파병으로 파멸을 면한 북한 김일성은 마오쩌둥의 "자력갱생"을 그대로 베껴서 "주체사상"을 만들고는 마오쩌둥식 대중 동원과 대민 지배를 그대로 흉내 내었던 마오쩌둥의 '꼬맹이 동생'(little brother)이었다. 김일성의 남침으로 3년의 참혹한 전쟁을 겪었던 대한민국의 지식인들도 중국을 숭모한 점은 마찬가지였다. 특히 1970~80년대 노무현·문재인 전 대통령들이 사상의 스승으로 떠받든 저널리스트 리영희의 중국 관련 서적들은 소위 "진보세력"의 의식을 지배하는 운동권의 바이블이 되었다. 문제는 리영희의 저서들이 마오쩌둥을 미화하고 칭송하는 중국공산당 선전물을 방불케 한다는 점에 있다.

리영희는 의식화의 스승으로 추앙받는다. [8억과의 대화] [10억과의 대화] 등은 대약진 운동과 문화대혁명을 인류가 나아가야 할 진정한 희망의 길이라고 주장하는 서구와 일본 좌파들의 글을 모아 둔 것이다. 특히 리영희 교수가 쓴 '전환시대 논리'는 운동권 학생들의 입문서다.

1960~70년대 한국 대다수 언론은 외신을 통해서 중국 문화혁명에 관한 꽤 상세하고 객관적이며 정확한 보도를 일상적으로 전하고 있었다. 한국의 대중은 날마다 신문만 봐도 문화혁명의 참혹한 현실을 제대로 파악할 수 있었다. 리영희의 저서는 그러한 한국 사회에 중국공산당의 선전물을 버젓이 옮겨와선 "문화대혁명의 실상"이라며 마오쩌둥의 인격 숭배까지 정당화하는 지적 착오를 범했다.

리영희의 영향을 받은 대한민국의 "진보세력"은 희대의 독재자 마오쩌둥을 존경하는 시대착오와 최악의 전체주의 파시스트 김일성을 "위대한 수령"으로 섬기는 정신착란을 연출했다. 그렇다면 리영희는 왜 마오쩌둥을 극찬했는가? 그 이념의 뿌리가 구한말 위정척사파에서 이어지는 친중 사대주의의 황무지에 박혀 있었기 때문이다.

중국을 숭상하고 북한을 옹호하는 이들은 예외 없이 이승만에 대한 혐오감을 유감없이 드러낸다. 이승만은 중국 문명에서 벗어나 중화 중심주의적 세계관을 타파하고 구미(歐美) 모델의 근대화를 지향했다. 이승만은 해방공간의 극한적 좌우익 대립 속에서도 대한민국이라는 자유민주주의 신생국을 건립하여 미국 주도의 자유적 국제질서(liberal international order)에 편입시킨 한국 현대사의 가장 중요한 인물이다.

한국 현대사에서 마오쩌둥을 흠모하고 김일성을 존숭했던 세력은 반미와 반자유로 무장한 시대착오적 이념의 일탈자들이었다. 선명한 반공의 기치를 내걸고 제네바 협정과 인권의 가치를 내세워 2만 6천 명 반공포로를 석방한 이승만은 시대착오적 이념의 일탈자들에게 불구대천의 "원수"가 되었다. 바로 그런 이유로 그들은 이승만이 세운 대한민국의 정통성을 무너뜨리는 이념 공세를 가해 왔다.

리영희의 악의적 오역, 반대한민국 세력의 정치전 무기로
그런 악의적 이념 공세 중에서도 특히 리영희가 대한민국 정부 수립과 관련해서 유엔총회의 결정문을 왜곡한 사례는 앞으로도 두고두고 역사학의 타산지석이 되어야 마땅하다. 1948년 12월

프랑스 파리에서 열린 제3차 유엔총회에서 채택된 결의 제195호 (Ⅲ) 2항의 내용은 다음과 같다.

한국어 번역: "2. 유엔 한국 임시위원단이 감시하고 협의할 수 있었으며 한국인의 대다수가 사는 한반도 내의 지역에서 유효한 지배권과 관할권을 가진 합법 정부(대한민국 정부)가 수립되었다는 점, 또 이 정부는 임시위원회의 감시 아래서 한반도 그 지역의 유권자들의 자유로운 의사가 적법하게 표현된 선거에 근거하고 있다는 점, 그리고 그것이 한반도 유일의 그러한 (합법) 정부라는 점을 선언한다."

영어 원문: "2. Declares that there has been established a lawful government (the Government of the Republic of Korea) having effective control and jurisdiction over that part of Korea where the Temporary Commission was able to observe and consult and in which the great majority of the people of all Korea reside; that this Government is based on elections which were a valid expression of the free will of the electorate of that part of Korea and which were observed by the Temporary Commission; and that this is the only such Government in Korea)."

리영희는 대한민국이 유권자의 자유로운 의사가 표현된 공정한 선거 때문에 성립된 한반도의 유일한 합법 정부라는 유엔총회의 결의문을 "대한민국은 38선 이남에 수립된 유일한 합법 정부"라고 악의적으로 오역했다. 그의 오역은 대한민국의 국제법적 합법성과 헌법적 정당성을 부정하는 학계, 언론계, 정계, 문화계의 반대한민국 세력에 의해서 끊임없이 악용되었다. 리영희는 왜 "the only such Government in Korea"를 "38선 이남의 유일한 합법 정부"라고 오역했을까? 몰라서 틀렸나? 알면서 왜곡했나?

"대한민국은 1948년 5월 10일 총선거를 거쳐 8월 15일 공식적으로 수립되었다. 중앙선관위 자료에 따르면, 5월 10일 총선거는 전국 만 21세 이상 남녀 총유권자 813만여 명 중에서 785만 명 (96.4%)이 선거인 등록을 했고, 그중 95.5%가 투표를 했다. 대한민국 최초의 선거는 그렇게 국민의 압도적 다수가 '나라 세우기'의 열망을 갖고 적극적으로 참여한 명실공히 '보통·평등·직접·비밀선거'였다. 그날 선출된 198명의 국회의원은 5월 31일 제헌의회를 개원했으며, 7월 17일에는 드디어 대한민국 헌법이 공표됐다. 그 헌법에 따라 국회의원의 간접 선거로 제1대 대통령 이승만이 선출되었다. 요컨대 한국 헌정사 최초의 '민주 정권'은 1948년 수립된 바로 그 정부였다." (송재윤, "'1948년 정부'가 대한민국 첫 민주 정부다." 朝鮮 칼럼, 2022년 3월 8일).

(리영희 교수)

마오쩌둥을 흠모하고 경애하여 숱한 가짜 뉴스와 허위 정보를
엮어서 그의 공적을 미화하고 그의 인격을 찬양했던 리영희는

1948년 유엔의 감시하에서 국민 총선거를 거쳐 국민 절대다수의 승인을 얻어서 수립된 대한민국의 국가로서의 정통성을 흔쾌히 인정할 수 없었다. "한반도 유일의 합법 정부"를 "38선 이남의 유일한 합법 정부"로 왜곡한 그의 의도는 진정 무엇이었을까? 조선민주주의인민공화국도 대한민국만큼 합법적이라 주장하고 싶었음일까? 리영희의 글을 다시 읽어보면, 뿌리 깊은 그의 친중주의가 반미주의와 동전의 양면처럼 딱 붙어있음을 확인하게 된다. 친중·반미는 곧 반대한민국으로 이어진다. "슬픈 중국"에서 한국의 서글픈 친중 사대주의를 다뤄야 하는 까닭이 바로 여기에 있다. 여기서 '위대한 수령' 김일성의 뿌리가 싹 트기 시작한다.

이승만에 대한 공과 과를 접하면서 하나의 큰 산을 만난 기분이었다. 너무나 큰 어른이 우리 곁에 왔다 갔다는 것에 감사하고 이분이 있어서 대한민국의 건국과 오늘날 대한민국의 발전과 번영을 구가할 수 있었다는 확신이 든다.

애국가의 한 구절처럼 '하느님이 보우하사 우리나라 만세' 왜 이런 구절이 애국가에 삽입되었는지 조금 이해가 간다. 아무 생각 없이 그저 따라 부르다가 어느 순간 왜 이 표현이 들어갔을까 고민해 봤지만 내 영역 밖의 일이라는 생각으로 접었는데 이번에 그 해답을 찾은 것 같다. 하나님이 이승만이라는 큰 사람을 우리에게 보내준 것 같다는 결론을 내리게 됐다.

참고문헌

『한국민족주의의 탐구』(송건호, 한길사, 1977)

『1950년대의 인식』(한길사, 1981)

『분단한국사』(김정원, 동녘, 1985)

『해방정국의 증언』(고영민, 사계절, 1986)

『현대한국정치사』(한국정신문화연구원, 1987)

『한국정치연구』(서울대학교 한국정치연구소, 1987)

[네이버 지식백과] 부산정치파동 [釜山政治波動] (한국민족문화대백과, 한국학중앙연구원)

『독도분쟁의 국제법적 이해』(이석우, 서울: 학영사, 2005)

신한일 어업협정과 독도영유권(제성호, 서울: 우리영토, 2007)

『독도영유권에 대한 국제법적 쟁점연구』(정갑용, 서울: 한국해양수산개발원, 2004)

베일속 「김일성과거」 파헤쳐/「유성철 나의 증언」 1990년 12월 1일, 한국일보

건국 대통령 이승만의 생애 도서출판 기파랑 안평훈

이승만 평전 ㈜ 삼림출판사 이주영

독부 이승만 평전 ㈜ 책으로보는 세상 김삼웅

백범일지 소담출판사 김구 지음 편집위원 서종택

이승만의 네이션빌딩 이승만 외교원 교양총서 김용삼

8.15 해방에서의 소련군 참전 요인과 북한의 인식, 기광서

1945년 중소교섭과 미국의 개입, 정형아

소련의 대일전참전문제를 둘러싼 미ㆍ소간의 협상과정을 중심으로, 이완범

트루먼과 동북아 냉전 : 미국의 원폭실험 성공에 따른 소련의 대일전 참전배제 구상, 이완범

한반도 분할 배경에 대한 연구 : 소련의 대일전 참전과정을 중심으로, 이희진

소련의 대한반도 및 독일 정책의 비교, 정경섭

소련의 대일전 참전과 38선 수락 1942~1945, 이완범

소련의 대한반도정책 1945~48년, 김희

종전(終戰) 후 중국 대륙의 형세와 미국의 전후 아시아 구상에 관한 연구, 오수열

트루먼과 동북아 냉전, 이완범

한국전쟁의 기원과 스탈린의 정책결정 동기, 션즈화

해방 전 소련의 대한반도 정책 구상과 조선 정치세력에 대한 입장, 기광서

냉전과 미국의 개입주의의 전개 : 미국의 대한반도 정책을 중심으로, 김일수

[출처] 소련의 대일참전과 한반도 분단, 과연 미국은 막을 수 없었나.|작성자 욱이님

한국민족문화대백과

제주4.3사건 진상조사 보고서 Archived 2021년 11월 17일 - 웨이백 머신 제주4.3사건 진상규명 및 희생자 명예회복 위원회

문제안 등저 (2005년 8월 5일). 《8·15의 기억: 해방공간의 풍경, 40인의 역사체험》. 서울: 한길사. ISBN 978-89-356-5556-4.

서중석. 역사문제연구소 계획. (2005년 4월 8일). 《사진과 그림으로 보는 한국 현대사》. 서울: 웅진지식하우스. ISBN 978-89-01-04959-5.

외부 링크

『다시 쓰는 여순사건 보고서』(여수지역사회연구소, 한국학술정보, 2012)

『진실화해위원회 종합보고서 3 - 민간인 집단희생 사건』(진실·화해를 위한 과거사 정리위원회, 2010)

『'빨갱이'의 탄생: 여순사건과 반공 국가의 형성』(김득중, 선인, 2009)

『한국현대사와 사회주의』(성대경 편, 역사비평사, 2000)

「여순사건 이후 빨치산 활동과 그 영향」(이선아, 『역사연구』 20, 2011)

관련이미지 4

[네이버 지식백과] 여순사건 [麗順事件] (한국민족문화대백과, 한국학중앙연구원)